Antol[...]
Generación del 27

castalia didáctica

Director:
Pedro Álvarez de Miranda

Antología Poética de la Generación del 27

*Con cuadros cronológicos,
introducción, texto, notas
y llamadas de atención,
documentos, orientaciones
para el estudio
a cargo de*

Arturo Ramoneda

EDITORIAL CASTALIA

© Editorial Castalia, 1990
Zurbano, 39 - 28010 Madrid - Teléf.: 319 89 40
Cubierta de Víctor Sanz
Impreso en España. Printed in Spain
Talleres Gráficos Peñalara. Fuenlabrada (Madrid)
I.S.B.N.: 84-7039-565-3
Depósito legal: M. 17.324-1990

SUMARIO

Para Elvira e Irene Prat Jiménez.
Para Manuel Aragón y Moisés García Ruiz.

LA GENERACIÓN DEL 27 Y SU TIEMPO

Año	Acontecimientos históricos	Vida cultural y artística
1891	Desempeña la regencia en España María Cristina, viuda de Alfonso XII.	Muere Rimbaud.
1893		Verlaine: *Elégies*. Nace Vicente Huidobro.
1896		Muere Verlaine. Rubén Darío: *Prosas profanas*. Nacen Tristan Tzara y André Breton.
1898	Guerra entre España y los Estados Unidos. Por el Tratado de París, España pierde Cuba, Puerto Rico y Filipinas.	Muere Mallarmé. Nacen Concha Méndez, Juan J. Domenchina, Rosa Chacel y J. Díaz Fernández.
1899		
1902	Comienza el reinado de Alfonso XIII.	Unamuno: *Amor y pedagogía*. Valle-Inclán: *Sonata de otoño*. Baroja: *Camino de perfección*. Azorín: *La voluntad*. Nacen Ramón J. Sender y Max Aub.
1905	Gobierno liberal. Se agravan los problemas religiosos.	Rubén Darío: *Cantos de vida y esperanza*. Nace María Teresa León.
1907		Picasso: *Las señoritas de Avignon*. A. Machado: *Soledades, galerías y otros poemas*. Unamuno: *Poesías*.
1909	«La Semana trágica» de Barcelona. Ejecución de Francisco Ferrer.	Marinetti: «Primer manifiesto futurista».
1914	Comienza la guerra mundial. España se mantiene neutral.	Unamuno: *Niebla*. Juan Ramón Jiménez: *Platero y yo*.
1917	Revolución soviética. Huelga general revolucionaria en España. Estados Unidos entra en la guerra mundial.	Juan Ramón Jiménez: *Diario de un poeta recién casado* y *Sonetos espirituales*. Huidobro: *Horizon carré*. Se crea el diario *El Sol*. Mueren Rodin y Degas.
1918	Se firma el armisticio que pone fin a la guerra mundial.	César Vallejo: *Los heraldos negros*. Juan Ramón Jiménez: *Eternidades*. Llega a Madrid V. Huidobro. «Manifiesto ultraísta». Revista *Grecia*.

Vida y obra de los poetas
Nace Pedro Salinas.
Nace Jorge Guillén.
Nace Gerardo Diego.
Nacen Federico García Lorca, Vicente Aleixandre y Dámaso Alonso.
Nace Emilio Prados.
Nacen Rafael Alberti y Luis Cernuda.
Nace Manuel Altolaguirre.
Salinas es nombrado lector de español en la Sorbona.
Alberti se instala en Madrid. Guillén sustituye a Salinas en la Sorbona. Una *Antología* de Rubén Darío despierta las inquietudes poéticas de Aleixandre.
Salinas es nombrado catedrático de la Universidad de Sevilla. Lorca: *Impresiones y paisajes*. Diego escribe *Iniciales*.

Año	Acontecimientos históricos	Vida cultural y artística
1919	Tratado de Versalles. Se crea la Sociedad de Naciones.	Revista *Cosmópolis*.
1920	Elecciones en diciembre y gobierno conservador de Eduardo Dato. Se prohíbe el alcohol en Estados Unidos.	Valle-Inclán: *Luces de bohemia.* León Felipe: *Versos y oraciones del caminante.* Mueren Pérez Galdós y Modigliani. Revistas *Nós*, *Reflector* y *La Pluma*.
1921	Dato es asesinado. Gabinetes de Allende Salazar y Maura. Desastre de Annual, en Marruecos. Se crea el Partido Comunista español. Independencia de Irlanda.	L. Pirandello: *Seis personajes en busca de autor.* Revistas *Ultra*, *Índice* y *Tableros*.
1922	Destitución de Martínez Anido. Gobierno liberal, presidido por García Prieto. Pío XI, papa. En octubre, Mussolini es encargado de formar gobierno.	César Vallejo: *Trilce.* Joyce: *Ulises.* Rilke: *Elegías del Duino.* Valéry: *Charmes* (incluye *El cementerio marino*). Muere Marcel Proust. Revista *Horizonte*.
1923	Dictadura de Primo de Rivera. Asesinato de Salvador Seguí, dirigente de la CNT. Stalin, en la URSS, sucede a Lenin. Comienza a desarrollarse la Radiodifusión en España.	G. de Torre: *Hélices.* J. Bergamín: *El cohete y la estrella.* Rilke: *Sonetos a Orfeo.* I. Svevo: *La conciencia de Zeno.* Se crean: *Revista de Occidente, Parábola, Ambos* y *Alfar*.
1924	Se crea la *Unión Patriótica*, partido de la Dictadura. Prohibición de la CNT. Unamuno es desterrado a Fuerteventura. Muere Lenin. Proclamación de la República en Grecia. Gran Bretaña: primer gobierno laborista. En las elecciones italianas, los fascistas obtienen cinco de los siete millones de votos.	A. Machado: *Nuevas canciones.* P. Neruda: *Veinte poemas de amor.* T. Mann: *La montaña mágica.* S. J. Perse: *Anábasis.* Gershwin: *Rapsodia en blue.* A. Breton: *Manifiesto surrealista.* Mueren Kafka, Puccini y Salvat-Papasseit. Revistas *Tobogán* y *Ronsel*.
1925	Término del Directorio militar. Primer gobierno civil. Mueren Pablo Iglesias y Maura. Trotski es destituido. Hitler: *Mi lucha*.	Ortega: *La deshumanización del arte.* G. de Torre: *Literaturas europeas de vanguardia.* T. S. Eliot: *Poemas 1909-1925.* E. Pound: *Primeros Cantos.* Kafka: *El proceso.* A. Gide: *Los monederos falsos.* Scott Fitzgerald: *El gran Gatsby.* Chaplin: *La quimera del oro.* Eisenstein: *El acorazado Potemkin.* Discurso de Brémond sobre la poesía pura. Revistas *Plural* y *Sí*.

Vida y obra de los poetas
G. Diego y García Lorca llegan a Madrid.
G. Diego gana la cátedra de literatura del Instituto de Soria. Publica *El romancero de la novia*.
Lorca: *Libro de poemas*. D. Alonso: *Poemas puros. Poemillas de la ciudad*.
Salinas es nombrado lector de español en Cambridge. Diego: *Imagen*.
Diego: *Soria*. Salinas: *Presagios*. Altolaguirre, Hinojosa y Souviron fundan la revista *Ambos*.
Alberti: *Marinero en tierra*. Diego: *Manual de espumas*.
Diego y Alberti obtienen el Premio Nacional de Literatura por *Versos humanos* y *Marinero en tierra*, respectivamente. Guillén es nombrado catedrático de la Universidad de Murcia. D. Alonso: *El viento y el verso*. Prados: *Tiempo*. Una grave enfermedad aparta a Aleixandre de toda actividad profesional.

Año	Acontecimientos históricos	Vida cultural y artística
1926	Abortada una sublevación, la «Sanjuanada», contra Primo de Rivera. Derrota de Abd-el Krim. Travesía del «Plus Ultra».	G. Miró: *El obispo leproso*. Valle-Inclán: *Tirano Banderas*. P. Eluard: *Capital de la gloria*. Kafka: *El castillo*. Hemingway: *Fiesta*. Mueren Monet, Gaudí y Rodolfo Valentino. Miró: *Perro ladrando a la luna* y *Caballo junto al mar*. Revistas *Mediodía*, *Favorables Paris Poema*, *Residencia* y *L'Amic de les Arts*.
1927	Termina la guerra de Marruecos. Creación de la FAI y de la FUE. Ejecución en Estados Unidos de Sacco y Vanzetti. Lindbergh realiza el vuelo transatlántico Nueva York-París, sin escalas. Empieza a jugarse el primer torneo de la liga de fútbol española. Con *El cantor de jazz* nace el cine sonoro.	Tercer centenario de la muerte de Góngora. H. Hesse: *El lobo estepario*. J. Benda: *La traición de los intelectuales*. Heidegger: *Ser y tiempo*. Revistas *Verso y prosa* (Murcia), *Litoral* (Málaga), *La Gaceta Literaria* y *Ley* (Madrid), *Mediodía* (Sevilla), *Papel de aleluyas* (Huelva) y *La Rosa de los vientos* (Tenerife).
1928	Trotski, deportado a Siberia. Fleming descubre la penicilina.	Brecht: *La ópera de cuatro cuartos*. Huxley: *Contrapunto*. D. H. Lawrence: *El amante de lady Chatterley*. Ravel: *Bolero*. Buñuel: *Un perro andaluz*. Revistas *Manantial* (Segovia) y *Meseta* (Valladolid).
1929	Revueltas estudiantiles en España y clausura de Universidades. Exposiciones internacionales de Barcelona y Sevilla. La quiebra de la Bolsa de Nueva York origina una crisis económica mundial. Creación del Partido Nacional-Socialista alemán. Fundación del Estado Vaticano. Exilio de Trotski.	R. Gómez de la Serna: *Los medios seres*. Moreno Villa: *Jacinta la pelirroja*. Díaz Fernández: *La Venus mecánica*. Hemingway: *Adiós a las armas*. Faulkner: *El sonido y la furia*. Cocteau: *Los niños terribles*. Dalí: *El gran masturbador*. A. Breton: *Segundo manifiesto surrealista*. Muere Diághilev. Yeats: *La escalera de caracol*.
1930	Caída de Primo de Rivera. Gobierno de Berenguer. Levantamiento frustrado de las guarniciones de Jaca y de Cuatro Vientos. Ortega y Gasset: «Delenda est Monarchia». En agosto, los republicanos firman el Pacto de San Sebastián. Los intelectuales se unen en la agrupación *«Al servicio de la República»*.	Ortega y Gasset: *La rebelión de las masas*. Díaz Fernández: *El nuevo romanticismo*. Jarnés: *Teoría del zumbel*. Musil: *El hombre sin atributos* (vol. I). Buñuel: *La edad de oro*. Sternberg: *El ángel azul*. Suicidio de Maiakovski. Muere G. Miró.

Vida y obra de los poetas
Alberti: *La amante*. Altolaguirre: *Las islas invitadas y otros poemas*. Prados: *Canciones del farero*. Altolaguirre dirige, con Prados, *Litoral*. D. Alonso traduce *Retrato del artista adolescente*, de Joyce.
Todos participan activamente en los homenajes en honor de Góngora. Cernuda: *Perfil del aire*. Prados: *Vuelta*. Lorca: *Canciones*. Alberti: *El alba del alhelí*. Altolaguirre: *Ejemplo*. Diego funda la revista *Carmen*.
Lorca: *Romancero gitano*. Guillén: *Cántico*. Aleixandre: *Ámbito*. Aparece la revista *Gallo*, dirigida por Lorca. Cernuda es nombrado lector de español en Toulouse.
Alberti: *Sobre los ángeles* y *Cal y canto*. Salinas: *Seguro azar*. Cernuda: *Un río, un amor*. Guillén es nombrado lector de español en Oxford. Diego viaja a Santiago de Compostela y Lorca a Nueva York.
Alberti: *El hombre deshabitado*. Altolaguirre dirige *Poesía*.

Año	Acontecimientos históricos	Vida cultural y artística
1931	14 de abril: proclamación de la República. Comienza el bienio social-azañista.	Huidobro: *Altazor*. Ramón G. de la Serna: *Ismos*. Huxley: *Un mundo feliz*. Céline: *Viaje al fin de la noche*. Buñuel: *Las Hurdes, tierra sin pan*. *Gaceta de arte* (Tenerife).
1932	Pronunciamiento de Sanjurjo. Leyes de reforma agraria y de divorcio. Promulgación del Estatuto catalán.	E. de Champourcín: *La voz en el viento*.
1933	En las elecciones generales triunfan las derechas. José A. Primo de Rivera funda Falange Española. Sucesos de Casas Viejas. Incendio del Reichstag. En Estados Unidos, triunfo electoral de Franklin D. Roosevelt.	M. Hernández: *Perito en lunas*. Moreno Villa: *Puentes que no acaban*. Malraux: *La condición humana*. Mueren Kavafis y Stefan George. Revistas *Cruz y Raya* y *Los Cuatro Vientos*.
1934	Gobierno derechista de Lerroux. Revolución de Octubre. Muere el torero Ignacio Sánchez Mejías. «Noche de los cuchillos largos» en Alemania.	A. Machado inicia *Juan de Mairena*. Maeztu: *Defensa de la Hispanidad*. H. Miller: *Trópico de Cáncer*.
1935	Primer gobierno de la CEDA. Italia invade Etiopía.	Borges: *Historia universal de la infamia*. Primer Congreso Internacional de intelectuales en defensa de la cultura. Muere Pessoa. Neruda: *Residencia en la tierra*. T. S. Eliot: *Cuatro cuartetos (1935-1943)*. Revista *Caballo verde para la poesía*.
1936	Victoria democrática del Frente Popular. Azaña, presidente de la República. 18 de julio: comienza la guerra civil. Llegan los primeros voluntarios de las Brigadas Internacionales.	M. Hernández: *El rayo que no cesa*. Domenchina: *Poesías completas*. Chaplin: *Tiempos modernos*. Mueren Valle-Inclán, Unamuno, Villaespesa, Gorki y Pirandello.
1937	Los nacionales toman Málaga y fracasan en un nuevo intento de conquistar Madrid. Alternan las ofensivas de uno y otro bando. Bombardeo de Guernica. Guerra chino-japonesa.	M. Hernández: *Viento del pueblo*. C. Vallejo: *España, aparta de mí este cáliz*. Picasso: *Guernika*. Sartre: *La náusea*. Segundo Congreso de escritores antifascistas. Mueren Lovecraft, Ravel, Marconi y Gramsci.

Vida y obra de los poetas
Lorca: *Poema del Cante Jondo*. Salinas: *Fábula y signo*. Diego: *Viacrucis*. Altolaguirre: *Soledades juntas*. Cernuda: *Los placeres prohibidos*. Guillén pasa a la Universidad de Sevilla. Alberti se afilia al Partido Comunista.
Aleixandre: *Espadas como labios*. Diego: *Fábula de Equis y Zeda*, *Poemas adrede* y *Poesía Española. Antología (1915-1931)*. Lorca crea el teatro universitario *La Barraca*.
Salinas: *La voz a ti debida*. Alberti: *Consignas* y *Un fantasma recorre Europa*. Alberti dirige la revista revolucionaria *Octubre*. Dámaso Alonso es nombrado catedrático de la Universidad de Valencia. Lorca: *Bodas de sangre*.
Cernuda: *Donde habite el olvido*. Aleixandre recibe el Premio Nacional de Literatura.
Aleixandre: *La destrucción o el amor*. Alberti: *Verte y no verte*. Lorca: *Llanto por Ignacio Sánchez Mejías. Seis poemas galegos. Doña Rosita la soltera*.
Cernuda: *El joven marino. La realidad y el deseo*. Salinas: *Razón de amor*. Guillén: *Cántico* (2.ª edición). Alberti: *13 bandas y 48 estrellas*. Prados: *Llanto subterráneo*. Altolaguirre: *La lenta libertad. Las islas invitadas*. Lorca es asesinado en Granada. Guillén es detenido y encarcelado en Sevilla. Alberti dirige *El mono azul*.
Prados: *Llanto en la sangre*. Alberti adapta *Numancia*, de Cervantes.

Año	Acontecimientos históricos	Vida cultural y artística
1938	Batalla del Ebro. Abandonan España las Brigadas Internacionales. Persecuciones antisemitas en Alemania. Primer gobierno nacional en Burgos.	Brecht: *Terror y miserias del tercer Reich*. Mueren L. Lugones, César Vallejo y D'Annunzio. Revista *Hora de España*.
1939	El 1 de abril termina la guerra civil. En agosto comienza la Segunda guerra mundial.	C. Vallejo: *Poemas humanos*. Steinbeck: *Las uvas de la ira*. Mueren A. Machado, Freud y W. B. Yeats. Se exilian numerosísimos escritores.
1940	Alemania invade Holanda, Bélgica y Francia. Entrevista entre Franco y Hitler. Asesinato de Trotski. México concede derecho de ciudadanía a los refugiados españoles.	Jardiel Poncela: *Eloísa está debajo de un almendro*. Hemingway: *Por quién doblan las campanas*. G. Green: *El poder y la gloria*. Revistas *Romance* y *España peregrina*.
1941	Estados Unidos entra en la guerra.	
1942	Se establecen las Cortes españolas.	Sender: *Crónica del alba*. *Poesías* de F. Pessoa (primer volumen de los nueve en que se recogerá su obra). A. Camus: *El extranjero*. Cela: *La familia de Pascual Duarte*. Muere M. Hernández.
1943	Derrota alemana en Stalingrado.	Max Aub inicia la serie de los *Campos*. Sartre: *El ser y la nada*. J. Rejano: *Fidelidad del sueño*. Revista *Garcilaso*.
1944	Desembarco de Normandía.	Revista *Espadaña*. Muere E. Díez-Canedo en México.
1945	Bombas sobre Hiroshima y Nagasaki. Termina la Guerra mundial. Creación de la ONU. En la Conferencia de San Francisco se decreta la exclusión de España de todos los organismos de convivencia internacional.	Serrano Plaja: *Versos de guerra y paz*. Rosa Chacel: *Memorias de Leticia Valle*. Rossellini: *Roma, ciudad abierta*.
1946	Conferencia de Paz en París. Las Naciones Unidas consagran la excomunión política de España. Triunfo de Perón en Argentina.	Juan R. Jiménez: *La estación total*. R. Dieste: *Historias e invenciones de Félix Muriel*. Genet: *Las criadas*.

Vida y obra de los poetas
Guillén logra salir de la España franquista y se establece en Estados Unidos. Cernuda se instala en Inglaterra. Prados: *Cancionero menor para los combatientes.* Comienzan a editarse las *Obras completas* de Lorca en Buenos Aires.
En el exilio permanecerán: Salinas, Cernuda, Guillén, Altolaguirre, Prados y Alberti. En España: D. Alonso, G. Diego y V. Aleixandre. Altolaguirre: *Nube temporal.*
Diego: *Ángeles de Compostela.* Lorca: *Poeta en Nueva York.* Prados: *Memoria del olvido.* Cernuda: *La realidad y el deseo* (2.ª ed. aumentada).
Diego: *Alondra de verdad* y *Primera Antología de sus versos.* Alberti: *Entre el clavel y la espada.*
Cernuda: *Ocnos.*
Diego: *Iniciales.* Cernuda: *Las nubes.*
Diego: *La sorpresa.* Alonso: *Oscura noticia. Hijos de la ira.* Aleixandre: *Sombra del Paraíso.* Alberti: *Pleamar.* Altolaguirre: *Poemas de las islas invitadas.* Prados: *Mínima muerte.*
Guillén: *Cántico* (3.ª ed.). Alberti: *A la pintura* e *Imagen primera de...* Dámaso Alonso es elegido miembro de la Real Academia Española.
Salinas: *El contemplado.* Prados: *Jardín cerrado.* Altolaguirre: *Nuevos poemas de las islas invitadas.* Aparece la revista *Ínsula,* que prestará una especial atención a los poetas de esta generación.

Año	Acontecimientos históricos	Vida cultural y artística
1947	Plan Marshall. Tratado de Paz de París.	M. Andújar: *Llanura* (primer vol. de *Vísperas*). Malcolm Lowry: *Bajo el volcán*.
1948	Asesinato de Gandhi. Creación del Estado de Israel.	Muere V. Huidobro. P. Garfias: *De la soledad y otros pesares*.
1949	Creación de la OTAN. Triunfo de la Revolución china.	Juan R. Jiménez: *Animal de fondo*. Borges: *El Aleph*. Moreno Villa: *La música que llevaba*. A. Miller: *La muerte de un viajante*.
1950	Guerra de Corea.	Neruda: *Canto general*. Blas de Otero: *Ángel fieramente humano*. Onetti: *La vida breve*. Ionesco: *La cantante calva*.
1951		A. Barea: ed. castellana de *La forja de un rebelde*. Cela: *La colmena*.
1952	Ingreso de España en la UNESCO.	
1953	Muere Stalin. Fidel Castro asalta el Cuartel Moncada. España firma un pacto de alianza mutua con los Estados Unidos y un concordato con la Santa Sede.	Beckett: *Esperando a Godot*. Rulfo: *El llano en llamas*.
1954	Comienza la guerra de Argelia.	A. Castro: *La realidad histórica de España*. Hitchcock: *La ventana indiscreta*.
1955	España ingresa en la ONU. Perón abandona Argentina.	Mueren Ortega y Gasset y Moreno Villa. Nabokov: *Lolita*.
1956	Independencia de Marruecos.	Guimarães Rosa: *Gran Sertón. Veredas*. J. R. Jiménez, Premio Nobel.
1957	Primer spútnik soviético.	Sánchez Albornoz: *España, un enigma histórico*. Durrell: *Justine*.
1958	Juan XXIII, papa. Primer satélite norteamericano.	Muere Juan R. Jiménez en Puerto Rico. F. Ayala: *Muertes de perro*. Lampedusa: *El gatopardo*.
1959	Victoria de Fidel Castro en Cuba. Se crea el Mercado Común.	Muere Domenchina.

Vida y obra de los poetas
Cernuda: *Como quien espera el alba*. Diego es elegido para la Real Academia Española. Cernuda se traslada a Estados Unidos.
Diego: *La luna en el desierto y otros poemas*. Alberti: *A la pintura*.
Salinas: Todo más claro. Diego: *Hasta siempre*. Alberti: *Coplas de Juan Panadero*. Cernuda: *Vivir sin estar viviendo*. Altolaguirre: *Fin de un amor*. Aleixandre ingresa en la Real Academia Española.
Aleixandre: *Mundo a solas*. Guillén: *Cántico* (4.ª edición).
Diego: *Limbo*. Muere Salinas en Boston.
Alberti: *Retornos de lo vivo lejano*. Cernuda: *Variaciones sobre el tema mexicano*.
Aleixandre: *Nacimiento último*. Diego: *Biografía incompleta*. Alberti: *Ora marítima*. Prados: *Dormido en la yerba*.
Salinas: *Confianza*. Diego: *Variación*. Aleixandre: *Historia del corazón*. Lorca: *Obras completas* (ed. Aguilar). Alberti: *Baladas y canciones del Paraná*.
Salinas: *Confianza*. Diego: *Amazona*. Alonso: *Hombre y Dios*. Altolaguirre: *Poemas de América*.
Diego: *Paisaje con figuras. Égloga de Antonio Bienvenida*. Cernuda: *Con las horas contadas*. Alberti: *Noche de guerra en el Museo del Prado*.
Guillén: *Clamor... Maremágnum*. Prados: *Circuncisión del sueño. Río natural*. Cernuda: *Poemas para un cuerpo*.
Diego: *Amor solo*. Aleixandre: *Los encuentros*. Alonso: *Tres sonetos sobre la lengua castellana*. Alberti: *Sonríe China*. Cernuda: *La realidad y el deseo* (3.ª ed.).
Muere M. Altolaguirre. Diego: *Canciones a Violante*.

Año	Acontecimientos históricos	Vida cultural y artística
1960	J. F. Kennedy es elegido presidente de Estados Unidos.	Rosa Chacel: *La sinrazón*.
1961	Muro de Berlín.	Buñuel: *Viridiana*.
1962	Independencia de Argelia. Concilio Vaticano II.	Martín Santos: *Tiempo de silencio*. Carpentier: *El siglo de las luces*. Vargas Llosa: *La ciudad y los perros*. C. Fuentes: *La muerte de Artemio Cruz*.
1963	Pablo VI, papa. Asesinato de Kennedy.	Cortázar: *Rayuela*.
1964	Kruschev es destituido en la URSS.	
1965	Comienza la guerra del Vietnam.	
1966	Revolución cultural china.	Lezama Lima: *Paradiso*.
1967	Carrero Blanco es nombrado vicepresidente del Gobierno. Guerra árabe-israelí. Muere el «Che» Guevara. Encíclica «Populorum progressio».	García Márquez: *Cien años de soledad*. Cabrera Infante: *Tres tristes tigres*. Arrabal: *El arquitecto y el emperador de Asiria*.
1968	Mayo francés. Primavera de Praga. Intervención militar en Checoslovaquia. Asesinato de Martin Lutero King.	J. G. Albert: *La trama inextricable: Prosa, poesía, crítica*.
1969	El hombre llega a la luna.	M. Puig: *Boquitas pintadas*. Cela: *San Camilo 36*.
1970	Allende, presidente de Chile. Mueren Nasser y De Gaulle.	M.ª Teresa León: *Memoria de la melancolía*.
1971		Muere Guillermo de Torre.
1972	Termina la guerra del Vietnam. Escándalo Watergate.	Mueren Max Aub y Antonio Espina.
1973	Asesinatos de Salvador Allende y de Carrero Blanco.	Mueren Pablo Neruda y P. Picasso.
1974		

Vida y obra de los poetas
Guillén: *Clamor... Que van a dar en la mar*. Diego: *Tántalo. Versiones poéticas*.
Diego: *Glosa a Villamediana. Sonetos a Violante. La rama*. Alberti: *Poesías completas*. Prados: *La piedra escrita. La sombra abierta*.
Diego: *Mi Santander, mi cuna, mi palabra. Sonetos a Violante*. Aleixandre: *En un vasto dominio*. Prados: *Signos del ser. Transparencias*. Cernuda: *Desolación de la Quimera*. Muere Emilio Prados.
Guillén: *Clamor... A la altura de las circunstancias*. Diego: *La suerte o la muerte. Poema del toreo. Nocturnos de Chopin*. Cernuda muere en México.
Diego: *El Jándalo*. Alberti: *Abierto a todas horas*. Cernuda: *La realidad y el deseo* (4.ª edición).
Aleixandre: *Retratos con nombre*. Diego: *Poesía amorosa*. Prados: *Últimos poemas*.
Prados: *Diario íntimo*. Diego: *El Cordobés dilucidado y Vuelta del peregrino. Variación 2. Odas morales*.
Guillén: *Homenaje*. G. Diego: *Biografía incompleta. Preludio, aria y coda a Gabriel Fauré*.
Guillén: *Aire Nuestro*. Aleixandre: *Poemas de la consumación*. D. Alonso es nombrado director de la Real Academia Española. Aparece de nuevo *Litoral*, en Málaga, que dedicará una gran atención a estos poetas. Alberti: *Roma, peligro para caminantes*.
Alonso: *Poemas escogidos*.
Guillén: *Guirnalda civil*. Alberti: *Los ocho nombres de Picasso*.
Diego: *Versos divinos*. Prados: *Cuerpo perseguido*.
Diego: *Cementerio civil*. Alberti: *Canciones del Alto Valle del Aniene*.
Guillén: *Y otros poemas*. Altolaguirre: *Poema del agua*.
Aleixandre: *Diálogos del conocimiento*. Diego: *Poesía de creación*.

Año	Acontecimientos históricos	Vida cultural y artística
1975	Muere Franco. Juan Carlos I, rey de España.	
1976	Adolfo Suárez, presidente del gobierno. Se aprueba, mediante referéndum, la Ley de Reforma política. Diario *El País*. Muere Mao Zedong.	Muere Juan Rejano.
1977	Legalización del Partido Comunista. Elecciones generales.	
1978	Promulgación de la Constitución española. Juan Pablo II, papa.	
1979	Elecciones generales. Gobierno de UCD.	
1980	Elecciones a los Parlamentos catalán y vasco.	Mueren A. Carpentier y J. P. Sartre.
1981	Dimisión de Suárez. «23 de febrero» (golpe de Estado fallido). Mitterrand, presidente de Francia.	
1982	España entra en la OTAN. Triunfo electoral del Partido Socialista. Crisis del Partido Comunista: dimite Carrillo.	Buñuel: *Mi último suspiro*. F. Ayala: *Recuerdos y olvidos* (1.er volumen).
1983		Muere J. Bergamín.
1984	Reconversión industrial.	
1985		Muere I. Calvino.
1986	España ingresa en el MC. Revueltas estudiantiles.	
1987		F. Villalón: *Obras*.
1988		Muere M.ª Teresa León.
1989	Cambios políticos en los países del este europeo.	Cela recibe el Premio Nobel.
1990	Comienzan a emitir las televisiones privadas.	Exposición de Velázquez en el Museo del Prado.

Vida y obra de los poetas
Diego: *Carmen jubilar*. Prados: *Poesías completas*. Alberti: *Picasso, el rayo que no cesa*.
Salinas: *Narrativa completa*.
Diego: *Soria sucedida*. Aleixandre recibe el Premio Nobel. Guillén, el Cervantes. Alberti regresa del exilio.
Alonso, Premio Cervantes. Lorca: *El público. Comedia sin título*.
Guillén: *Hacia Cántico. Escritos de los años 20*. Diego: *Poemas mayores* y *Poemas menores* (antologías).
Alonso: *Gozos de la vista* y *Canciones a pito solo*. Guillén: *Final*.
Altolaguirre: *Poesías completas*.
Alberti, Premio Cervantes.
Mueren Guillén y Aleixandre. Alberti: *Versos sueltos de cada día*.
Alonso: *Duda y amor sobre el Ser Supremo*.
Altolaguirre: *El caballo griego*.
Muere G. Diego. Alberti: *La arboleda perdida* (II).
Alberti: *Obra completa. Poesía*, I, II y III.
G. Diego: *Obra completa. Poesía*, I y II
Muere Dámaso Alonso.

Introducción

I. Los movimientos de vanguardia

En 1916 muere Rubén Darío, con lo que puede considerarse cerrada la larga y brillante etapa de la poesía modernista. Ese mismo año, Juan Ramón Jiménez escribe *Diario de un poeta recién casado*. Con esta obra, publicada en 1917, y con otras posteriores (*Eternidades, Piedra y cielo, Poesía* y *Belleza*), este poeta abre las puertas a una poesía desnuda, depurada de artificios, y de gran concentración expresiva, que tendrá una gran influencia en los poetas del 27.

Poco después, hacia 1918, comienzan a desarrollarse en España dos movimientos de vanguardia, el *creacionismo* y el *ultraísmo*, a los que habitualmente se engloba bajo la denominación de *Movimiento Vltra*.

Recordemos que este rótulo de «movimientos de vanguardia» sirve para designar una serie de experimentos creadores que se suceden o que coexisten en Europa a lo largo de gran parte de este siglo y que, en su deseo de innovaciones, rompen violentamente con el arte y la literatura vigentes. Los más importantes fueron el cubismo, el futurismo, el dadaísmo, el imaginismo, el expresionismo y, sobre todo, el surrealismo. Con la excepción de este último, al que nos referiremos más adelante, las notas más llamativas de estos movimientos fueron el rechazo del subjetivismo romántico y

de todas las «impurezas» de lo humano (desde muy pronto,
Marinetti, el creador del futurismo, declara su odio a la
luna, por considerarla un símbolo del sentimentalismo y de
la emotividad de la literatura decimonónica) y las reti-
cencias a captar la realidad de forma mimética y desde una
sola perspectiva, como había hecho el arte desde el Renacimiento.

Algunos de estos movimientos, como el cubismo y el
futurismo, comienzan muy pronto (Picasso pinta *Las señori-
tas de Avignon* en 1907, y el *Primer manifiesto futurista* de
Marinetti se publica en 1909). Sin embargo, el momento de
apogeo de los mismos corresponde a los años posteriores a la
Primera Guerra Mundial.

La decadencia de las vanguardias se inicia al final de los
años veinte. El hundimiento de la Bolsa de Nueva York en
1929, con la consiguiente depresión económica de Occidente, la consolidación de diversos regímenes totalitarios en
Europa (el fascismo y el nazismo), el triunfo de los Frentes
Populares (en España y en Francia), la guerra española,
entre otros acontecimientos destacados, llevan de nuevo a
los escritores y artistas a una mayor atención hacia los
problema humanos o a un decidido compromiso social y
político. Sin embargo, la lección de algunos de estos movimientos (la del surrealismo, ante todo) no será olvidada por
las generaciones más jóvenes.

Aunque estas corrientes deshumanizadoras no parecen las
más idóneas para el cultivo de la novela y del teatro,
también se escribieron durante estos años numerosos relatos
en los que dominan el juego, el ingenio, la voluntad de
trivialidad y la ausencia de dramatismo y de trascendencia.

1. *Ramón Gómez de la Serna*

El movimiento *Vltra* contó en España con el precedente
de un escritor genial, Ramón Gómez de la Serna, que desde

muy pronto se convirtió en un defensor incondicional del arte nuevo. En la revista *Prometeo,* que dirigió entre 1908 y 1912, aparecieron los primeros manifiestos del vanguardismo español. En ellos, sobre todo en la «Proclama futurista a los españoles», que apareció en el núm. 20 (1910), se incitaba a los escritores a un cambio radical, tanto literario como político, semejante al que se estaba produciendo en otros países.

Las audacias metafóricas y el ingenio que este escritor prodigó en sus obras, su huida de lo convencional y rutinario y su defensa de un arte deshumanizado (entendiendo por tal aquel en el que se produce un distanciamiento entre la creación artística y la vida) ejercerán una decisiva influencia en las vanguardias posteriores y en los escritores del 27 (muchas de las imágenes prodigadas por los miembros de esta generación tienen una innegable filiación ramoniana). Ninguno de sus contemporáneos llevó tan lejos ni mantuvo con tanta tenacidad su decidida vocación de escritor puro, despreocupado de tesis o doctrinas.

Desde muy pronto convirtió en eje de su obra a la *greguería,* definida por él mismo como «metáfora más humor» y como «la flor de todo, lo que queda, lo que vive, lo que surge entre el descreimiento, la acidez y la corrosión, lo que resiste todo». Muchas de ellas son metáforas, aunque, a diferencia de su función valorativa, habitual en la poesía, la metáfora aquí no eleva o rebaja el objeto al que sustituye, sino que se coloca a un mismo nivel. Otras están formadas por intuiciones líricas muy libres, o se reducen a frases ingeniosas, chistes, juegos conceptuales, paradojas, alteraciones de frases hechas, y las hay puramente fonéticas o que implican una división de las palabras. A veces provienen de una condensación de imágenes y equivalen a poemas concentrados.

Las muestras que damos a continuación son bastante reveladoras al respecto:

El pez más difícil de pescar es el jabón dentro del agua.

El cocodrilo es un zapato desclavado.

Toda la joyería se ha ruborizado. ¡La ha mirado un comunista!

Nos desconocemos a nosotros mismos porque nosotros mismos estamos detrás de nosotros mismos.

De la nieve caída en los lagos nacen los cisnes.

Era tan moral que perseguía las conjunciones copulativas.

Los presos, a través de la reja, ven la libertad a la parrilla.

Los nudistas llevan en la mano un diario por si llega una visita.

A estas greguerías, con las que, sistemáticamente, se nos da una visión inédita de las cosas, se les han buscado antecedentes en diversos autores extranjeros y en la literatura del barroco español. Sin embargo, Ramón es más libre y menos convencional que los conceptistas y libera a las palabras de la servidumbre lógico-conceptual, al realzar, como habían hecho los simbolistas del siglo anterior, los valores sugerentes de las mismas. La diferencia con la sentencia, la máxima o el aforismo también es radical. Todo lo que éstos tienen de trascendente, de verdad probada, lo tiene la greguería de momentáneo, fugaz o inconsistente. [1]

[1] Algunas imágenes de los poetas del 27, como las que seleccionamos a continuación, están cerca de estas greguerías: «Radiador, ruiseñor del invierno» (J. Guillén); «La guitarra es un pozo / con viento en vez de agua»; «el oleaje del cine es igual al del mar» (G. Diego); el cielo es una «vitrina de espuelas» (F. García Lorca); «La noche —negro médico— / le toma el pulso al río / y despide a la tarde, / que se va para América, / leyendo en la cubierta / en su gran trasatlántico». (M. Altolaguirrre.)

2. El creacionismo y el ultraísmo

Estos dos movimientos coinciden en su aversión por lo sentimental y trágico, por lo subjetivo e íntimo. En ellos, los grandes temas literarios (el amor, la muerte, Dios, el hombre) se desprecian, o sirven de pretexto para alardes de ingenio o de humor.

De esta forma, al desprenderse de cualquier forma de trascendencia (moral, filosófica o política), al alejarse de la vida y perder la ganga humana, la literatura se purificaba, se convertía en una actividad inmanente, cuya finalidad era ella misma. Ortega y Gasset se referirá a la imposibilidad de que el arte pudiera prescindir por completo de la realidad y de la vida. Pero ningún movimiento literario o artístico del pasado ignoró de manera tan radical los problemas humanos y el mundo circundante.

Aunque parezca paradójico, con este arte deshumanizado, al desplazarse el centro de atención del poeta al poema, nos colocamos en una senda paralela de la que conducirá a la poesía social.

En el citado año de 1918 llega a España, después de una estancia en París, el poeta chileno Vicente Huidobro, que será el impulsor del creacionismo. En su libro *Horizon carré,* que acababa de publicar, defendía abiertamente el arte nuevo:

> Cuanto miren los ojos creados sea,
> y el alma del oyente quede temblando.
> Inventa nuevo mundo y cuida tu palabra.
> ¿Por qué cantáis la rosa? ¡Oh poetas!
> Hacedla florecer en el poema...
> El poeta es un pequeño Dios.

Más tarde proclamará la total autonomía que debe acompañar a la obra literaria:

> Hasta ahora no hemos hecho otra cosa que imitar al mundo, no hemos creado nada. ¿Qué ha salido de nosotros

que no estuviera antes parado ante nosotros, rodeando
nuestros ojos, desafiando nuestros pies o nuestras manos?
Hemos cantado a la naturaleza. Nunca hemos creado realidades propias, como ella lo hace o lo hizo en tiempos
pasados [...]

El poeta aspira a crear un poema tomando de la vida sus
motivos y transformándolos para darles una vida nueva e
independiente. Nada de anecdótico ni de descriptivo. La
emoción debe nacer de la sola verdad creatriz. Hacer un
poema como la naturaleza hace un árbol.

Rafael Cansinos-Assens resume así la influencia que tuvo
este escritor en los poetas españoles: «Huidobro le perturbó
a más de uno la conciencia literaria. Más de un manuscrito
quedó repudiado y rasgado. Yo, testigo de sus evangélicas
exhortaciones, pude ver el rejuvenecimiento que obraba aún
en los más tiernos epígonos».

En el *creacionismo,* el poema, del que se suprimen los signos
de puntuación, se construye mediante la yuxtaposición,
gratuita y caprichosa, de imágenes que carecen de un
referente claro y preciso que las motive. Como en las
fragmentaciones del cubismo, dichas imágenes, que constituyen una creación pura del espíritu, resbalan unas sobre
otras, en hilaciones semánticas inéditas o sustentadas en la
pura fonética, sin fusión posterior trascendente. La imagen
no es sólo soporte de la poesía sino poesía sustantiva ella
misma. Se atenúa así la función representativa de la palabra
y se acentúan sus posibilidades connotativas. De ahí la
proliferación de imágenes dobles o múltiples, muy difundi-
das más tarde por los poetas del 27. También es frecuente la
escritura caligramática, que tuvo en el poeta francés Apolli-
naire a su representante más destacado, aunque fue en el
ultraísmo en donde se abusó más de esta técnica.

Los poetas creacionistas españoles más destacados fueron
Juan Larrea y Gerardo Diego, autor de un libro que lleva el
significativo título de *Imagen*. En el comentario de otra de

sus obras, *Evasión,* confesaba: «No era rehuir el peligro, el
compromiso, el bulto, sino todo lo contrario, buscarlo en la
escapada de la cárcel hacia la aventura. Evasión de prisiones, de jaulas estróficas o de otra índole, amor del riesgo y
exploración de lo incógnito.» En el primer poema del citado
libro escribe: «Mis versos ya plumados / aprendieron a volar
por los tejados / y uno solo que fue más atrevido / una tarde
no volvió a su nido».

Digamos también que con el creacionismo se produce una
estrecha relación de la vanguardia española (que se desarrolla en las diferentes lenguas peninsulares) con la europea y
con la hispanoamericana. Desde el siglo XVIII, la literatura
española no había conocido una sincronización tan perfecta
con la de otros países.

El otro movimiento vanguardista, paralelo y en muchos
puntos coincidente con el anterior, fue el *ultraísmo.* En él se
advierten, además, notables influencias de Ramón Gómez
de la Serna y de otras vanguardias extranjeras: del cubismo,
futurismo y dadaísmo.

Los poetas más vinculados a este nuevo -*ismo* fueron, entre
otros muchos, Cansinos-Assens, Eugenio Montes, Rogelio
Buendía, Isaac del Vando Villar, José de Ciria y Escalante,
Adriano del Valle, César A. Comet, Rafael Lasso de la Vega
y el argentino Jorge Luis Borges. Las revistas en las que
publicaron llevan los títulos de: *Grecia, Cervantes, Ultra,
Tableros, Reflector, Plural, Ronsel, Cosmópolis* y *Alfar.*

En los poemas ultraístas se elimina la anécdota, lo
narrativo, el discurso lógico, y se da preeminencia a las
percepciones fragmentarias. Con las imágenes y las metáforas ilógicas, chocantes, desmesuradas, ligadas casi siempre al
mundo del cine, de los deportes, de los adelantos técnicos
(«los motores suenan mejor que endecasílabos», dirá Guillermo de Torre) y, en definitiva, a todo lo que signifique
modernidad, se pretende una nueva captación del mundo
real.

Notas destacadas de este movimiento fueron también la eliminación de la rima en el poema y la tendencia, lo mismo que en el creacionismo, a establecer, como en la escritura caligramática, una disposición tipográfica nueva de las palabras, con lo que se conseguía la fusión de la expresión plástica y de la literaria. Con esta disposición, que es la encargada de crear el ritmo del poema, se produce una comunicación visual, además de la auditiva, que es la propia de la poesía.

El deseo innovador llevó también a un vocabulario plagado de neologismos y a un abuso de palabras esdrújulas, entre las que predominan las de carácter científico y técnico.

Recordemos, por último, que la ruptura con el pensamiento poético tradicional y el carácter irracional del lenguaje creacionista y del ultraísta constituyen para algunos críticos, aunque este punto podría discutirse, el inicio de un camino que desembocará en el surrealismo.

Hay que precisar también que las vanguardias españolas, pródigas en manifiestos y actividades públicas, pocas veces produjeron obras valiosas. Sin embargo, tuvieron la virtud de abrir una vía hacia la experimentación. Su huida de lo convencional, rutinario y trillado, y su afán de novedades, constituyeron un ejemplo obligado para los escritores que entonces se iniciaban en el mundo de las letras. Para Jorge Guillén, el ultraísmo fue un movimiento fracasado, pero que alimentó, «aunque sea en pequeña parte, una de las más intensas generaciones poéticas de nuestra historia». Dámaso Alonso puntualizará: «No se le hace justicia a este movimiento. Apenas produjo nada durable. Pero sin él difícilmente se puede explicar la poesía posterior. Una parte del público rechazará siempre lo literariamente heterodoxo o innovador, sin comprender que sin esas sacudidas la vida de las letras se enmohece, que aun para la renovación de la literatura, dentro de los cauces tradicionales, son necesarias, de vez en cuando, esas arriscadas aventuras».

II. Los poetas del 27

1. *Generación o grupo*

Entre 1918, año en el que, como hemos visto, comienzan a desarrollarse los movimientos de vanguardia, y 1936, la literatura española conoce un momento de esplendor. De entre los muchos escritores que publican durante esos años, destacó un grupo de poetas en los que, a pesar de las profundas diferencias que separan su obra, se advirtieron desde muy temprano unas inquietudes y unos gustos estéticos comunes. Como señala Antonio Blanch:

> Durante los años 1920-1930 varios escritores jóvenes españoles empiezan a publicar poemas de una manera semejante y nueva en las revistas literarias de la época, con un grandioso anhelo de pulcritud y perfección. Son todavía autores desconocidos, y desdeñados a veces por el gran público; pero es tan notable la afinidad que existe entre ellos que llegan a constituir muy pronto un grupo de verdaderos amigos. No tienen un programa común, pero todos se sienten empujados por un mismo deseo incoercible de pureza y de renovación lírica que les hace acercarse y caminar juntos.[2]

Desde entonces se les han adjudicado los más diferentes nombres. De ellos, los más populares han sido los de «Nietos del 98», a pesar de que su obra nada tiene que ver con los escritores de esa generación; «Generación de la vanguardia», por considerar que fueron estos poetas los que trajeron y asimilaron todas las novedades literarias europeas del momento; «Generación de los años veinte», «Generación de 1921», aunque en este año sólo habían publicado libros Federico García Lorca, Dámaso Alonso y Gerardo Diego; «Generación de 1921-1931», «Generación de 1924 o de

---

[2] *La poesía pura española*, Madrid, Gredos, 1976, p. 14.

1925», «Generación de la *Revista de Occidente*», debido a que casi todos dieron a conocer poemas suyos en las páginas de esta publicación y al supuesto magisterio que su director, J. Ortega y Gasset, ejerció sobre ellos; «Generación de la República», «Generación Guillén-Lorca», por creerse que son los dos poetas del grupo que presentan entre sí mayores diferencias estilísticas; «Generación de la amistad» y «Generación de la Dictadura» (sin duda el menos apropiado de todos, ya que su talante liberal los llevó a discrepar, tácita o abiertamente, de lo ocurrido en la vida política de los años veinte).

Sin embargo, aunque destacados críticos recientes se inclinan por el rótulo «Generación de la vanguardia», las denominaciones más aceptadas y populares han sido, por motivos bastante defendibles, las de «Generación del 27» y «Grupo poético del 27».

Respecto a la citada fecha, no hay duda de que el acontecimiento que más contribuyó a dar cohesión a todo el grupo fue la celebración en 1927 del tercer centenario de la muerte de Góngora. Frente a la indiferencia de las instituciones oficiales, en especial de la Real Academia Española, todos ellos, con la excepción de E. Prados, dedicaron al poeta cordobés ensayos, libros de homenaje, conferencias, creaciones plásticas y ediciones críticas, como recuerda Dámaso Alonso en el documento V.

Uno de los que con mayor fervor participó en esta campaña fue Gerardo Diego. En la *Antología poética en honor de Góngora (1627-1927)* que preparó, censurará con acritud la indiferencia de los escritores precedentes por este poeta: «No se podía llegar a menos, ni el menosprecio y la ignorancia de Góngora a más. Es natural que los que todavía por su espíritu —por su falta de espíritu— pertenecen a esa época, ladren a pleno gañido. Todo ello es sólo una espléndida, científica comprobación de la altura poética de Góngora, de su vitalidad todavía fértil y joven, de su consoladora incompatibilidad con la eterna y torpe prosa». El propio G. Diego, aunque rechazó el concepto de Generación, declaraba en 1973:

> Yo creo que, tomando como base mi Antología de 1932, formamos un grupo amistoso que tiene derecho a que se le relacione con la fecha de 1927, porque fue esa la fecha decisiva en que se logró la cohesión de todo el grupo. Porque nos íbamos conociendo dos a dos o tres a tres, pero no todos.

Hasta los más alejados del gongorismo, como Jorge Guillén y Luis Cernuda, participaron con entusiasmo en este fervor por el poeta barroco. El primero le dedicó una tesis doctoral. Cernuda, además de calificarlo como «el poeta cuya palabra lúcida es diamante», lo ensalzará en los versos que siguen:

> Viva pues Góngora, puesto que así los otros
> Con desdén le ignoraron, menosprecio
> Tras del cual aparece su palabra encendida
> Como estrella perdida en lo hondo de la noche,
> Como metal insomne en las entrañas de la tierra.

También otros escritores de la época se unieron a la exaltación del citado poeta. En el número que le dedicó la revista *Verso y prosa* en 1927, José Bergamín escribía: «El arte poético de Góngora vale, hoy, para los nuevos, porque es arte y porque es poético; nada más; otros paralelismos no existen si no es el de la verdadera intención estética que anima, como a Góngora, a los poetas del nuevo renacimiento lírico [...] Admirar, comprender a Góngora (a todo Góngora, y sobre todo al del *Polifemo* y las *Soledades*) no es ser *gongorino* ni *gongorista*, es ser persona, tener entendimiento y gusto de persona humana; simplemente».[3]

---

[3] «Patos del 'aguachirle castellana'», en *Prosas previas*, ed. de J. Esteban, Madrid, 1982, pp. 95-97.

También en 1927, Guillén, Lorca, Alberti, Salinas, Dámaso Alonso, G. Diego, J. Bergamín y J. Chabás participaron en el homenaje que se tributó a Góngora en Sevilla. J. Guillén dirá en «Unos amigos», de *Y otros poemas:*

> Un recuerdo de viaje
> Queda en nuestras memorias.
> Nos fuimos a Sevilla.
> ¿Quiénes? Unos amigos.
> Por contactos casuales,
> Un buen azar que resultó destino:
> Relaciones felices
> Entre quienes, aun mozos
> Se descubrieron gustos, preferencias
> En su raíz comunes
> ¡Poesía!

Hay que precisar, sin embargo, que estos poetas nunca imitaron directamente a Góngora. Se limitaron a reivindicar a una figura hasta entonces maldita, que había llevado a su culminación el grandioso lenguaje poético que había empezado a levantar el vuelo con Garcilaso de la Vega, y a la que consideraron paradigma de una poesía nueva y antiacadémica, y a dejarse deslumbrar por las audacias metafóricas que inundan sus obras. Pero mientras la metáfora gongorina es de carácter racional, la que cultivan muchos de estos poetas es intuitiva, cuando no subconsciente. A veces, como se verá en G. Diego, el barroquismo expresivo y la recurrencia a motivos mitológicos se alían con imágenes más novedosas, de raigambre creacionista.

Debe tenerse en cuenta también que en 1927 y 1928 la mayor parte de los poetas que mencionaremos en el siguiente apartado han alcanzado la madurez literaria y han publicado o publican libros fundamentales. También por esas fechas aparecen diferentes revistas en las que casi todos ellos colaboran (véanse los Cuadros cronológicos). En la

«Nómina incompleta de la joven literatura», publicada en el núm. 1 de la revista *Verso y prosa* (enero de 1927), figuran, junto a diversos prosistas, los nombres de Guillén, Alberti, Salinas, Dámaso Alonso y G. Diego.

Mayores discrepancias existen a la hora de aceptar las denominaciones de *Generación* o *Grupo*. Los defensores de esta última aducen que todos estos poetas forman parte de una generación mucho más amplia y que, además de que movieron y estimularon a otros grupos regionales, no existe un guía destacado ni una clara motivación histórica que los aglutine. Los de' la primera, que el término «grupo» es en exceso vago e impreciso para reflejar la unidad y la coherencia que mantuvieron los que en él se integran.

Los propios interesados tampoco se han puesto de acuerdo. Frente a la indiferencia o al rechazo por parte de algunos de ambas clasificaciones, Dámaso Alonso, el mayor responsable, desde 1948, de la popularización del rótulo «Generación», precisa:

> Esos escritores no formaban un mero grupo, sino que en ellos se daban las condiciones mínimas de lo que entiendo por generación; coetaneidad, compañerismo, intercambio, reacción similar ante excitantes externos... Cuando cierro los ojos, los recuerdo a todos en bloque, formando conjunto, como un sistema que el amor presidía, que realizaban las afirmaciones estéticas comunes.

También J. Guillén se inclinó en un principio por el término Generación:

> Surgen varios líricos que muy pronto forman un conjunto homogéneo. Homogéneo, sí, el conjunto, pero constituido por personalidades muy distintas. La idea de generación estaba ya en el aire. Entonces apareció, y aquí reaparece ahora como una realidad conocida empíricamente, y de ningún modo por inducción *a posteriori*. Raras veces se habrá

manifestado una armonía histórica con tanta evidencia como durante el decenio del 20 entre los gustos y propósitos de aquellos jóvenes...

Sin embargo, posteriormente, rechazó el concepto de Generación o, como ocurre en algunos de los trabajos incluidos *El argumento de la obra,* se sirvió indistintamente de Generación y Grupo.

Hoy, si se desprende al término Generación de las implicaciones de carácter ideológico, histórico y biológico que le asignaron Petersen y Julián Marías, y se tiene presente su carácter convencional, no parece que existan graves reparos para su utilización. Como señala J. M. Rozas, uno de los críticos que más se ocupó de estos poetas:

> El concepto de generación formulado sin dogmatismos, por vía de hipótesis de trabajo, de metodología, y otorgando la última palabra siempre a la lectura de cada autor y obra, no es desechable si queremos lanzar una mirada totalizadora a la literatura que culmina en el 27, lo que historiográficamente es aconsejable, y tal vez necesario. Miraríamos así el conjunto de escritores coetáneos —de nacimiento y aparición pública— que viven unas experiencias semejantes, tienen unas lecturas parecidas —están inmersos en el mismo momento cultural— y empiezan a escribir en unos mismos años, atentos unos a otros, presionados por las mismas modas. [4]

2. *Nómina*

Tampoco existe unanimidad a la hora de establecer la nómina de los que componen esta Generación, aunque todos los críticos están de acuerdo en incluir en ella a Gerardo Diego, Vicente Aleixandre, Luis Cernuda, Jorge Guillén,

---

[4] *El grupo poético del 27,* Madrid, Cincel, 1980, p. 8.

Pedro Salinas, Federico García Lorca, Rafael Alberti, Dámaso Alonso, Emilio Prados y Manuel Altolaguirre. Con frecuencia se incorpora al sevillano Fernando Villalón, a pesar de su temprana fecha de nacimiento (1881). Las relaciones que mantuvo con los citados poetas, las fechas de publicación de sus tres libros, *Andalucía la Baja* (1926), *La toriada* (1928) y *Romances del 800* (1929), y la estilización de temas y formas populares que en ellos lleva a cabo, hacen que su figura pueda encuadrarse en el marco de esta generación.

También, después de un período de olvido, suelen añadirse los nombres de José María Hinojosa y, aunque con mayores reservas, de Juan Larrea. Este último, pese a que escribió casi toda su obra en francés y mantuvo escasas relaciones con los poetas de esta generación, tuvo una gran importancia en la introducción del surrealismo en España.

En la obra de otros escritores, como ocurre en la de José Bergamín o en la de José Moreno Villa, que vivió hasta 1936 en la Residencia de Estudiantes, pueden encontrarse afinidades esporádicas con la de estos poetas. También Dámaso Alonso calificó a Miguel Hernández de «genial epígono de esta generación». Pero, si descontamos las influencias gongorinas que pueden rastrearse en su primera obra, *Perito en lunas*, en el resto de sus libros sigue un camino personal.

3. *Rasgos comunes*

Aunque estos poetas, por su personalidad y por su obra, presenten características peculiares y distintivas, como corresponde a una época en la que el más exacerbado individualismo lo presidía todo, y en la que se buscaba la originalidad a toda costa, pueden señalarse diversos aspectos comunes que permiten relacionarlos. «Surgen varios líricos que muy pronto forman un conjunto homogéneo —comentará J. Guillén—. Homogéneo, sí, el conjunto, pero constituido por personalidades muy distintas».

1) Hay que destacar, en primer lugar, la estrecha amistad que los unió. De ahí que algunos críticos, como José Luis Cano y Oreste Macrí, los hayan agrupado en una «Generación de la amistad». Dámaso Alonso comentará:

> Poco a poco, se han ido estableciendo contactos personales, que pronto fraguan en amistad duradera: hay una fluencia de amistad que atraviesa de lado a lado la generación, desde Salinas a Manolito Altolaguirre.

Todos tienen una edad aproximada (el mayor de ellos, Pedro Salinas, había nacido en 1891; el más joven, Altolaguirre, en 1905) y manifiestan en sus primeros años un inequívoco talante liberal y progresista. Sin embargo, aunque tienen una aguda conciencia histórica, el clima político de los años veinte les permite tomarse un respiro ante los problemas candentes (sociales, políticos y económicos) que tanto habían preocupado a los escritores de las generaciones precedentes, y que se verán obligados a afrontar en la siguiente década.

Aunque en su mayor parte eran andaluces (véase el documento II), vivieron en Madrid durante los años veinte y treinta, o pasaron en esta ciudad largas temporadas. Sorprende, sin embargo, frente a las vanguardias anteriores, la escasez de manifiestos y de declaraciones teóricas conjuntas. «No hay programa —escribirá Guillén—. Hay diálogos, cartas, paseos, comidas, amistad bajo la luz de Madrid, ciudad deliciosísima» (léase el documento I).

Algunos de ellos (Lorca, Alberti, Prados) estuvieron muy vinculados a la Residencia de Estudiantes de Madrid, que por aquellos años constituyó un observatorio de las nuevas corrientes culturales europeas. Dirigida por Alberto Jiménez Fraud, discípulo de Francisco Giner y yerno de Manuel Bartolomé Cossío, puede considerarse como uno de los últimos retoños de la Institución Libre de Enseñanza. «Las sobrias alcobas y los árboles de la Residencia —recordará R. Alberti en *Imagen primera de...*— han ayudado al crecimiento del nuevo espíritu liberal español, a la creación de sus mejores obras, desde comienzos de siglo hasta el trágico 18 de julio de 1936, fecha de su oscurecimiento». Sin embargo, como señala José Luis Cano:

> La afinidad con el espíritu de la Institución y de Giner termina ahí. Nada más lejos de la sobriedad y contención de Giner, de su moral severa y puritana, que el ansia de goce y de vida que estallaba en los poetas del 27, tan entregados a la pasión vital y a todas las delicias de los sentidos. La generación del 27 fue una generación lúdica y gozadora de la vida, y sus miembros no se caracterizaron precisamente por su ascetismo y su frugalidad. Ese vitalismo apasionado se refleja en la poesía de Lorca y de Alberti, de Guillén y de Aleixandre, de Salinas y de Dámaso Alonso. [5]

Con la excepción de Lorca, muerto en 1936, y de V. Aleixandre, G. Diego y Dámaso Alonso, que permanecieron en España, los demás marcharon, durante la guerra o al terminar la misma, al exilio, y se establecieron en diferentes países. Sin embargo, aunque Cernuda se mantuvo bastante distanciado de los demás, no se rompió el contacto, directo o indirecto, entre ellos.

También colaboraron en las mismas revistas (*La Gaceta Literaria*, *Revista de Occidente*, *Alfar*, *Verso y prosa*, *Papel de Aleluyas*, *Carmen*, *Gallo*, *Mediodía*, *Litoral*, *Manantial* y *Meseta*), mantuvieron una abundante comunicación epistolar y se dedicaron mutuamente, en verso y en prosa, diversas sem-

---

[5] «1627-1927: El cincuentenario de una generación», *Triunfo*, 13-VIII-1977.

blanzas, como las que trazaron Alberti en *Imagen primera de...*
y Aleixandre en *Los encuentros*.

Todos aparecen incluidos en la antología de Gerardo
Diego, *Poesía española 1915-1931*, que puede considerarse
como una carta de presentación de sus aspiraciones colec-
tivas.

2)   No todos pasaron por la Universidad, pero sí tuvieron unas mismas inquietudes intelectuales, una gran cultura
y una curiosidad extraordinaria por todo lo que ocurría en
el mundo literario, dentro y fuera de nuestras fronteras. La
mayor parte de ellos fueron profesores universitarios o de
instituto, críticos y eruditos, a la par que creadores. La
situación económica desahogada de que disfrutaron (procedían, en general, de familias burguesas y acomodadas) les
permitió entregarse a sus aficiones literarias, editarse sus
propias obras, realizar frecuentes viajes por el extranjero
(como había ocurrido con los escritores novecentistas) y
mantener un estrecho contacto con las variadas innovaciones literarias que se producen por esos años en Europa.
Antonio Machado precisaba en 1929:

> Esta juventud me parece menos palurda y más educada
> —o más susceptible de educarse— que las de sus padres y sus
> abuelos; porque hay en ella, acaso, más curiosidad por lo
> extraño, más afición a la actualidad en común y menos
> jactancia de lo individual que hubo en aquéllas [...] ¿Qué
> me parece la obra literaria de esta juventud? Muy juvenil,
> tal vez demasiado, y, desde luego, mucho más actual que fue
> la nuestra. Quiero decir que está en la corriente general del
> arte más que lo estuvo la de sus predecesores. Ninguno de
> nuestros jóvenes representativos parece haber puesto su reloj
> por el meridiano de su pueblo. Su hora aspira a ser
> mundial. [6]

---

[6] «¿Cómo veo la nueva juventud española?», *La Gaceta Literaria*, 1-III-
1929.

Es fácil observar en ellos una afinidad de gustos literarios y unas orientaciones estéticas comunes. Destaca, ante todo, el insobornable afán de perfección que siempre mostraron. «Consumar la plenitud del ser / En la fiel plenitud de las palabras», dirá J. Guillén. La más ligera composición revela el esfuerzo poético que la preside y la rigurosa reflexión sobre el lenguaje con el fin de extraer de él todas sus posibilidades expresivas. Una frase de la *Poética* de Lorca puede servirnos para resumir sus preocupaciones: «Si es verdad que soy poeta por la gracia de Dios —o del demonio— también lo es que lo soy por la gracia de la técnica y del esfuerzo y de darme cuenta en absoluto de lo que es un poema».

4. *Tradición y vanguardia*

Pese a frases juveniles de Cernuda, como «Dejad que los viejos se alejen de mí» o «¿Todavía el 98? ¡Qué fastidio!», fueron menos iconoclastas que otros escritores vinculados con la vanguardia. Como dirá Aleixandre: «Nuestra generación no fue una generación parricida; ha querido continuar una tradición, no romperla.»

En realidad, todos estos poetas sólo se alzaron contra el modernismo apolillado, contra el amaneramiento, la ramplonería, el sentimentalismo melodramático, la rutina, la vulgaridad, y, en definitiva, contra la mala poesía y contra todo lo que en el arte significara rutina y adocenamiento. No sólo admiraron y respetaron a los maestros de generaciones anteriores (a Juan Ramón Jiménez o Ramón Gómez de la Serna) sino a otros autores del pasado, desde Gil Vicente, Garcilaso de la Vega, San Juan de la Cruz, Fray Luis de León, Lope de Vega, Quevedo y Góngora, hasta Bécquer, Rubén Darío y algunos de los poetas franceses de la segunda mitad del pasado siglo. Para José María de Cossío:

Esta generación del 27 tuvo de todo menos de iconoclasta, y con fervor siempre trató de patentizar lo mucho respetable y vivo de nuestra tradición, aun para el espíritu más presumido de audaz y de moderno.[7]

Su interés por otros respetados poetas de este siglo, como Antonio Machado o Miguel de Unamuno, fue, sin embargo, menor. El carácter humano de su poesía, cargada de «impurezas» éticas, sentimentales, religiosas, biográficas y políticas, no era el más adecuado para la época. Después de la guerra se les dedicará una mayor atención. Salinas, en 1950, calificará a Machado de

> gran poeta, al que no supimos ver bien los de nuestra generación hasta última hora [...]. El grupo nuestro estaba un poco deslumbrado por otro poeta de gran altura también [se refiere a Juan Ramón Jiménez] y nunca vio a Machado en su verdadera luz.

Todo esto explica el que con frecuencia se haya señalado que tradición y vanguardia constituyen los dos polos entre los que, sobre todo en su primera época, se mueve la obra de estos poetas. Casi todos ellos rescatan y asimilan lo más valioso y perdurable de la poesía tradicional y de las vanguardias, y logran un equilibrio admirable entre lo nuevo y lo antiguo.

Su deseo de enlazar con la tradición los lleva lo mismo a la poesía popular de los *Cancioneros* y *Romanceros* y a la neotradicionalista de Gil Vicente y Lope de Vega que a la culta, representada por la mayor parte de los poetas de los siglos XVI y XVII (además de Góngora, Garcilaso de la Vega, fray Luis de León, San Juan de la Cruz y Quevedo). Como escribe Dámaso Alonso:

---

[7] «Recuerdos de una generación», en *Homenaje universitario a Dámaso Alonso*, Gredos, 1970, p. 198.

Creo que mi generación cumplió una misión generosa de justicia. Participamos ampliamente en un movimiento —anterior a nosotros, pero que nosotros fomentamos grandemente—: el gusto por la poesía popular y por las canciones populares. A un mismo tiempo, traíamos hasta el público el entusiasmo por Gil Vicente, tan entrañado en la popularidad medieval, y rehabilitábamos la memoria de don Luis de Góngora, cima de artificiosa aristocracia. La juventud actual quizá no lo pueda comprender, porque todo esto hoy parece fácil: entonces era remar contra corriente.

Este enlace con el pasado se advierte también en la métrica. «No se ha roto con la tradición —advierte Guillén—, y las novedades de Rubén Darío y sus continuadores van a ser ampliadas por estos poetas que, si ponen sordina en las innovaciones, no se circunscriben a las formas empleadas por los maestros remotos o inmediatos. La ruptura con el pasado fue mucho mayor en las generaciones contemporáneas de otros países. A la herencia española no se renunció, y esta herencia no coartó el espíritu original.» Frente a otros poetas europeos, que se hubieran avergonzado de escribir un soneto, los del 27 recorrieron el largo camino que va de las irregularidades del verso libre hasta los esquemas más ortodoxos.

Digamos además que, a diferencia de lo que ocurrió en el modernismo, que fue la última escuela poética que experimentó con el verso y las estrofas tradicionales, no se esforzaron en demostrar un particular virtuosismo y en encontrar nuevas y audaces combinaciones métricas. Si escribieron sonetos, silvas, décimas, octavas o romances, y si inventaron algún esquema rítmico original, fue porque era lo que convenía al impulso creador del momento.

Por otra parte, es obvio que, aunque algunos críticos hayan intentado desgajar a los miembros de esta generación de la primera vanguardia española, porque consideran que lo único que los caracterizó desde un principio fue su anhelo trascendente de lograr una obra «perfecta, humana y universal», no hay duda de su vinculación con las vanguardias europeas de la época. Descontando a G. Diego, puntal del creacionismo, en los demás, incluso en Aleixandre (recientemente se ha rescatado un caligrama suyo), se advierten conexiones con el creacionismo y el ultraísmo.

III. Trayectoria literaria

Teniendo en cuenta lo anterior, pueden establecerse en la trayectoria que siguen todos estos poetas algunos rasgos comunes. Como notas dominantes de su producción de los años veinte, Luis Cernuda señaló el antirrealismo (de carácter vanguardista), el inconformismo, la predilección por la metáfora, la actitud clasicista, la influencia gongorina (en relación con las dos anteriores) y los contactos con el surrealismo. «Es común a todos ellos —precisará—, al menos en los diez o quince primeros años de su labor, lo hermético del pensamiento poético.»

Hay que advertir que mientras en algunos (en Lorca y Alberti, por ejemplo) se observa una clara evolución, en otros, como en G. Diego, muchas de las características mencionadas se desarrollan de forma paralela o aparecen fundidas en un mismo poema. Tampoco faltan los que, como Jorge Guillén, permanecen fieles a lo largo del tiempo a una línea determinada.

1. Ideal de pureza

En una primera etapa, que se prolonga hasta 1928 ó 1929, estos poetas se muestran proclives al cultivo de una poesía de la que están ausentes lo narrativo y la hojarasca retórica. Perfección técnica, depuración expresiva, desdén

por lo «demasiado humano» (sentimientos, emociones, anéc-
dotas, descripciones), tendencia a la consideración del poema como obra artística, autónoma y autosuficiente, anhelo
de precisión y exactitud léxicas («inteligencia, dame / el
nombre exacto de las cosas», había dicho Juan Ramón
Jiménez en un poema de *Eternidades*) son los términos que se
aplican con frecuencia a esta época inicial de su producción
poética. J. Guillén reconocerá que él y sus compañeros, por
su contención en la expresión del sentimiento y por su
intelectualismo, fueron acusados, en sus comienzos, de fríos
y herméticos. A. Machado, en la introducción que puso a
sus versos en la *Antología* de Gerardo Diego, les censurará el
uso de imágenes más bien *conceptuales* —es decir, de significación nada más que lógica—, en lugar de las intuitivas —de
valor puramente emotivo—, que eran las que, según él,
tenían plena justificación:

> El pensamiento lógico, que se adueña las ideas y capta lo
> esencial, es una actividad destemporalizadora. Pensar lógi-
> camente es abolir el tiempo, suponer que no existe, crear un
> movimiento ajeno al cambio, discurrir entre razones inmuta-
> bles...

Este afán de pureza y de desnudez poéticas les vino del
movimiento *Vltra*, de Juan Ramón Jiménez, al que todos en
un primer momento idolatraron y consideraron como modelo y ejemplo (en las revistas juanramonianas *Sí, Índice* y *Ley*
colaboraron algunos de ellos), y del francés Paul Valéry.
Alberti, en 1945, confesaba:

> Por aquellos apasionados años madrileños Juan Ramón
> Jiménez era para nosotros, más aún que A. Machado, el
> hombre que había elevado a religión la poesía, viviendo
> exclusivamente por y para ella, alucinándonos con su ejem-
> plo.

También Juan Ramón Jiménez mostró en más de una ocasión su beneplácito:

> Entre jóvenes llenos de entusiasmo por una dirección estética pura —sea ésta la que sea—, me encuentro mucho mejor que entre compañeros de mi generación, secos, pesados, turbios, alicaídos.

Tampoco debe extrañar la ya mencionada predilección de estos poetas por Góngora. El carácter deshumanizado de gran parte de su obra, la importancia que en ella adquiere lo conceptual, por encima de lo emotivo, y su capacidad para transmutar la realidad en un audaz tejido metafórico, hacían de él el exponente máximo al que se podía recurrir con respecto a las doctrinas y preocupaciones del momento. Lorca, en la conferencia que le dedicó, con el título de «La imagen poética de don Luis de Góngora», recordaba también la frase del novelista francés Marcel Proust: «Sólo la metáfora puede dar una suerte de eternidad al estilo.»

Debe tenerse en cuenta además la aparición, en 1925, de *La deshumanización del arte,* en donde Ortega y Gasset resumía con claridad las características del arte nuevo, al mismo tiempo que, por su prestigio intelectual, le daba un espaldarazo definitivo. De 1925 es también *Literaturas europeas de vanguardia,* libro que, según su autor, Guillermo de Torre, «venía a ser el testimonio del espíritu de un estado de ánimo ardiente, tanto o más que el espejo de un tiempo».

Respecto a las relaciones que mantuvieron con la poesía «pura» francesa, resulta bastante curiosa la actitud de algunos de estos poetas ante la polémica que se entabló en Francia entre el crítico literario Henri Brémond y el más entusiasta defensor de este tipo de poesía, Paul Valéry. El primero, en un discurso pronunciado el 24 de noviembre de 1925 en la Academia Francesa, había defendido que

tout poème doit son caractère proprement poétique à la
présence, au rayonnement, à l'action transformante et uni-
fiante d'une réalité misterieuse que nous appelons poésie
pure.

Esta afirmación contradecía en parte las teorías de Valéry, que, además de exaltar el oficio poético por encima de la
inspiración y de postular un retorno a lo clásico, aunque con
una nueva formulación, consideraba que la poesía debía ser
sometida a una verdadera operación química.

Los poetas españoles tomaron partido en favor de Valéry.
Sin embargo, en la práctica, estuvieron muchas veces más
cerca de Brémond que, en definitiva, postulaba en la
creación poética un concepto becqueriano. J. Guillén, el
más cercano a Valéry, dirá en una carta que dirige a F.
Vela en 1927 que «poesía pura es todo lo que permanece en
el poema, después de haber eliminado todo lo que no es
poesía». Sin embargo, en esa misma carta precisará los
límites en que se movieron los poetas españoles:

> Cabe asimismo la fabricación —la creación— de un
> poema compuesto únicamente de elementos poéticos en todo
> el rigor del análisis: poesía poética, poesía *pura* —poesía
> simple prefiero yo, para evitar los equívocos del abate—. Es
> lo que se propone, por ejemplo, nuestro amigo Gerardo
> Diego en sus obras creacionistas. Como a lo *puro* lo llamo
> *simple,* me decido resueltamente por la poesía compuesta,
> compleja, por el poema con poesía y otras cosas humanas.
> En suma, una «poesía bastante pura», *ma non troppo,* si se
> toma como unidad de comparación el elemento *simple* en
> todo su inhumano o sobrehumano rigor posible, teórico.
> Prácticamente, con referencia a la poesía realista, o con fines
> sentimentales, ideológicos, morales, corriente en el mercado,
> esta «poesía bastante pura» resulta todavía, ¡ay!, demasiado
> inhumana, demasiado irrespirable y demasiado aburrida.

También Lorca le escribía a Guillén el 1 de septiembre de
1927:

Ya te recitaré de *memoria* tus décimas [se refieren a las que
habían aparecido hasta entonces en revistas: *Cántico* se
publicará un año después]. Aquí las recito a los amigos y *se
conmueven*. Protesto de ese *cerebralismo* excesivo que te achacan. Hay una fragancia natural tan extraordinaria en tu
poesía, que, *bien sentida*, puede tener hasta don de lágrimas.

En el alejamiento de unos ideales de pureza extrema
también jugó un papel importante la predilección que,
como hemos visto, mostraron desde sus primeros tiempos
por la poesía popular, siempre impregnada de «impurezas»
sentimentales. En la obra de muchos de ellos, aparte de la
recreación admirable que llevan a cabo de las características
de ese tipo de poesía, puede advertirse, si no un compromiso
social, al menos, un compromiso humano.

2. *Contactos con el surrealismo*

En 1924, con la publicación del *Primer manifiesto surrealista*,
de André Breton, comenzaba la aventura del más importante de los movimientos de vanguardia.

Recordemos brevemente que este nuevo *ismo* postulaba la
exploración de los mecanismos del subconsciente, con el fin
de que se manifestaran con entera libertad los impulsos y las
fuerzas oscuras que el hombre, víctima de una razón sumisa
a los convencionalismos sociales y morales, había reprimido
e ignorado sistemáticamente. Se pretendía, por tanto, acceder a una realidad superior, a una sobrerrealidad amorda-
zada en lo más hondo de las conciencias. De ahí también
que se concediera una importancia destacada al mundo de
los sueños (Freud ya había demostrado que los contenidos
del subconsciente podían exteriorizarse tanto en los sueños
como en los estados de vigilia).

Breton defendió como método ideal para la exploración

del subconsciente la escritura automática. Con ella, se pretendía la transformación directa de los estados anímicos en creaciones literarias o plásticas, sin que la razón tuviera tiempo de influir en el acto creador. Lo importante era escribir «sin tema preconcebido, lo suficientemente rápido para no caer en la tentación de releeros. La frase vendrá por sí sola, únicamente pide que se le permita exteriorizarse». Lógicamente, una obra creada en estas condiciones tiene que prescindir de cualquier tipo de reflexión estética o moral.

Además de postular la libertad absoluta en el mundo de la creación artística, los surrealistas aprovecharon todas las armas a su alcance (la imaginación, los procesos oníricos, el humor corrosivo, la pasión erótica y, en algunos casos, la crueldad) para luchar contra los formalismos de la cultura burguesa y contra las hipocresías del orden moral estableci-do. Tampoco se limitaron a la labor creadora. Las declaraciones iconoclastas y los actos públicos provocadores en los que participaron fueron abundantes. Así, lo mismo lanzaron escandalosos panfletos contra escritores famosos que dirigieron cartas a políticos y religiosos (al Papa, al Dalai-Lama) en las que exigían el licenciamiento de tropas y la libertad para los delincuentes y los locos.

También reivindicaron a escritores del pasado (el marqués de Sade, Lautréamont, Nerval, Baudelaire, Rimbaud, Jarry) en los que creyeron encontrar afinidades o inquietudes parecidas.

Mientras unos escritores surrealistas consideraron que no se debían traspasar las barreras de la creación artística, otros creyeron que la militancia marxista debía ser la meta obligada de sus aspiraciones revolucionarias. El «hombre nuevo» tenía que surgir de la alianza entre la revolución mental surrealista y la social marxista. En el *Segundo manifiesto surrealista,* publicado en diciembre de 1929, Breton conde-nó a los surrealistas «puros», no marxistas. Entre 1930 y

1933 se publicó una revista de título significativo: *Le Surréa-*
lisme au service de la Révolution.

Sin embargo, esta pretendida liberación total del hombre
mediante la unión de Freud y Marx fue mirada con
prevención por los dirigentes marxistas, que manifestaron la
conveniencia de ceñirse a una estética realista y exigieron la
subordinación de la creación artística a los ideales del
socialismo. A finales de 1933, Breton, Eluard y Crével, que
se suicidaría dos años después, fueron expulsados del partido
comunista. El surrealismo como movimiento inicia por esas
fechas su decadencia, aunque sus premisas liberadoras y
subversivas han pasado a formar parte de la tradición
cultural de Occidente.

El surrealismo fue conocido muy pronto en España. Recordemos, como anécdota, que hasta el poeta francés Louis
Aragon, en el transcurso de una conferencia que dio en la
Residencia de Estudiantes en 1925, lanzó una encendida
proclama en su favor:

> Tenemos toda la razón. En primer lugar, arruinaremos
> esta civilización que os es querida y en la que estáis
> amoldados como el fósil a la pizarra [...]. ¡Rebélate, mundo!
> ¡Ved cómo esta tierra está seca y buena para todos los
> incendios. Se diría de paja.

Sin embargo, en los primeros tiempos no gozó de buena
prensa. Las reacciones hostiles y las actitudes despectivas se
extendieron a amplios sectores del mundo cultural español.
En 1924, Fernando Vela, desde las páginas de *Revista de*
Occidente, consideraba que el *Primer manifiesto surrealista* de
Breton seguía «el procedimiento de otras escuelas extremis-
tas; destacar entre todos los elementos que juntos constituyen la obra de arte, uno solo», aparte de que «su teoría es
más entretenida que el resultado y, como tantas veces en
Francia, estos incidentes de la vida literaria, más divertidos
que la propia literatura». En mayo de 1925, J. Bergamín

comentaba así, desde las páginas de *Alfar,* la citada conferencia de Aragon:

> Louis Aragon, supra-realista, que acaba de pasar ante
> nosotros meteóricamente y de frac —sin darnos tiempo para
> decidir cuál de estos fenómenos atmosféricos: el suprarrealis-
> mo o el frac, era el más significativo en su caso— deja tras
> sí como una interrogación, su afirmación misma, síntesis de
> su propaganda: la simulación del pensamiento es el pensa-
> miento.

Hasta un vanguardista como Guillermo de Torre afirmaba en el núm. 1 de la revista *Plural* (enero de 1925) que el
surrealismo «no ofrece ninguna novedad de concepto: es la
consolidación y continuación de las intenciones creadoras y
creacionistas comunes a todo el arte genuino de nuestro
tiempo».

A pesar de esto, existen abundantes pruebas del interés
que desde muy pronto despertó entre los poetas del 27. En
1924 y 1925, respectivamente, llegaron a París Juan Larrea
y José María Hinojosa, que tendrán una gran importancia
en su difusión en España (el primero de los citados fundó en
1926 la revista *Favorables Paris Poema,* de corte netamente
surrealista).

Lorca, en 1925, le escribía a su hermano Francisco, que
estudiaba en Francia: «... Cuéntame muchas cosas y pronto.
Tu impresión de Burdeos, los chicos surrealistas, etc.»
Cernuda, que tomó contacto con el nuevo movimiento en
1928 y 1929, durante su estancia en Toulouse, confesará en
Historial de un libro: «El suprarrealismo, con sus propósitos y
técnica, había ganado mi simpatía. Leyendo aquellos libros
primeros de Aragon, de Breton, de Eluard, de Crével,
percibía cómo eran míos también el malestar y la osadía que
en dichos libros hallaban voz.»

Benjamín Jarnés, uno de los más destacados representantes de la prosa vanguardista en España, afirmará en *Teoría del zumbel* (1930): «En el suprarrealismo todo artista no genial fracasa.» El poeta catalán J. V. Foix declaraba en uno de sus primeros poemas en prosa: «Sólo cuando duermo veo con claridad.»

También en las revistas de la época, como *Litoral, Carmen* y *Alfar,* pueden encontrarse textos de poetas surrealistas, franceses y españoles (Eluard, Larrea, Breton, Alberti), y estudios de sus obras.

Sin embargo, ha habido muchas discusiones acerca del grado de aceptación de técnicas surrealistas por parte de los poetas españoles. Por lo general, se admite el carácter surrealista de parte de la obra de Hinojosa, de la de Larrea y de la de un importante grupo de poetas tinerfeños que estuvieron muy relacionados con Francia (Breton visitó la isla en 1935). También hay unanimidad en reconocer la trascendencia que tuvieron para el surrealismo francés los artistas españoles Oscar Domínguez, Salvador Dalí y Luis Buñuel. Estos dos últimos son responsables de las dos películas más importantes de este movimiento: *Un perro andaluz* y *La edad de oro.*

En el caso de los demás poetas, aunque existe unanimidad en reconocer el fuerte irracionalismo que impregna en gran medida su producción, las opiniones son variadas. Habitualmente, se destaca la inexistencia en España de un grupo organizado, y, sobre todo, la escasa práctica de la «escritura automática».

Es cierto que, si descontamos algunas provocaciones aisladas, y de escasa repercusión, de Alberti, Buñuel, Dalí o Hinojosa, apenas existieron las actividades conjuntas y que no hubo un grupo con un jefe y su liturgia, ni disquisiciones ni debates teóricos. También lo es que los escritores españoles mantuvieron sus distancias respecto a la siempre problemática «escritura automática». En todos ellos dominó el razonado desorden, el riesgo calculado, y el mundo onírico fue sometido a un meticuloso trabajo de criba, depuración y crítica (léase el documento 7).

Esto explica también que muchos de estos poetas se preocuparan de señalar las diferencias que los separaban de la ortodoxia surrealista. Aleixandre confesará en el prólogo de su *Poesía superrealista* (1971):

> No soy ni he sido un poeta estrictamente superrealista, porque no he creído nunca en la base dogmática de ese movimiento: la escritura automática y la consiguiente abolición de la conciencia artística. ¿Pero hubo en este sentido, alguna vez, un verdadero poeta surrealista?

Cernuda llegará a defender que Aleixandre «no fue un adepto más del surrealismo, sino que fue el surrealismo el que se adaptó a su visión y a su expresión poéticas». Alberti, en carta que dirige en 1959 a Vittorio Bodini, autor de un tomito titulado *Los poetas surrealistas españoles*, confiesa:

> Yo nunca me he considerado un surrealista consciente. En aquella época, conocía muy mal el francés. Paul Eluard fue el único poeta traducido algo en España. Tal vez el cine de Buñuel y Dalí y mi gran amistad con ambos influyeron en mí.

Lorca le precisará a Sebastiá Guasch, con motivo de unos textos que le envía de *Poeta en Nueva York:*

> Responden a mi nueva manera espiritualista, emoción pura, descarnada, desligada del control lógico, pero ¡ojo!, ¡ojo!, con una tremenda lógica poética. No es surrealismo, ¡ojo!, la conciencia más clara los ilumina.

No debe olvidarse que para algunos poetas, como Salinas, Guillén y G. Diego, fieles en todo momento a su concepción inicial del mundo, el surrealismo significó muy poco.

También para algunos críticos, las técnicas innovadoras que se observan ahora en los autores del 27 deben enlazarse, más que con el surrealismo, con las corrientes irracionalistas que dominaban en Europa desde Baudelaire (véase el documento 6), e incluso, con una tradición española exaltadora de lo ilógico, lo subconsciente, el sueño y el absurdo. Para Alberti: «el surrealismo español se encontraba precisamente en lo popular, en una serie de maravillosas retahílas, de coplas, rimas extrañas, en las que, sobre todo yo, ensayé apoyarme para correr la aventura de lo para mí hasta entonces desconocido». También E. Prados veía elementos mágicos y suprarreales en las coplas de tradición popular.

Sin embargo, aun reconociendo en las obras españolas del momento la mezcla de mundo consciente e inconsciente, puede hablarse de un surrealismo español, de una aceptación de técnicas surrealistas, o, al menos, de cómo en el horizonte que les abrió el nuevo lenguaje encontraron muchos poetas (Alberti, Lorca, Cernuda, Prados, Aleixandre) una salida para muchas de sus crisis personales y de creación y un medio para superar el clima aséptico que había dominado en la etapa anterior. Ante ellos se abría la posibilidad de expresar con entera libertad sus conflictos íntimos, su rechazo de unas normas morales caducas, y de llevar a las últimas consecuencias sus insobornables exigencias de sinceridad. En *Estudios sobre poesía española contemporánea* escribirá Cernuda:

> A él debieron Lorca y Alberti (y hasta Aleixandre) no sólo la noticia de una técnica literaria nueva para ellos, sino también un rumbo poético que, sin la lectura de Larrea, dudo que hubiesen hallado. En cuanto a la rebeldía que caracterizaba al superrealismo y falta en el creacionismo, tanto Lorca como Alberti [...] pudieron hallarla en el ambiente de la época.

Sea por una u otras causas, el cambio que se produce en la poesía española a partir de 1929 es innegable. Para constatarlo basta con que el lector se acerque a cualquiera de los poemas de *Pasión de la tierra, Espadas como labios* y *La destrucción o el amor,* de Aleixandre, de *Un río, un amor* y *Los placeres prohibidos,* de Cernuda, de *Poeta en Nueva York,* de Lorca, o de *Sobre los ángeles,* de Alberti, que figuran en esta *Antología.*

3. *De la vanguardia al compromiso*

Con las obras citadas se inicia en la poesía española un proceso de rehumanización que se irá intensificando a lo largo de la década de los años treinta. La expresión abierta de unos problemas íntimos y una tendencia a alejarse de los postulados del purismo y a prestar mayor atención al mundo contemporáneo serán las notas dominantes de la producción de la mayor parte de ellos. Las imágenes gratuitas del creacionismo se llenan ahora de contenido y los conflictos personales y sociales afloran de nuevo en la literatura. José Díaz Fernández, en *El nuevo romanticismo,* libro publicado en 1930, ya diagnosticaba con precisión el estado de crisis en que se encontraba la vanguardia anterior:

> Lo que se llamó vanguardia literaria en los últimos años no era sino la postrera etapa de una sensibilidad en liquidación. Los literatos neo-clasicistas se han quedado en literatos a secas. La verdadera vanguardia será aquella que ajuste sus formas nuevas de expresión a las nuevas inquietudes del pensamiento. Saludemos al nuevo romanticismo del hombre y la máquina que harán un arte para la vida, no una vida para el arte.

En 1931, con la llegada de la República, la tendencia purista está en franco declive. En los años siguientes, al compás de la progresiva politización del país y de los graves sucesos que se desarrollan, se debilitará todavía más (un crítico reciente, Juan Cano Ballesta, ha podido titular un interesante ensayo sobre esta época: *La poesía española entre pureza y revolución*). Francisco Ayala, en el prólogo que puso a *La cabeza del cordero*, resumía así las novedades que ahora se producen:

> El balbuceo, la imagen fresca, o bien el jugueteo irresponsable, los ejercicios de agilidad, la eutrapelia, la ocurrencia libre, eran así los valores literarios de más cotización [...] Todo aquel poetizar florido, en el que yo hube de participar a mi manera, se agostó de repente, se ensombreció aquella que pensábamos aurora con la gravedad hosca de acontecimientos que comenzaban a barruntarse.

Sin embargo, el clima neorromántico, señalado por Díaz Fernández, y el compromiso social, por el cual el escritor se siente arraigado en una realidad colectiva, afectaron de forma desigual, como se verá en el análisis de la trayectoria de cada uno de ellos, a los poetas aquí estudiados. Mientras en algunos, como en J. Guillén, apenas se observan cambios en la línea seguida hasta entonces, en otros se produce una progresiva actitud crítica frente a la realidad española. En este sentido, el caso extremo lo constituye Rafael Alberti, que en 1931 ingresa en el Partido Comunista, reniega de su producción anterior y decide contribuir con su pluma a la revolución Social. «Antes, mi poesía estaba al servicio de unos pocos —confesará—. Hoy no. Lo que me impulsa a ello es la misma razón que mueve a los obreros y a los campesinos, o sea, una razón revolucionaria.»

No hay que olvidar la importancia que tuvo la llegada a España en 1935 del poeta chileno Pablo Neruda. El núm. 1 de la revista que funda, *Caballo verde para la poesía,* se abría con un editorial, «Sobre una poesía sin pureza» (documento 9), con el que se atacaba frontalmente cualquier ideal esteticista. Este editorial provocó la reacción airada de Juan Ramón Jiménez, que consideró aquellos ataques como cosa personal. De ahí arranca el distanciamiento y, en algún caso, la ruptura entre este poeta y los del 27, a los que consideró cómplices de la campaña antipurista de Neruda.

Recordemos también que Luis Buñuel, director de cine estrechamente vinculado a esta generación, después de las películas ya mencionadas, rueda en 1932 el estremecedor documental *Las Hurdes, tierra sin pan.*

4. La guerra

En julio de 1936, al estallar la guerra, todos los miembros de esta generación, con la excepción de Gerardo Diego, tomaron partido por la república. Un mes después, Lorca era asesinado en Granada. J. Guillén, encarcelado en Sevilla, logró salir al extranjero en 1938 y se estableció en Estados Unidos. Salinas se había marchado poco antes de que se iniciara el conflicto.

En los demás, el grado de compromiso con la situación planteada se verá en las fichas biográficas que acompañan a sus respectivos poemas en esta *Antología.*

Señalemos únicamente que, en general, colaboraron en las más importantes revistas del momento (*El mono azul* y *Hora de España,* sobre todo) y que cultivaron una poesía de corte más sencillo y directo y, muchas veces, de circunstancias. Con algunas excepciones, como ocurre con los poemas que se dedican a García Lorca, será en el exilio cuando la tragedia que ahora viven se convierta en materia lírica. En 1938 escribía José Herrera Petere en el Prólogo de *Acero de Madrid:*

> Modernamente, y a medida que se han ido disipando las nieblas soñolientas del formalismo, puras, hermosas y frías como el alabastro; a medida que todo va quedando reducido a su verdadero punto, brilla, al día de los nuevos poetas, la

corriente de un rico manantial de sangre que nos trae el
pueblo: la Política.

Un manantial que convierte en acero el hierro dulce de los
sueños indolentes, que arrastra las torres de marfil de las
alturas y se las lleva al llano con su gran fuerza de torrente o
río humano.

El aliento épico sucede al lírico, y el romance, como ha
ocurrido secularmente cuando algún acontecimiento histórico
ha adquirido importancia para la colectividad, es la
forma estrófica que, una vez más, se impone. En noviembre
de 1936 se publica en Madrid, editado por el Ministerio de
Instrucción Pública, el *Primer romancero de la guerra civil
española*. Un año más tarde aparecen el *Romancero general de la
guerra de España*, preparado por Rodríguez-Moñino y Emilio
Prados, y *Poetas en la España leal*, en donde se recogen textos
de Alberti, Altolaguirre, Cernuda y Prados. Como escribe
Serge Salaün:

> Lo más importante sigue siendo la asombrosa disposición
> poética de los tres años de guerra. Durante meses y meses, los
> poetas de todos los horizontes —los poetas muchísimo más
> que los demás— han caminado juntos en los caminos de la
> historia y de la poesía, comulgando en unos principios y en
> una forma, el romance, que aparece como el instrumento
> más adecuado a este efecto, ya que las tradiciones poéticas
> que representa corresponden a todos los niveles culturales
> (tradición oral, popular y culta).[8]

5. El exilio y la posguerra

Durante la guerra o al terminar la misma, los que
quedaban en activo, con la excepción de Gerardo Diego,

---

[8] «Poetas de oficio y vocaciones incipientes durante la guerra de España»,
en *Creación y público en la literatura española*, Madrid, Castalia, 1974, p. 181.

Dámaso Alonso y Vicente Aleixandre, marcharon al exilio. Aunque algunos, como Alberti y Cernuda, pasaron algún tiempo en Europa, al final todos acabaron instalándose en diferentes países americanos. De esta forma pudieron seguir empleando su propia lengua, ya porque vivieron en Hispanoamérica, ya porque se dedicaron a la enseñanza de la lengua y de la literatura españolas.

Lo habitual fue que, después de un período de desorientación y de desconcierto, recobraran su voz, con idénticos o con nuevos acentos. Aurora de Albornoz resume así las dificultades con que tropezaron para la reanudación de sus tareas poéticas:

> Es frecuente hallar un tono apasionado, angustioso, dolorido, en estos primeros años. Generalizando muchísimo, podría decirse que, salvo casos excepcionales —como el de Luis Cernuda—, los poetas exiliados tardan algún tiempo en hallar su mejor voz. Hasta en Juan Ramón Jiménez hay un breve corte; unos dos años de vacilación, antes de hallar su nuevo acento. León Felipe no deja de escribir: por el contrario, produce varios libros, y su voz influye considerablemente en poetas más jóvenes, pero, a mi juicio, su máxima obra la dará cuando su voz se calme. Hay vacilaciones en Rafael Alberti. Emilio Prados —un poeta tan exigente consigo mismo como Juan Ramón Jiménez— casi oculta los poemas escritos en los primeros momentos...[9]

En todos se intensifica el proceso de rehumanización que se había desarrollado a lo largo de los años treinta y se mantiene el compromiso entre la estética y la ética. Más grave y preocupada, su voz tiende a reflejar los problemas humanos y sociales del tiempo histórico que ahora les toca vivir. Hasta en Guillén, el más fiel a su concepción del mundo, se ensombrecen las tintas.

---

[9] «Poesía de la España peregrina», en *El exilio español de 1939*, Madrid, Taurus, 1976, 4, p. 38.

Debe advertirse también que, a diferencia de lo que ocurrió con otros emigrados europeos desde finales del siglo pasado, ninguno de estos poetas se integró plenamente en sus nuevas patrias. La evocación melancólica y serena de la tierra lejana, los denuestos y las imprecaciones contra los vencedores, la aceptación dolorosa y resignada de un difícil cambio político, el recuerdo emocionado de los amigos perdidos, el ansia de regreso, están presentes, en mayor o menor medida, en la obra de todos.

Sin embargo, con pocas excepciones, se vieron privados del público al que mayoritariamente se dirigían, ya que la imagen que de ellos se dio en la España oficial casi siempre estuvo deformada y tergiversada y sus obras fueron silenciadas o prohibidas.

Esto último fue paliado, en parte, por los que se quedaron aquí. Dámaso Alonso y Vicente Aleixandre, además de constituir un sólido puente con los poetas desterrados, ejercieron, sobre todo con sus libros *Hijos de la ira* y *Sombra del paraíso,* respectivamente, una decisiva influencia en las corrientes rehumanizadoras de la literatura española de los años cuarenta (léase el documento 11). La poetisa Carmen Conde puntualizará:

> V. Aleixandre primero y luego Dámaso Alonso —cada cual «desde su ladera»— devolvieron su presencia a la generación a la cual pertenecían, despertando el interés por su conocimiento y difusión, y descubriendo a los jóvenes de entonces el tesoro inapreciable, tanto de ellos mismos como de sus inolvidables compañeros. Las nuevas generaciones poéticas debieron a Vicente y a Dámaso cuanto iba a constituir su nobilísima herencia.

Otro poeta, Alfonso Canales, también resume con precisión la deuda contraída con ellos por los más jóvenes:

> Del grupo del 27 quisimos aprender la importancia de compaginar el amor a la tradición con la tarea innovadora;

la integración de lo popular en el rigor que impone el conocimiento de lo ya irrepetiblemente hecho; el respeto al lenguaje, con la seguridad de que siempre admite nuevas formas de tortura; y la convicción de que la amistad entre los poetas debe ser infranqueable, puesto que todos cantamos en el mismo coro.

6. *Últimos años*

Pedro Salinas muere en Boston en 1951. Manuel Altolaguirre, en España, en 1959. E. Prados, en México, en 1962. Luis Cernuda, un año después, también en este último país.

Los demás, en sus obras de estas últimas décadas, con frecuencia se encaran, valiéndose de diversos tonos y matices, con la muerte, la vejez, la soledad, o evocan melancólicamente el tiempo ido y, con él, a muchas personas amadas ya desaparecidas (Dámaso Alonso hasta confía en encontrarse con algunas de ellas en el más allá). Guillén y Alberti, aunque no rehúyen las notas de desolación y desánimo, afrontan esas nuevas realidades vitales con actitud serena y resignada. G. Diego, desde su inquebrantable fe católica. Dámaso Alonso, uniéndolas a su permanente conflicto con la Divinidad, como puede verse en su último libro, *Dudas y amor sobre el Ser Supremo.*

A partir de 1977, año en que se encuentran, ya, por fin, todos en España, recibirán directamente el reconocimiento público y los más encendidos homenajes. A Aleixandre se le concede ese mismo año el Premio Nobel. En los siguientes, Jorge Guillén, Alberti, Dámaso Alonso y Gerardo Diego obtienen el Cervantes[10].

---

[10] Sobre las últimas obras de Guillén, Diego, Aleixandre, Alonso y Alberti puede consultarse un reciente ensayo de F. J. Díez de Revenga: *Poesía de senectud* (Barcelona, Anthropos, 1982).

Bibliografía

Díez de Revenga, Francisco Javier: *Panorama crítico de la generación del 27*, Madrid, Castalia, 1987. Se trata de la más completa bibliografía comentada sobre los poetas que aparecen en esta *Antología*.

Rico, Francisco: *Historia y crítica de la Literatura Española*, Barcelona, Crítica, 1984. En el volumen VII se incluyen numerosos textos, debidos a prestigiosos críticos, sobre esta generación.

Son también bastante útiles los volúmenes dedicados a Vicente Aleixandre, F. García Lorca, J. Guillén, Luis Cernuda, P. Salinas y R. Alberti en la colección *El escritor y la crítica*, de la Editorial Taurus. En cada uno de ellos se recogen numerosos ensayos sobre los poetas mencionados.

Pueden consultarse también:

Blanch, Antonio: *La poesía pura española. Conexiones con la cultura francesa*, Madrid, Gredos, 1976. Completo análisis de la polémica sobre la poesía pura en España. Deben verse, sobre todo, los capítulos V y VI.

Cano, José Luis: *La poesía de la generación del 27*, Madrid, Guadarrama, 1970 (2.ª edición). Interesante conjunto de ensayos, aunque de valor desigual, sobre los poetas de la que este autor denomina «Generación de la amistad».

Cano Ballesta, Juan: *La poesía española entre pureza y revolución (1930-1936)*, Madrid, Gredos, 1972. Como su título indica, se estudia aquí el proceso de rehumanización que sufre la poesía española en la década de los años treinta.

Debicki, Andrew, P.: *Estudios sobre la poesía española contemporárea. La generación de 1924-25,* Madrid, Gredos, 1968. Conjunto de trabajos sobre los valores estéticos y humanos de los poetas del 27.

Geist, Anthony Leo: *La poética de la generación del 27 y las revistas literarias: de la vanguardia al compromiso (1918-1936),* Barcelona, Guadarrama, 1980. A través de numerosos documentos, espigados de más de ochenta revistas, se ofrece un panorama de las inquietudes estéticas de los autores de la mencionada generación.

Hernández Valcárcel, Carmen: *La expresión sensorial en cinco poetas del 27,* Universidad de Murcia, 1978. Se estudian aquí las percepciones sensoriales (visuales, gustativas, olfativas y auditivas) en las obras de Salinas, Guillén, García Lorca, Alberti y Dámaso Alonso.

Rozas, Juan Manuel: *El 27 como generación,* Santander, La Isla de los Ratones, 1978. Este librito constituye uno de los resúmenes más sencillos y claros sobre las características más destacadas de esta generación.

——: *La generación del 27 desde dentro (Textos y Documentos),* Madrid, Alcalá, 1974. Importante colección de documentos para conocer las ideas estéticas y las inquietudes vitales de estos poetas.

Siebenmann, Gustav: *Los estilos poéticos en España desde 1900,* Madrid, Gredos, 1973. Debe consultarse el apartado correspondiente a las vanguardias y a la Generación del 27.

Zuleta, Emilia de: *Cinco poetas españoles,* Madrid, Gredos, 1971. Estimable análisis de las obras de Salinas, Guillén, Lorca, Alberti y Cernuda.

Federico García Lorca, Pedro Salinas y
Rafael Alberti (1927)

La generación de 1927 en el Ateneo de Sevilla (diciembre de 1927).
De izquierda a derecha, Rafael Alberti, Federico García Lorca, Juan
Chabás, Mauricio Bacarisse, José María Platero, Blasco Garzón
—presidente del Ateneo—, Jorge Guillén, José Bergamín, Dámaso
Alonso y Gerardo Diego.

Dibujo de Rafael Alberti
para la segunda edición de
La amante (1929).

Primer romancero gitano:
cubierta de la edición
príncipe.

Dámaso Alonso.

Gerardo Diego.

Vicente Aleixandre.

Emilio Prados.

Manuel Altolaguirre.

Jorge Guillén.

Luis Cernuda.

Nota previa

Pretendemos en esta *Antología* ofrecer un panorama lo más completo posible de la evolución que sufre la obra de cada uno de los diez poetas seleccionados. Esto nos ha obligado, en alguna ocasión, a incluir textos de libros que pueden considerarse secundarios dentro del conjunto de su labor.

En la Introducción hemos tenido en cuenta los aspectos comunes a todos ellos. En las orientaciones para el estudio del final, se atiende preferentemente a los rasgos que los individualizan.

Los poemas proceden de las ediciones más rigurosas y fieles (se ha prestado especial atención a aquellas que han sido revisadas por los propios autores). De ellas, y de otras que consideramos recomendables y asequibles para el lector, damos cuenta en los datos biográficos que figuran en cada uno de los diferentes apartados.

Quiero agradecer aquí la ayuda que, durante la elaboración de este trabajo, me han brindado Gloria Rey Faraldos y Ángel Muñoz Calvo.

ANTOLOGÍA POÉTICA
DE LA GENERACIÓN DEL 27

PEDRO SALINAS

Nació en Madrid en <u>1891.</u> Estudió Filosofía y Letras en la Universidad Central. En 1911 aparecieron sus primeros poemas en la revista *Prometeo*, que dirigía Ramón Gómez de la Serna. Dos años después tradujo algunos textos para la antología *La poesía francesa contemporánea*, de E. Díez Canedo y F. Fortún. Fue lector de español en la Sorbona entre 1914 y 1917. En 1915 se casó con Margarita Bonmatí, de familia alicantina radicada en Argel (en 1984 Alianza Editorial publicó las cartas que el poeta le dirigió durante tres años). En 1918 ganó la cátedra de Literatura de la Universidad de Sevilla. Permaneció en esta ciudad durante ocho años e influyó notablemente en algunos poetas andaluces. Cernuda recordará:

> En el año 1918 marcha Salinas a Sevilla. Con él van una inteligencia y una sensibilidad universales en la época actual, realizándose en un espíritu de la más pura estirpe castellana... Y su estancia en Sevilla es decisiva para la juventud sevillana que entonces comienza. Allí ofrece su ejemplo personal, directo, también su ejemplo literario [...]. Entre nosotros, pocos escritores jóvenes habrá que no deban a su generosidad, tan poco frecuente en el ambiente literario, algún favor importante o decisivo para un espíritu joven que busca su camino. Quien acude a él halla siempre, por lo menos, una palabra cordial, un gesto de estímulo.

En 1926 volvió a Madrid. Colaboró después en el Centro de Estudios Históricos, que dirigía Menéndez Pidal. En

1932 fundó la revista *Índice literario,* con el fin de informar a los hispanistas de todo el mundo de las novedades literarias españolas. Entre 1933 y 1936 fue secretario de la Universidad Internacional de Santander, creada, según Salinas, para «atender a las necesidades espirituales del momento, sin propósitos inmediatamente utilitarios».

En 1936 marchó al Wellesley College (Massachusetts) como profesor visitante. Ya no regresará a España. A partir de 1939 dio clase en la John Hopkins University (Baltimore) y en la Universidad de Río Piedras (Puerto Rico). Recorrió también otras muchas universidades como conferenciante o profesor. Murió en Boston en 1951. Está enterrado en el cementerio de Santa Magdalena, en San Juan de Puerto Rico.

Juan Marichal lo retrató así:

> Yo diría que Pedro Salinas era un hombre a la vez abierto y tímido, extraordinariamente expansivo y, sin embargo, cerradamente pudoroso. Es verdad que en todas las tierras de lengua castellana se dan paralelamente estas dos tendencias, aparentemente opuestas, en muchos, muchísimos hombres. Pero en Salinas quizá las dos características tomaban rasgos extremados, porque pocos españoles habrá habido más expansivos, más abiertos de su persona y, sin embargo, pocos hombres españoles habrá también habido más íntimamente pudorosos.

OBRA POÉTICA

Presagios (1924), *Seguro azar* (1924-1928:1929), *Fábula y signo* (1931), *La voz a ti debida* (1933), *Razón de amor* (1936), *Largo lamento,* libro compuesto entre 1936 y 1939, y que se incluyó en 1971 en sus *Poesías completas* (algunos poemas del mismo se habían publicado con anterioridad); *El contemplado*

(1943-1945:1946), *Todo más claro* (1937-1947:1949), *Confianza* (1955, aunque redactado entre 1942 y 1944).

También es autor de dos libros de relatos breves, *Víspera del gozo* (1926) y *El desnudo impecable* (1951), y de una narración extensa, *La bomba increíble* (1950), en la que llevó a cabo una apasionada defensa de los valores eternos de la humanidad. Después de la guerra escribió dos obras largas de teatro (*Judit y el tirano* y *El director*) y doce piezas en un acto (*La fuente del Arcángel, La cabeza de Medusa, La Estratosfera, La isla del tesoro, El chantajista, El parecido, La bella durmiente, El precio, Ella y sus fuentes, Caín o una gloria científica, Sobre seguro* y *Los santos*).

Salinas es, además, un prestigioso ensayista y crítico literario. En esta línea, destacan los siguientes títulos: *Literatura española. Siglo XX* (1941), *Jorge Manrique, o tradición y originalidad* (1947), *La poesía de Rubén Darío* (1948), *La responsabilidad del escritor y otros ensayos* (1961) y *El defensor* (1948).

De su labor de traductor, hay que mencionar su versión de los primeros volúmenes de *A la busca del tiempo perdido*, de M. Proust.

EDICIONES

Poesías completas, Barcelona, Barral, 1971. *La voz a ti debida. Razón de amor*, Madrid, Castalia, 1974.

1 [1]

¡Cuánto rato te he mirado
sin mirarte a ti, en la imagen
exacta e inaccesible
que te traiciona el espejo!
«Bésame», dices. Te beso,   5
y mientras te beso pienso
en lo fríos que serán
tus labios en el espejo.
«Toda el alma para ti»,
murmuras, pero en el pecho   10
siento un vacío que sólo
me lo llenará ese alma
que no me das.
El alma que se recata
con disfraz de claridades   15
en tu forma del espejo.

---

(1) En este poema, cuyo clima sentimental puede llevarnos a
Bécquer y a Juan Ramón Jiménez, aparece ya la dialéctica entre el
amado y la amada y el deseo de trascender la experiencia concreta
y real que se le ofrece. Salinas busca siempre un más allá o un más
adentro que le revele la verdadera esencia de los demás. En
cambio, el reflejo de una cosa o de una persona en un espejo no
puede darnos lo más profundo de ellas, porque el espejo no tiene
alma.

2

El alma tenías
tan clara y abierta,
que yo nunca pude
entrarme en tu alma.
Busqué los atajos   5
angostos, los pasos
altos y difíciles...
A tu alma se iba
por caminos anchos.
Preparé alta escala   10
—soñaba altos muros
guardándote el alma—
pero el alma tuya
estaba sin guarda
de tapial[1] ni cerca.   15
Te busqué la puerta
estrecha del alma,
pero no tenía,
de franca que era,
entradas tu alma.   20
¿En dónde empezaba?
¿Acababa, en dónde?
Me quedé por siempre
sentado en las vagas
lindes[2] de tu alma.   25

(*Presagios*)

---

[1] *tapial:* tapia, pared.   [2] *linde:* límite, término.

3

VOCACIÓN

Abrir los ojos. Y ver
sin falta ni sobra, a colmo
en la luz clara del día
perfecto el mundo, completo.
Secretas medidas rigen   5
gracias sueltas, abandonos
fingidos, la nube aquella,
el pájaro volador,
la fuente, el tiemblo del chopo.
Está bien, mayo, sazón.   10
Todo en el fiel. Pero yo...
Tú, de sobra. A mirar,
y nada más que a mirar
la belleza rematada
que ya no te necesita.   15

Cerrar los ojos. Y ver
incompleto, tembloroso,
de será o de no será
—masas torpes, planos sordos—,
sin luz, sin gracia, sin orden   20
un mundo sin acabar,
necesitado, llamándome
a mí, o a ti, o a cualquiera
que ponga lo que le falta,
que le dé la perfección.   25

En aquella tarde clara,
en aquel mundo sin tacha,
escogí:
            el otro.
Cerré los ojos.   30

4 (2)

35 BUJÍAS

Sí. Cuando quiera yo
la soltaré. Está presa
aquí arriba, invisible.
Yo la veo en su claro
castillo de cristal, y la vigilan   5
—cien mil lanzas— los rayos
—cien mil rayos— del sol. Pero de noche,
cerradas las ventanas
para que no la vean
—guiñadoras espías— las estrellas,   10
la soltaré. (Apretar un botón.)
Caerá toda de arriba
a besarme, a envolverme
de bendición, de claro, de amor, pura.
En el cuarto ella y yo no más, amantes   15
eternos, ella mi iluminadora
musa dócil en contra
de secretos en masa de la noche
—afuera—
descifraremos formas leves, signos,   20
perseguidos en mares de blancura
por mí, por ella, artificial princesa,
amada eléctrica. [3]

---

[3] En estos cuatro últimos versos, Salinas viene a decir que él y la bombilla
leerán juntos.

(2) En algunos poemas de esta primera etapa, Salinas se sirve de
motivos ultraístas. Sin embargo, como ocurre aquí, dichos motivos
quedan enmarcados en una estructura clásica.

5

MIRAR LO INVISIBLE

La tarde me está ofreciendo
en la palma de su mano,
hecha de enero y de niebla,
vagos mundos desmedidos
de esos que yo antes soñaba,   5
que hoy ya no quiero.
Y cerraría los ojos
para no verlo. Si no
los cierro
no es por lo que veo.   10
Por un mundo sospechado
concreto y virgen detrás,
por lo que no puedo ver
llevo los ojos abiertos.

(*Seguro azar*)

6

AMSTERDAM

Esta noche te cruzan
verdes, rojas, azules, rapidísimas
luces extrañas por los ojos.
¿Será tu alma?
¿Son luces de tu alma, si te miro?   5
Letras son, nombres claros
al revés, en tus ojos.
Son nombres: *Universum*,
se iluminan, se apagan, con latidos
de luz de corazón. *Universum*.   10

Miro; ya sé; ya leo:
Universum cinema, ocho cilindros,
saldo de blanco junto a las estrellas.
Te quiero así inocente, toda ajena,
palpitante   15
en lo que está fuera de ti, tus ojos
proclamando las vívidas
verdades de colores de la noche.
Las compraremos todas
cuando se abran las tiendas, ahora mismo   20
—*Universum* cinema—, cuando bese
las luces de tu alma, sí, las luces,
anuncios luminosos de la vida
en la noche, en tus ojos.

(*Fábula y signo*)

                              7

        Tú vives siempre en tus actos.
        Con la punta de tus dedos
        pulsas el mundo, le arrancas
        auroras, triunfos, colores,
        alegrías: es tu música.   5
        La vida es lo que tú tocas.

        De tus ojos, sólo de ellos,
        sale la luz que te guía
        los pasos. Andas
        por lo que ves. Nada más.   10

        Y si una duda te hace
        señas a diez mil kilómetros,
        lo dejas todo, te arrojas
        sobre proas, sobre alas,

estás ya allí; con los besos, 15
con los dientes la desgarras:
ya no es duda.
Tú nunca puedes dudar.

Porque has vuelto los misterios
del revés. Y tus enigmas, 20
lo que nunca entenderás,
son esas cosas tan claras:
la arena donde te tiendes,
la marcha de tu reló
y el tierno cuerpo rosado 25
que te encuentras en tu espejo
cada día al despertar,
y es el tuyo. Los prodigios
que están descifrados ya.

Y nunca te equivocaste, 30
más que una vez, una noche
que te encaprichó una sombra
—la única que te ha gustado—.
Una sombra parecía.
Y la quisiste abrazar. 35
Y era yo.

8 (3)

«Mañana». La palabra
iba suelta, vacante,

---

(3) Recuérdese que la voz del poeta es «la voz a ti debida», es
decir, que existe a causa de la amada. Pero también las cosas son
víctimas de esa misma carencia. Ni el mar ni el viento ni la mañana
saben cómo se llaman, porque viven para sí mismos. Pero si por
casualidad, por un milagro, como ocurre aquí, la voz de *ella* las
pronuncia, esas palabras cobran sentido.

ingrávida, en el aire,
tan sin alma y sin cuerpo,
tan sin color ni beso,   5
que la dejé pasar
por mi lado, en mi hoy.
Pero de pronto tú
dijiste: «Yo, mañana...»
Y todo se pobló   10
de carne y de banderas.
Se me precipitaban
encima las promesas
de seiscientos colores,
con vestidos de moda,   15
desnudas, pero todas
cargadas de caricias.
En trenes o en gacelas
me llegaban —agudas,
sones de violines—   20
esperanzas delgadas
de bocas virginales.
O veloces y grandes
como buques, de lejos,
como ballenas   25
desde mares distantes,
inmensas esperanzas
de un amor sin final.
¡Mañana! Qué palabra
toda vibrante, tensa   30
de alma y carne rosada,
cuerda del arco donde
tú pusiste, agudísima,
arma de veinte años,
la flecha más segura   35
cuando dijiste: «Yo...»

9

Para vivir no quiero
islas, palacios, torres.
¡Qué alegría más alta:
vivir en los pronombres!

Quítate ya los trajes,   5
las señas, los retratos;
yo no te quiero así,
disfrazada de otra,
hija siempre de algo.
Te quiero pura, libre,   10
irreductible: tú.
Sé que cuando te llame
entre todas las gentes
del mundo,
sólo tú serás tú.   15
Y cuando me preguntes
quién es el que te llama,
el que te quiere suya,
enterraré los nombres,
los rótulos, la historia.   20
Iré rompiendo todo
lo que encima me echaron
desde antes de nacer.
Y vuelto ya al anónimo
eterno del desnudo,   25
de la piedra, del mundo,
te diré:
«Yo te quiero, soy yo.»

10

Qué alegría, vivir
sintiéndose vivido.
Rendirse
a la gran certidumbre, oscuramente,
de que otro ser, fuera de mí, muy lejos,   5
me está viviendo.
Que cuando los espejos, los espías,
azogues,[4] almas cortas, aseguran
que estoy aquí, yo, inmóvil,
con los ojos cerrados y los labios,   10
negándome al amor
de la luz, de la flor y de los nombres,
la verdad trasvisible[5] es que camino
sin mis pasos, con otros,
allá lejos, y allí   15
estoy besando flores, luces, hablo.
Que hay otro ser por el que miro el mundo
porque me está queriendo con sus ojos.
Que hay otra voz con la que digo cosas
no sospechadas por mi gran silencio;   20
y es que también me quiere con su voz.
La vida —¡qué transporte[6] ya!—, ignorancia
de lo que son mis actos, que ella hace,
en que ella vive, doble, suya y mía.
Y cuando ella me hable   25
de un cielo oscuro, de un paisaje blanco,
recordaré
estrellas que no vi, que ella miraba,
y nieve que nevaba allá en su cielo.

---

[4] *azogue:* mercurio. De mercurio se recubren, normalmente, las lunas de los espejos. De ahí que Salinas, en virtud de un tropo, pueda adjudicarle aquí el significado de *espejo*.   [5] *la verdad trasvisible:* la que va más allá, la verdad última.   [6] *¡Qué transporte ya!:* ¡Qué enajenación, qué locura!

Con la extraña delicia de acordarse   30
de haber tocado lo que no toqué
sino con esas manos que no alcanzo
a coger con las mías, tan distantes.
Y todo enajenado[7] podrá el cuerpo
descansar, quieto, muerto ya. Morirse   35
en la alta confianza
de que este vivir mío no era sólo
mi vivir: era el nuestro. Y que me vive
otro ser por detrás de la no muerte.

11

Perdóname por ir así buscándote
tan torpemente, dentro
de ti.
Perdóname el dolor, alguna vez.
Es que quiero sacar   5
de ti tu mejor tú.
Ese que no te viste y que yo veo,
nadador por tu fondo, preciosísimo.
Y cogerlo
y tenerlo yo en alto como tiene   10
el árbol la luz última
que le ha encontrado al sol.
Y entonces tú
en su busca vendrías, a lo alto.
Para llegar a él   15
subida sobre ti, como te quiero,
tocando ya tan sólo a tu pasado
con las puntas rosadas de tus pies,

---

[7] *todo enajenado:* es decir, desposeído de todo por haberlo transmitido a la amada.

en tensión todo el cuerpo, ya ascendiendo
de ti a ti misma.   20

Y que a mi amor entonces, le conteste
la nueva criatura que tú eras.

12

Cuando tú me elegiste
—el amor eligió—
salí del gran anónimo
de todos, de la nada.
Hasta entonces   5
nunca era yo más alto
que las sierras del mundo.
Nunca bajé más hondo
de las profundidades
máximas señaladas   10
en las cartas marinas.
Y mi alegría estaba
triste, como lo están
esos relojes chicos,
sin brazo en que ceñirse   15
y sin cuerda, parados.
Pero al decirme: «tú»
—a mí, sí, a mí, entre todos—,
más alto ya que estrellas
o corales estuve.   20
Y mi gozo
se echó a rodar, prendido
a tu ser, en tu pulso.
Posesión tú me dabas
de mí, al dárteme tú.   25
Viví, vivo. ¿Hasta cuándo?
Sé que te volverás

atrás. Cuando te vayas
retornaré a ese sordo
mundo, sin diferencias,   30
del gramo, de la gota,
en el agua, en el peso.
Uno más seré yo
al tenerte de menos.
Y perderé mi nombre,   35
mi edad, mis señas, todo
perdido en mí, de mí.
Vuelto al osario inmenso
de los que no se han muerto
y ya no tienen nada   40
que morirse en la vida.

13

¿La oyes cómo piden realidades,
ellas, desmelenadas, fieras,
ellas, las sombras que los dos forjamos
en este inmenso lecho de distancias?
Cansadas ya de infinitud, de tiempo   5
sin medida, de anónimo, heridas
por una gran nostalgia de materia,
piden límites, días, nombres.
No pueden
vivir así ya más: están al borde   10
del morir de las sombras, que es la nada.
Acude, ven conmigo.
Tiende tus manos, tiéndeles tu cuerpo.
Los dos les buscaremos
un color, una fecha, un pecho, un sol.   15
Que descansen en ti, sé tú su carne.
Se calmará su enorme ansia errante,
mientras las estrechamos

ávidamente entre los cuerpos nuestros
donde encuentren su pasto y su reposo.   20
Se dormirán al fin en nuestro sueño
abrazado, abrazadas. Y así luego,
al separarnos, al nutrirnos sólo
de sombras, entre lejos,
ellas   25
tendrán recuerdos ya, tendrán pasado
de carne y hueso,
el tiempo que vivieron en nosotros.
Y su afanoso sueño
de sombras, otra vez, será el retorno   30
a esta corporeidad mortal y rosa
donde el amor inventa su infinito.

(*La voz a ti debida*)

14

¿Serás, amor,
un largo adiós que no se acaba?
Vivir, desde el principio, es separarse.
En el primer encuentro
con la luz, con los labios,   5
el corazón percibe la congoja
de tener que estar ciego y sólo un día.
Amor es el retraso milagroso
de su término mismo:
es prolongar el hecho mágico   10
de que uno y uno sean dos, en contra
de la primer condena de la vida.
Con los besos,
con la pena y el pecho se conquistan,
en afanosas lides, entre gozos   15
parecidos a juegos,

días, tierras, espacios fabulosos,
a la gran disyunción que está esperando,
hermana de la muerte o muerte misma.
Cada beso perfecto aparta el tiempo,　　　　　　　20
le echa hacia atrás, ensancha el mundo breve
donde puede besarse todavía.
Ni en el llegar, ni en el hallazgo
tiene el amor su cima:
es en la resistencia a separarse　　　　　　　25
en donde se le siente,
desnudo, altísimo, temblando.
Y la separación no es el momento
cuando brazos, o voces,
se despiden con señas materiales.　　　　　　　30
Es de antes, de después.
Si se estrechan las manos, si se abraza,
nunca es para apartarse,
es porque el alma ciegamente siente
que la forma posible de estar juntos　　　　　　　35
es una despedida larga, clara.
Y que lo más seguro es el adiós.

15 [4]

A veces un no niega
más de lo que quería, se hace múltiple.
Se dice «no, no iré»
y se destejen infinitas tramas
tejidas por los síes lentamente,　　　　　　　5
se niegan las promesas que no nos hizo nadie
sino nosotros mismos, al oído.

(4) Los monosílabos cobran enorme importancia en *La voz a ti debida* y *Razón de amor:* sí, no, se presentan como símbolos, respectivamente, de la entrega amorosa y de la separación.

Cada minuto breve rehusado
—¿eran quince, eran treinta?—
se dilata en sinfines, se hace siglos,   10
y un «no, esta noche no»
puede negar la eternidad de noches,
la pura eternidad.
¡Qué difícil saber adonde hiere
un no! Inocentemente   15
sale de labios puros, un no puro;
sin mancha ni querencia
de herir, va por el aire.
Pero el aire está lleno
de esperanzas en vuelo, las encuentra   20
y las traspasa por las alas tiernas
su inmensa fuerza ciega, sin querer,
y las deja sin vida y va a clavarse
en ese techo azul que nos pintamos
y abre una grieta allí.   25
O allí rebota
y su herir acerado
vuelve camino atrás y le desgarra
el pecho al mismo pecho que lo dijo.
Un no da miedo. Hay que dejarlo siempre   30
al borde de los labios y dudarlo.
O decirlo tan suavemente
que le llegue
al que no lo esperaba
con un sonar de «sí»,   35
aunque no dijo sí quien lo decía.

16

No, nunca está el amor.
Va, viene, quiere estar
donde estaba o estuvo.

Planta su pie en la tierra,
en el pecho; se vuela   5
y se posa o se clava
—azor siempre o saeta—
en un cielo distante,
que está a veces detrás,
y va de presa en presa.   10
En las noches mullidas
de estrellas y luceros
se tiende a descansar.
Allá arriba, celeste
un momento, la tierra   15
es el cielo del cielo.
Mira, la quiere, cae,
con ardor de subir.
Por eso no se sabe
de qué profundidad   20
viene el amor, lejana,
si de honduras de cielos,
o entrañas de la tierra.
Ya
parece que está aquí,   25
que es nuestro, entre dos cuerpos,
que no se escapará,
guardado entre los besos.
Y su pasar, su rápido
vivir aquí en nosotros,   30
llega, fuerte, tan hondo
que aunque vuele y se huya
a buscar otros cambios,
a ungir a nuevos seres,
decimos: amor mío.   35
A su fugacidad,
con el alma del alma,
la llamamos lo eterno.

Y un momento de él
—de su tiempo infinito—,   40
si nos toca en la frente,
será la vida nuestra.

(*Razón de amor*)

17

EL CONTEMPLADO

TEMA

De mirarte tanto y tanto,
del horizonte a la arena,
despacio,
del caracol al celaje,
brillo a brillo, pasmo a pasmo,   5
te he dado nombre; los ojos
te lo encontraron, mirándote.
Por las noches,
soñando que te miraba,
al abrigo de los párpados   10
maduró, sin yo saberlo,
este nombre tan redondo
que hoy me descendió a los labios.
Y lo dicen asombrados
de lo tarde que lo dicen.   15
¡Si era fatal el llamártelo!
¡Si antes de la voz, ya estaba
en el silencio tan claro!
¡Si tú has sido para mí,
desde el día   20
que mis ojos te estrenaron,
el contemplado, el constante
Contemplado!

18

VARIACIÓN XIII

PRESAGIO

Esta tarde, frente a ti,
en los ojos siento algo
que te mira y no soy yo.
¡Qué antigua es esta mirada,
en mi presente mirando!   5
Hay algo, en mi cuerpo, otro.
Viene de un tiempo lejano.
Es una querencia, un ansia
de volver a ver, a verte,
de seguirte contemplando.   10
Como la mía, y no mía.
Me reconozco y la extraño.
¿Vivo en ella, o ella en mí?
Poseído voluntario
de esta fuerza que me invade,   15
mayor soy, porque me siento
yo mismo, y enajenado.

(*El contemplado*)

19

NOCTURNO DE LOS AVISOS

¿Quién va a dudar de ti, la rectilínea,
que atraviesas el mundo tan derecha
como el asceta, entre las tentaciones?
Todos acatan, hasta el más rebelde,

tus rigurosas normas paralelas: 5
aceras, el arroyo,
los rieles del tranvía,
tus orillas, altísimos ribazos
sembrados de ventanas, hierba espesa,
que a la noche rebrilla   10
con gotas del eléctrico rocío.
Infinita a los ojos
y toda numerada, a cada paso
un algo nos revelas
de dos en dos, muy misteriosamente: 15
setenta y seis, setenta y ocho, ochenta.
¿Marca es de nuestro avance hacia la suma
total, esclavitud a una aritmética
que nos escolta, pertinaz pareja
de pares y de impares,   20
recordando a los pájaros
esta forzosa lentitud del hombre?
¿O son, como los años, tantas cifras
señas con que marcar en la carrera
sin señales del tiempo, a cada vida,   25
las lindes del aliento,
año de cuna, año de tumba, texto
sencillo de dos fechas
que cabe en cualquier losa de sepulcro?
¿Llegaré hasta qué número? Quizá   30
tú no sabes tampoco adónde acabas.
Tu número cien mil, si tú pudieras
prolongarte, ya muerta, sin tus casas,
seguir, por el espacio, así derecha,
¿no sería la Arcadia,[8] y dos amantes,   35
a la siesta tendidos en la grama,[9]

---

[8] *Arcadia:* en poesía, país imaginario de la felicidad pastoril.
[9] *grama:* planta medicinal.

antes de Cristo y de los rascacielos?
Nunca respondes, hasta que es de noche,
cuando en lo alto de tus dos orillas
empiezan los eléctricos avisos   40
a sacudir las almas indecisas.

«¡Lucky Strike, Lucky Strike!» [5] ¡Qué refulgencia!
¿Y todo va a ser eso?
¿Un soplo entre los labios,
imitación sin canto de la música,
tránsito de humo a nada?   5
¿Naufragaré en el aire, sin tragedia?
Ya desde la otra orilla, otros destellos
me alumbran otra oferta:
«White Horse. Caballo Blanco.» ¿Whisky? No.
Sublimación, Pegaso. [10]   10
Dócil sirviente antiguo de las musas,
ofreciendo su grupa de botella,
al que encuentre el estribo que le suba.
¿Cambiaré el humo aquél por tu poema?
¡Cuantas más luces hay, más hay, de dudas!   15
Tu piso, sí, tu acera, están muy claros,
pero rayos se cruzan en tus crestas
y el aire se me vuelve laberinto,
sin más hilo posible que aquí abajo:
el hilo de un tranvía sin Ariadna. [11]   20

---

[10] Pegaso: caballo alado, nacido de la sangre de Medusa, muerta por
Perseo. [11] Ariadna: hija de Minos, rey de Creta y de Pasífae. Se enamoró
de Teseo, a quien proporcionó el hilo que le permitiría salir del Laberinto,
una vez muerto el Minotauro.

(**5**) Salinas reacciona aquí ante una serie de objetos que deshu-
manizan y enajenan al hombre: los cigarrillos Lucky Strike, el
whisky o la voz «más trágica que todas»: Coca-Cola.

¡Qué fácil, sí, perderse en una recta!
Nace centelleante, otra divisa,
un rumbo más, y confusión tercera:
«¡Dientes blancos, cuidad los dientes blancos!»
Se abre en la noche una sonrisa inmensa   25
dibujada con trazos de bombillas
sobre una faz supuesta en el espacio.
¡Tan bien que me llevabas por tu asfalto,
cuando no me ofrecías tus anuncios!
Ahora, al mirarlos, no hay nada seguro,   30
para las mariposas, que se queman
un millar por minuto en torpes aras.
No sé por dónde voy más que en el suelo.
Y sin embargo el alba no se alquila.
Lo malo son las luces, las hechizas   35
luces, las ignorantes pitonisas
que responden con voces más oscuras
a las oscuras voces que pedían.
Ya otra surge,
más trágica que todas: «Coca Cola.   40
La pausa que refresca.» Pausa. ¿En dónde?
¿La de Paolo y Francesca[12] en su lectura?
¿La del Crucificado entre dos mundos,
muerte y resurrección? O la otra, ésta,
la nada entre dos nadas: el domingo.   45
Van derechos los pasos todavía:
quebrada línea, avanza, triste, el alma:
tu falsa rectitud no la encamina.
Fingiendo una alegría de arco iris
pluricolor se enciende otra divisa: 50
«Gozad del mundo. Hoy, a las ocho y treinta.»
La van a defender cien bailarinas
con la precisa lógica de un cuerpo

---

[12] *Paolo y Francesca:* son dos personajes de la *Divina Comedia* de Dante.

que argumenta desnudo por el aire
mientras que las coristas,   55
con un ritmo de jazz, van repitiendo
aquel sofisma, [13] aquel, aquel, aquel sofisma.
¿A eso llevabas? ¿El final, tan simple?
¿Vale la pena haber llegado al número
seiscientos veintisiete,   60
y encontrarse otra vez con nuestros padres?
Mas no será. Ya el príncipe constante,
que vuelve, si se fue, que no se rinde,
con su grito de guerra: «Dientes blancos,
no hay nada más hermoso», nos avisa,   65
contra la gran tramoya
que no se cansan de cantar los besos.
El dentífrico salva:
meditación, mañana tras mañana,
al verse en el espejo el esqueleto;   70
cuidarlo bien. Los huesos nunca engañan,
y ellos han de heredar lo que dejemos.
Ellos, puro resumen de Afrodita [14]
poso final del sueño.
                            Ya no sigo.   75
Incrédulo de letras y de aceras
me sentaré en el borde de la una
a esperar que se apaguen estas luces
y me dejen en paz, con las antiguas.
Las que hay detrás, publicidad de Dios,   80
Orión, Cefeo, Arturo, Casiopea, [15]
anunciadoras de supremas tiendas,
con ángeles sirviendo
al alma, que los pague sin moneda,

---

[13] *sofisma:* argumento con el que se pretende defender lo que es fal-
so. [14] Afrodita: diosa del amor. [15] Orión, Cefeo, Arturo y Casiopea: son
estrellas y constelaciones.

la última, sí, la para siempre moda,   85
de la final, sin tiempo, primavera.

(*Todo más claro*)

20

CONFIANZA [6]

Mientras haya
alguna ventana abierta,
ojos que vuelven del sueño,
otra mañana que empieza.

Mar con olas trajineras   5
—mientras haya—
traficantes de alegrías,
llevándolas y trayéndolas.

Lino para la hilandera,
árboles que se aventuren,   10
—mientras haya—
y viento para la vela.

Jazmín, clavel, azucena,
donde están, y donde no
en los nombres que los mientan.   15

(6) Salinas parece tener en cuenta en este texto la rima IV de Bécquer («No digáis que agotado su tesoro...»), en la que la determinación temporal «mientras» se repite anafóricamente en todos los bloques estróficos. También se pone de relieve aquí el enraizamiento del poeta con la tradición literaria y espiritual de España. En 1944 afirmaba: «Deber de todo grupo histórico, de toda generación, es la transmisión enriquecida de su herencia».

Mientras haya
sombras que la sombra niegan,
pruebas de luz, de que es luz
todo el mundo, menos ellas.

Agua como se la quiera   20
—mientras haya—
voluble por el arroyo,
fidelísima en la alberca.

Tanta fronda en la sauceda,[16]
tanto pájaro en las ramas   25
—mientras haya—
tanto canto en la oropéndola.[17]

Un mediodía que acepta
serenamente su sino
que la tarde le revela.   30

Mientras haya
quien entienda la hoja seca,
falsa elegía, preludio
distante a la primavera.

Colores que a sus ausencias   35
—mientras haya—
siguiendo a la luz se marchan
y siguiéndola regresan.

Diosas que pasan ligeras
pero se dejan un alma   40
—mientras haya—
señalada con sus huellas.

Memoria que le convenza
a esta tarde que se muere
de que nunca estará muerta.   45

---

[16] *sauceda:* sitio poblado de sauces. [17] *oropéndola:* pájaro de plumaje amarillo, con las alas, la cola, el pico y las patas negras.

Mientras haya
trasluces en la tiniebla,
claridades en secreto,
noches que lo son apenas.

Susurros de estrella a estrella 50
—mientras haya—
Casiopea [18] que pregunta
y Cisne [19] que la contesta.

Tantas palabras que esperan,
invenciones, clareando, 55
—mientras haya—
amanecer de poema.

Mientras haya
lo que hubo ayer, lo que hay hoy,
lo que venga. 60

(*Confianza*)

---

[18] Casiopea: mujer de Fénix o de Cefeo, rey legendario de Etiopía, y madre de Andrómeda, que se atrevió a comparar su belleza con la de las nereidas. Poseidón, irritado, obligó a Cefeo a entregar a su hija a un monstruo marino. Después de su muerte, Casiopea fue transformada en constelación. [19] Cisne: constelación boreal cuyas estrellas principales describen una gran cruz en plena Vía Láctea. Está formada por una cincuentena de estrellas visibles a simple vista y por numerosas estrellas dobles o múltiples.

JORGE GUILLÉN

Nació en <u>Valladolid</u> en <u>1893.</u> Estudió Filosofía y Letras en la Universidad de Madrid, aunque obtuvo la licenciatura en la de Granada, en 1913. Muy pronto inició su amistad con Pedro Salinas, al que dedicará la totalidad de su obra poética. Entre 1917 y 1923 fue lector de español en la Sorbona y corresponsal del diario *La Libertad*. En 1918 comenzó a escribir poesía. Tres años después se casó con la francesa Germaine Cohen, que morirá en 1947. En 1924 se doctoró en Madrid con una tesis sobre Góngora. De 1926 a 1929 fue catedrático de Lengua y Literatura españolas en la Universidad de Murcia. En 1927 y 1928 colaboró con Juan Guerrero en la redacción de *Verso y prosa*. Después de dos años en Oxford, en 1931 pasó a la Universidad de Sevilla, ciudad en la que le sorprendió la guerra civil. Fue <u>detenido</u> y <u>encarcelado</u>. Logró salir de la España franquista en 1938 y se estableció en Estados Unidos. Enseñó en el Wellesley College de Massachusetts y en otros centros universitarios entre 1940 y 1957. Fue titular de la cátedra de Poesía Charles Eliot Norton (Harvard) en 1957-1958. A partir de 1949 visitó con frecuencia, desde su residencia familiar en América, España, Francia e Italia (patria de su segunda mujer, Irene Mochi, con la que se casó en Bogotá en 1961). En el poema «1938-1968» resumirá, con pinceladas impresionistas, treinta años de su vida:

> A pie salí de España por un puente
> hace ya... ¿Cuántos años? Treinta. ¡Treinta

de emigración! Recuerdo: Bidasoa,
Irún, Hendaya, lucha cainita.
Fiel al destino sigue el caminante,
a cuestas con su España fatalmente.

Después de su jubilación, vivió, alternativamente, en
Estados Unidos, Italia y Málaga. En esta última ciudad
falleció en 1984. En 1961 obtuvo el Gran Prix International
de Poésie. En 1977 se le concedió el premio Cervantes.

Vicente Aleixandre lo describió así: «Alto, muy alto,
como si hubiera crecido repentinamente, casi podría decirse
exhaladamente. La cabeza, pequeña, fina, ascendida allí, al
extremo de la figura, para desde allí ya poder contemplar el
paisaje redondo, bañada la frente en la altura, bajo una luz
vertical que bajase sin mácula.»

OBRA POÉTICA

Toda la obra de Guillén, hasta 1950, está recogida en un
volumen con el título de *Cántico*, que fue creciendo en
sucesivas ediciones. A diferencia de los demás poetas del 27,
Guillén mantuvo en esta obra, a lo largo de treinta años,
una unidad temática y estilística sorprendente. La primera
edición, de 1928, constaba de 75 poemas, aparecidos casi
todos ellos anteriormente en revistas. En la segunda, de
1936, incluyó 50 más, que distribuyó en cinco apartados:
«Al aire de tu vuelo», «Las horas situadas», «El pájaro en la
mano», «Aquí mismo» y «Pleno ser». En la siguiente, de
1945, con 270 poemas, mantuvo la distribución de los
mismos en cinco partes, pero con subdivisiones internas, y
añadió el subtítulo «Fe de vida». La última, y definitiva,
apareció con el subtítulo de la anterior y con 334 poemas.

La distribución de los textos en estas cuatro ediciones no
es siempre la misma. Al concebir su obra como un todo
orgánico en pleno desarrollo, Guillén va encontrando nue-

vas afinidades entre unos poemas y otros, lo que le lleva a alterar el orden de colocación. Sin embargo, a partir de la tercera edición, las cinco partes comienzan con un poema sobre el amanecer y terminan con otro sobre el anochecer, el sueño o el amor.

Clamor, su siguiente libro, al que subtituló «Tiempo de Historia», está dividido en tres partes: *Maremágnum* (1957), *... Que van a dar en la mar* (1960) y *A la altura de las circunstancias* (1963). Para el título de esta última se inspiró en una frase de Antonio Machado: «Es más difícil estar a la altura de las circunstancias que *au-dessus de la mêlée.*»

En 1967 publicó su tercer libro, *Homenaje,* que lleva el subtítulo de «Reunión de vidas». Contiene 613 poemas agrupados en cinco partes, como en *Cántico,* tituladas: «Al margen», «Atenciones», «El centro», «Alrededor» y «Variaciones». A ellas añadió una sexta, «Fin», a modo de Epílogo.

En 1968, Guillén recogió estos tres libros, *Cántico, Clamor* y *Homenaje,* en un volumen que tituló *Aire Nuestro* (*Cántico* se reeditó como en 1950, aunque con algunos cambios en la puntuación).

A *Homenaje* siguieron *Guirnalda civil* (1970), que pasó a *Y otros poemas* (1973), y *Final* (1982), que contiene lo escrito desde 1973 hasta 1981. En 1980 se recogió en un volumen, *Hacia Cántico. Escritos de los años veinte,* su obra más temprana.

Guillén es autor también de numerosos ensayos, como «Federico en persona», que figura como prólogo a las *Obras completas* de García Lorca en la editorial Aguilar, y los contenidos en *Lenguaje y poesía.* Son también de gran interés los trabajos que se recopilaron en *El argumento de la obra* (1969), por los comentarios que en ellos hace de su propia poesía.

EDICIONES

Toda la obra poética de Guillén está publicada en Barral Editores, en cinco volúmenes.

Final, ed. de Antonio Piedra (Madrid, Castalia, 1988).

1

MIENTRAS EL AIRE ES NUESTRO

Respiro,
Y el aire en mis pulmones
Ya es saber, ya es amor, ya es alegría,
Alegría entrañada
Que no se me revela   5
Sino como un apego
Jamás interrumpido
—De tan elemental—
A la gran sucesión de los instantes
En que voy respirando,   10
Abrazándome a un poco
De la aireada claridad enorme.

Vivir, vivir, raptar —de vida a ritmo—
Todo este mundo que me exhibe el aire,
Ese —Dios sabe cómo— preexistente   15
Más allá
Que a la meseta de los tiempos alza
Sus dones para mí porque respiro,
Respiro instante a instante,
En contacto acertado   20
Con esa realidad que me sostiene,
Me encumbra,
Y a través de estupendos equilibrios
Me supera, me asombra, se me impone.

2

MÁS ALLÁ [7]

I

(El alma vuelve al cuerpo,
Se dirige a los ojos
Y choca.) —¡Luz! Me invade
Todo mi ser. ¡Asombro!

Intacto aún, enorme,   5
Rodea el tiempo. Ruidos
Irrumpen. ¡Cómo saltan
Sobre los amarillos

Todavía no agudos
De un sol hecho ternura   10
De rayo alboreado
Para estancia difusa,

Mientras van presentándose
Todas las consistencias
Que al disponerse en cosas   15
Me limitan, me centran!

---

(7) En este poema se condensa la actitud de Guillén frente a la
realidad. «El despertar de cada durmiente —precisará— recompone el careo que es nuestra vida: un yo en diálogo con la realidad. El
yo se ve preso en algo infinitamente superior a él [...] El mundo
vale porque es, está, existe, de veras, porque es real.» De ahí que
sólo vea pefiles, formas plenas y delimitadas, porque el límite
constituye el signo más seguro contra las fuerzas ciegas en actividad
(algo parecido había expresado en los versos finales del poema
anterior, «Respiro»).

¿Hubo un caos? Muy lejos
De su origen, me brinda
Por entre hervor de luz
Frescura en chispas. ¡Día!   20

Una seguridad
Se extiende, cunde, manda.
El esplendor aploma
La insinuada mañana.

Y la mañana pesa,   25
Vibra sobre mis ojos,
Que volverán a ver
Lo extraordinario: todo.

Todo está concentrado
Por siglos de raíz   30
Dentro de este minuto,
Eterno y para mí.

Y sobre los instantes
Que pasan de continuo
Voy salvando el presente,   35
Eternidad en vilo.

Corre la sangre, corre
Con fatal avidez.
A ciegas acumulo
Destino: quiero ser.   40

Ser, nada más. Y basta.[8]
Es la absoluta dicha.
¡Con la esencia en silencio
Tanto se identifica!

---

(8) Frases como esta resumen en gran medida èl mundo de
Guillén. Como escribe Pedro Salinas: *Cántico* no es ni canto ni

¡Al azar de las suertes   45
Únicas de un tropel
Surgir entre los siglos,
Alzarse con el ser,

Y a la fuerza fundirse
Con la sonoridad   50
Más tenaz: sí, sí, sí,
La palabra del mar!

Todo me comunica,
Vencedor, hecho mundo,
Su brío para ser   55
De veras real, en triunfo.

Soy, más, estoy. Respiro.
Lo profundo es el aire.
La realidad me inventa,
Soy su leyenda. ¡Salve!   60

VI

¡Oh perfección! Dependo [9]
Del total más allá,
Dependo de las cosas.
Sin mí son y ya están

cantar, ni canción, ni cante, sino precisamente eso, cántico. La palabra lleva infuso un sentido de gracias y alabanzas a la divinidad. La raíz de la poesía de Guillén está precisamente en el entusiasmo ante el mundo y ante la vida. [...] Lo peculiar de la poesía guilleniana es el haber logrado lo que llamaríamos una ordenación poética del entusiasmo».

(**9**) Uno de los recursos estilísticos que ponen de relieve la vertiente intelectual de Guillén lo constituye su afición por los

Proponiendo un volumen 5
Que ni soñó la mano,
Feliz de resolver
Una sorpresa en acto.

Dependo en alegría
De un cristal de balcón, 10
De ese lustre que ofrece
Lo ansiado a su raptor,

Y es de veras atmósfera
Diáfana de mañana,
Un alero, tejados, 15
Nubes allí, distancias.

Suena a orilla de abril
El gorjeo esparcido
Por entre los follajes
Frágiles. (Hay rocío.) 20

Pero el día al fin logra
Rotundidad humana
De edificio y refiere
Su fuerza a mi morada.

Así va concertando, 25
Trayendo lejanías,
Que al balcón por países
De tránsito deslizan.

---

comienzos oracionales —y también de verso— con adjetivos califi-
cativos o con sustantivos abstractos. Del gusto por la abstracción
nacerá también lo que José Manuel Blecua ha llamado «imágenes
para ojos mentales», para distinguirlas de las puramente ópticas o
sensoriales.

Nunca separa el cielo.
Ese cielo de ahora   30
—Aire que yo respiro—
De planeta me colma.

¿Dónde extraviarse, dónde?
Mi centro es este punto:
Cualquiera. ¡Tan plenario   35
Siempre me aguarda el mundo!

Una tranquilidad
De afirmación constante
Guía a todos los seres,
Que entre tantos enlaces   40

Universales, presos
En la jornada eterna,
Bajo el sol quieren ser
Y a su querer se entregan

Fatalmente, dichosos   45
Con la tierra y el mar
De alzarse a lo infinito:
Un rayo de sol más.

Es la luz del primer
Vergel, y aún fulge aquí,   50
Ante mi faz, sobre esa
Flor, en ese jardín.

Y con empuje henchido
De afluencias amantes
Se ahínca en el sagrado   55
Presente perdurable

Toda la creación,
Que al despertarse un hombre
Lanza la soledad
A un tumulto de acordes.   60

3

LOS NOMBRES

Albor. El horizonte
Entreabre sus pestañas
Y empieza a ver. ¿Qué? Nombres.
Están sobre la pátina[1]

De las cosas. La rosa   5
Se llama todavía
Hoy rosa, y la memoria
De su tránsito, prisa,

Prisa de vivir más.
A largo amor nos alce   10
Esa pujanza agraz
Del Instante, tan ágil

Que en llegando a su meta
Corre a imponer Después.
Alerta, alerta, alerta,   15
Yo seré, yo seré.

¿Y las rosas? Pestañas
Cerradas: horizonte
Final. ¿Acaso nada?
Pero quedan los nombres.   20

---

[1] *sobre la pátina:* adheridos a la superficie.

4

EL MANANTIAL

Mirad bien. ¡Ahora!
Blancuras en curva
Triunfalmente una
—Frescor hacia forma—

Guían su equilibrio   5
Por entre el tumulto
—Pródigo, futuro—
De un caos ya vivo.

El agua desnuda
Se desnuda más.   10
¡Más, más, más! Carnal,
Se ahonda, se apura.

¡Más, más! Por fin ¡viva!
Manantial, doncella:
Escorzo de piernas   15
Tornasol de guijas. [2]

Y emerge —compacta [10]
Del río que pudo
Ser, esbelto y curvo—
Toda la muchacha.   20

---

[2] *guija:* piedra pelada y chica que se encuentra en las orillas y cauces de los ríos y arroyos.

[10] El empleo del presente y la ausencia de verbos de pasado se explica por la continua exaltación que lleva a cabo Guillén del momento en que vive. «El paraíso no se presenta ni como nostalgia

5

CIMA DE LA DELICIA

¡Cima de la delicia!
Todo en el aire es pájaro.
Se cierne lo inmediato
Resuelto en lejanía.

¡Hueste de esbeltas fuerzas!   5
¡Qué alacridad³ de mozo
En el espacio airoso,
Henchido de presencia!

El mundo tiene cándida
Profundidad de espejo.   10
Las más claras distancias
Sueñan lo verdadero.

¡Dulzura de los años
Irreparables! ¡Bodas
Tardías con la historia   15
Que desamé a diario!

---

³ *alacridad:* alegría y presteza del ánimo para hacer alguna cosa.

de un pasado ni como deseo de un futuro —precisará—. Se nos propone la realidad tal cual es. No hay más cera que la que arde. Por de pronto, henos ante la presencia terrestre». El predominio de las oraciones nominales y de las enumeraciones (aunque a veces aparezcan esquemas sintácticos mucho más complejos) es también una de las características más destacadas de estos poemas. Ello se debe a que la actividad en ellos es mínima, como consecuencia del afán preferente de Guillén por ordenar el mundo visible.

Más, todavía más.
Hacia el sol, en volandas
La plenitud se escapa.
¡Ya sólo sé cantar! [11]

6

VIDA URBANA

Sextasílabos
asonante

Calles, un jardín, a
Césped —y sus muertos. b
Morir, no, vivir. a
¡Qué urbano lo eterno! b

Losa vertical, c   5
Nombres de los otros. d
La inmortalidad c
Preserva su otoño. d

¿Y aquella aflicción?
Nada sabe el césped   10
De ningún adiós.
¿Dónde está la muerte?

(11) Obsérvese que, a pesar de la cantidad de exclamaciones que aparecen en estos poemas, el sentimiento nunca se desborda, aunque, lo mismo que ocurre con las repeticiones anafóricas, esas exclamaciones den vitalidad y energía a los versos en que se encuentran. Su finalidad es la de condensar la admiración, el asombro y la emoción del poeta ante el mundo. Por otra parte, las frecuentes interrogaciones, como advierte Jaime Gil de Biedma, «no responden tanto a un preguntar algo como a un preguntarse por la exactitud de algo que se sabe ya, y también a afirmar cierta posibilidad, que luego es confirmada o desechada».

Hervor de ciudad
En torno a las tumbas.
Una misma paz   15
Se cierne difusa.

Juntos, a través
Ya de un solo olvido,
Quedan en tropel
Los muertos, los vivos.   20

7

PRIMAVERA DELGADA

Cuando el espacio sin perfil resume
        Con una nube
Su vasta indecisión a la deriva
        —¿Dónde la orilla?—
Mientras el río con el rumbo en curva   5
        Se perpetúa
Buscando sesgo a sesgo, dibujante,
        Su desenlace,
Mientras el agua duramente verde
        Niega sus peces   10
Bajo el profundo equívoco reflejo
        De un aire trémulo...
Cuando conduce la mañana, lentas,
        Sus alamedas
Gracias a las estelas vibradoras   15
        Entre las frondas,
A favor del avance sinuoso
        Que pone en coro
La ondulación suavísima del cielo
        Sobre su viento   20

Con el curso tan ágil de las pompas,
Que agudas bogan...
¡Primavera delgada entre los remos
De los barqueros!

8

ANILLO

III

Gozo de gozos: el alma en la piel,
Ante los dos el jardín inmortal,
El paraíso que es ella con él,
Óptimo el árbol sin sombra de mal.

Luz nada más. He ahí los amantes.   5
Una armonía de montes y ríos,
Amaneciendo en lejanos levantes,
Vuelve inocentes los dos albedríos.

¿Dónde estará la apariencia sabida?
¿Quién es quien surge? Salud, inmediato   10
Siempre, palpable misterio: presida
Forma tan clara a un candor de arrebato.

¿Es la hermosura quien tanto arrebata,
O en la terrible alegría se anega
Todo el impulso estival? (¡Oh beata   15
Furia del mar, esa ola no es ciega!)

Aun retozando se afanan las bocas,
Inexorables a fuerza de ruego.
(Risas de Junio, por entre unas rocas,
Turban el límpido azul con su juego.)   20

¿Yace en los brazos un ansia agresiva?
Calladamente resiste el acorde.
(¡Cuánto silencio de mar allá arriba!
Nunca hay fragor que el cantil[4] no me asorde.[5])

Y se encarnizan los dos violentos   25
En la ternura que los encadena.
(El regocijo de los elementos
Torna y retorna a la última arena.)

Ya las rodillas, humildes aposta,
Saben de un sol que al espíritu asalta.   30
(El horizonte en alturas de costa
Llega a la sal de una brisa más alta.)

¡Felicidad! El alud de un favor
Corre hasta el pie, que retuerce su celo.
(Cruje el azul. Sinuoso calor   35
Va alabeando[6] la curva del cielo.)

Gozo de ser: el amante se pasma.
¡Oh derrochado presente inaudito,
Oh realidad en raudal sin fantasma!
Todo es potencia de atónito grito.   40

Alrededor se consuma el verano.
Es un anillo la tarde amarilla.
Sin una nube desciende el cercano
Cielo a este ardor. Sobrehumana, la arcilla.

---

[4] *cantil:* lugar que forma escalón en la costa o en el fondo del mar.   [5] *asordar:* ensordecer.   [6] *alabeando:* va amoldándose a la forma comba que tiene el cielo.

V

Y se sumerge todo el ser, tranquilo
Con vigor, en la paz del universo,
La enorme paz que da a la guerra asilo,
Todo en más vasta pleamar inmerso.

Irresistible creación redonda   5
Se esparce universal como una gana,
Como una simpatía de onda en onda
Que se levanta en esperanza humana.

Arroyo claro sobre peña y guijo: [7]
¿Para morir no quieres detenerte?   10
Amor en creación, en flor, en hijo:
¿Adónde vas sin miedo de la muerte?

Hermoso tanto espacio ante la cumbre,
Amor es siempre vida, sólo vida.
No hay mirada amorosa que no alumbre   15
Su eternidad. Allí secreta anida.

¡Oh presente sin fin, ahora eterno
Con frescura continua de rocío,
Y sin saber del mal ni del invierno,
Absoluto en su cámara de estío!   20

Increíble absoluto en esa mina
Que halla el amor —buscándose a lo largo
De un tiempo en marcha siempre hacia su ruina—
A la cabeza del vivir amargo.

---

[7] *guijo:* conjunto de guijas. Véase la nota 2.

Tanto presente, de verdad, no pasa. 25
Feliz el río, que pasando queda.
¡Oh tiempo afortunado! Ved su casa.
Este amor es fortuna ya sin rueda.

Bien ocultos por voces y por gestos,
Ágiles a pesar de tanto lazo, 30
Viven los dos gozosamente opuestos
Entre las celosías de su abrazo.

En la penumbra el rayo no descansa.
La amplitud de la tarde ciñe inmensa.
Bajo el secreto de una luz tan mansa, 35
Amor solar se logra y se condensa.

Y se yerguen seguros dos destinos
Afrontando la suerte de los días,
Pedregosos tal vez o diamantinos.
Todos refulgirán, Amor, si guías. 40

¡Sea la tarde para el sol! La Tierra
No girará con trabazón más fuerte.
En torno a un alma el círculo se cierra.
¿Por vencida te das ahora, Muerte?

9

DESNUDO [12]

Blancos, rosas. Azules casi en veta,
Retraídos, mentales.
Puntos de luz latente dan señales
De una sombra secreta.

(12) En los poemas amorosos, como ocurre aquí y en «Los
amantes», nunca se describen los rasgos diferenciadores de la

Pero el color, infiel a la penumbra,   5
    Se consolida en masa.
Yacente en el verano de la casa,
    Una forma se alumbra.

Claridad aguzada entre perfiles,
    De tan puros tranquilos,   10
Que cortan y aniquilan con sus filos
    Las confusiones viles.

Desnuda está la carne. Su evidencia
    Se resuelve en reposo.
Monotonía justa, prodigioso   15
    Colmo de la presencia.

Plenitud inmediata, sin ambiente,
    Del cuerpo femenino.
Ningún primor: ni voz ni flor. ¿Destino?
    ¡Oh absoluto Presente!   20

---

amada. El amor es un componente más de la realidad y los amantes son tan naturales como la luz, el agua o el aire. Sin embargo, por el amor, el ser alcanza su más completa realización y el tiempo queda detenido. Como dice el propio Guillén, todo deberá «ascender hasta el amor. Y no porque el amor sea el principio que mueve el sol y las otras estrellas. Merced a ese acuerdo alcanzamos plenitud de realidad. Se consigue así en su más rigurosa apretura la unidad de alma y cuerpo. El "aquí" y el "ahora" están obligados, bajo el amor, a rendir su mayor tesoro. Surge y resurge —en un renaciente cantar de cantares— el acto de amor».

10

BEATO SILLÓN [13]

¡Beato sillón! La casa
Corrobora su presencia
Con la vaga intermitencia
De su invocación en masa
A la memoria. No pasa   5
Nada. Los ojos no ven,
Saben. El mundo está bien
Hecho. El instante lo exalta
A marea, de tan alta,
De tan alta, sin vaivén.   10

11

PERFECCIÓN [14]

Queda curvo el firmamento,
Compacto azul, sobre el día.
Es el redondeamiento

---

(13) Lo mismo que otros poetas del 27 (recuérdese a Gerardo Diego), Guillén siente predilección por las formas métricas tradicionales (algunas poco habituales en la poesía de entonces), en las que, en alguna ocasión, como ocurre con el ritmo que imprime a la décima, introduce variantes de interés. Analícense las que aparecen en los poemas de esta obra. Obsérvense también los frecuentes encabalgamientos, tanto de verso como de estrofa, que se quiebran muchas veces con paréntesis o guiones.

(14) En los *Cánticos* de 1945 y 1950 cada parte se abre con un poema sobre el amanecer o el despertar. Nadie ha arrancado, como puede verse aquí, tan espléndidos regalos a la luz.

Del esplendor: mediodía.
Todo es cúpula. Reposa,   5
Central sin querer, la rosa,
A un sol en cenit sujeta.[8]
Y tanto se da el presente
Que el pie caminante siente
La integridad del planeta.   10

12

AFIRMACIÓN

Afirmación, que es hambre: mi instinto siempre diestro.
La tierra me arrebata sin cesar este sí
Del pulso, que hacia el ser me inclina, zahorí.[9]
No hay soledad. Hay luz entre todos. Soy vuestro.

13

MUERTE A LO LEJOS[(15)]

> *Je soutenais l'éclat de la mort toute pure*
> VALÉRY

Alguna vez me angustia una certeza,
Y ante mí se estremece mi futuro.
Acechándolo está de pronto un muro
Del arrabal final en que tropieza

---

[8] *A un sol en cénit sujeta:* sometida a un sol puesto verticalmente sobre ella.   [9] *zahorí:* persona a quien el vulgo atribuye la facultad de ver lo que está oculto.

(15) La aceptación de la muerte con actitud estoica y aristocrática se plasma a la perfección en este poema. Frente a la desespera-

La luz del campo.[10] ¿Mas habrá tristeza 5
Si la desnuda el sol? No, no hay apuro
Todavía. Lo urgente es el maduro
Fruto. La mano ya lo descorteza.

...Y un día entre los días el más triste
Será. Tenderse deberá la mano 10
Sin afán. Y acatando el inminente

Poder diré sin lágrimas: embiste,
Justa fatalidad. El muro cano
Va a imponerme su ley, no su accidente.

14

LOS JARDINES

Tiempo en profundidad: está en jardines.
Mira cómo se posa. Ya se ahonda.
Ya 'es tuyo su interior. ¡Qué trasparencia
De muchas tardes, para siempre juntas!
Sí, tu niñez, ya fábula de fuentes.[16] 5

---

[10] Al poeta le aguarda la vejez y la muerte («muro del arrabal final»), en que se detiene inexorablemente la vida («en que tropieza la luz del campo»).

ción romántica y a la resignación predicada por el cristianismo, Guillén, como señala J. Casalduero, «vuelve a dar al encuentro con la muerte toda la *dignidad de la obediencia*. Ni mundo antiguo ni cristiano. Como el fruto cae del árbol, así el hombre se separa de la vida; pero no es juego de un capricho loco, sino acción de una norma que todo lo abarca». Para Ricardo Gullón: «no se trata de ignorar lo amargo del trago y fingir desdeñarlo, sino, y ahí reside lo aristocrático del gesto, de, reconociéndole según es, rechazar la posibilidad del grito, las eventuales imprecaciones al destino».

(16) Este verso le sirvió a Lorca como epígrafe de su poema «Tu infancia en Menton», de *Poeta en Nueva York*.

15

LAS DOCE EN EL RELOJ

Dije: Todo ya pleno.
Un álamo vibró.
Las hojas plateadas
Sonaron con amor.
Los verdes eran grises,   5
El amor era sol.
Entonces, mediodía,
Un pájaro sumió
Su cantar en el viento
Con tal adoración   10
Que se sintió cantada
Bajo el viento la flor
Crecida entre las mieses,
Más altas. Era yo,
Centro en aquel instante   15
De tanto alrededor,
Quien lo veía todo
Completo para un dios.
Dije: Todo, completo.
¡Las doce en el reloj!   20

(*Cántico*)

16

LOS INTRANQUILOS

Somos los hombres intranquilos
En sociedad.
Ganamos, gozamos, volamos.
¡Qué malestar!

El mañana asoma entre nubes   5
    De un cielo turbio
Con alas de arcángeles-átomos
    Como un anuncio.

Estamos siempre a la merced
    De una cruzada.   10
Por nuestras venas corre sangre
    De catarata.

Así vivimos sin saber
    Si el aire es nuestro.
Quizá muramos en la calle,   15
    Quizá en el lecho.

Somos entre tanto felices.
    Seven o'clock.
Todo es bar y delicia oscura.
    ¡Televisión!   20

(*Clamor: Maremágnum*)

17

EL DESCAMINADO [17]

¡Si pudiese dormir! Aún me extravío
Por este insomnio que se me rebela.
No sé lo que detrás de la cancela
Me ocurre en mi interior aún más sombrío.

---

(17) En este poema, escrito en 1954, Guillén, acosado por la
confusión y el insomnio, vuelve a mostrar su insobornable anhelo
vital de armonía, orden espiritual y equilibrio, como expresa, sobre

Dentro, confuso y torpe, me desvío   5
De lo que el alma sobre todo anhela:
Mantener encendida esa candela
Propia sin cuya luz yo no soy mío.

¡«Descaminado enfermo»! Peregrina
Tras mi norma hacia un orden, tras mi polo   10
De virtud va esta voz. El mal me parte.

Quiero la luz humilde que ilumina
Cuerpo y alma en un ser, en uno solo.
Mi equilibrio ordinario es mi gran arte.

(*Clamor: ... Que van a dar en la mar*)

18

DESPERTAR ESPAÑOL

II

Ay patria,
Con malos padres y con malos hijos,
O tal vez nada más desventurados
En el gran desconcierto de una crisis
Que no se acaba nunca,   5
Esa contradicción que no nos deja
Vivir nuestro destino,

---

todo, en la parte final. En el verso nueve alude a un soneto de
Góngora («De un caminante enfermo que se enamoró donde fue
hospedado»), cuyo primer cuarteto dice: «Descaminando, enfermo,
peregrino / en tenebrosa noche, con pie incierto / la confusión
pisando del desierto, / voces en vano dio, pasos sin tino».

A cuestas cada cual
Con el suyo en un ámbito despótico.
Ay, patria,   10
Tan anterior a mí,
Y que yo quiero, quiero
Viva después de mí —donde yo quede
Sin fallecer en frescas voces nuevas
Que habrán de resonar hacia otros aires,   15
Aires con una luz
Jamás, jamás anciana.
Luz antigua tal vez sobre los muros
Dorados
Por el sol de un octubre y de su tarde: 20
Reflejos
De muchas tardes que no se han perdido,
Y alumbrarán los ojos de otros hombres
—Quién sabe— y sus hallazgos.

                        V

Errores y aflicciones.
                        ¡Cuántas culpas!

Gran historia es así:
Realidad hay, compacta.

En el recuerdo veo un muro blanco,   5
Un sol que se recrea
Difundiéndose en ocio
Para el contemplativo siempre en obra.

¡Blanco muro de España!
No quiero saber más.   10
Se me agolpa la vida hacia un destino,
Ahí,
Que el corazón convierte en voluntario.

¡Durase junto al muro!

Y no me apartarán vicisitudes   15
De la fortuna varia.
¡Tierno apego sin término!
Blanco muro de España, verdadera:
Nuestro pacto es enlace en la verdad.

19

LA AFIRMACIÓN HUMANA

(ANNA FRANK) [11]

En torno el crimen absoluto. Vulgo,
El vulgo más feroz,
En un delirio de vulgaridad
Que llega a ser demente,
Se embriaga con sangre,   5
La sangre de Jesús.
Y cubre a los osarios
Una vergüenza universal: a todos,
A todos nos sonroja.
¿Quién, tan extenso el crimen,   10
No sería culpable?

La noche sufre de inocencia oculta.

Y en esa noche tú, por ti alborada,
A un cielo con sus pájaros tan próxima,

---

[11] Ana Frank era una judía alemana. Entre 1942 y 1945 escribió un
Diario en el que relataba las vicisitudes por las que atravesaron ella y su
familia durante las persecuciones de los nazis. Murió en el campo de
concentración de Bergen-Bilsen en 1945, cuando tenía dieciséis años. El
citado *Diario* fue publicado más tarde por su padre.

A pesar del terror y del ahogo,　　　　　　15
Sin libertad ni anchura,
Amas, inventas, creces
En ámbito de pánico,
Que detener no logra tus esfuerzos
Tan enérgicamente diminutos　　　　　　　20
De afirmación humana:
Con tu pueblo tu espíritu
—Y el porvenir de todos.

20

ARS VIVENDI [18]

> *Presentes sucesiones de difuntos.*
> QUEVEDO

Pasa el tiempo y suspiro porque paso,
Aunque yo quede en mí, que sabe y cuenta,
Y no con el reloj, su marcha lenta
—Nunca es la mía— bajo el cielo raso.

Calculo, sé, suspiro —no soy caso　　　　　5
De excepción— y a esta altura, los setenta,
Mi afán del día no se desalienta,
A pesar de ser frágil lo que amaso.

[18] El dinamismo de este soneto, que corre parejo con la voluntad de vida que, pese a la inexorable ley de la naturaleza, manifiesta el poeta, está conseguido por las dieciocho formas verbales que se suceden. Destacan también las numerosas aliteraciones en *n* y *s*, presentes, además, en todas las rimas.

Ay, Dios mío, me sé mortal de veras.
Pero mortalidad no es el instante   10
Que al fin me privará de mi corriente.

Estas horas no son las postrimeras,
Y mientras haya vida por delante,
Serán mis sucesiones de viviente.

(*Clamor: A la altura de las circunstancias*)

21

AL MARGEN DE JOVELLANOS [19]

DENTRO DEL CASTILLO TODAVÍA

En una madrugada
—La hora infame de la policía—
Fue el imprevisto «arresto».
Al ejemplar varón no le perdona
La mirada envidiosa —ve muy claro—   5
Su aplomo a tal altura, ¿Qué sucede?
Piensa. Luego delinque.

En cartuja y castillo siete años
Padece sin defensa, prisionero
Bajo la autoridad de los peores.   10

---

(19) Guillén recrea aquí un episodio de la vida de Jovellanos. En 1800 arrecian en España las persecuciones contra los reformistas de la época de Carlos III. Acusado de haber introducido en España una edición castellana del *Contrato social* de Rousseau, el citado escritor fue detenido en marzo de 1801. Permaneció encarcelado hasta 1808. Después del motín de Aranjuez fue puesto en libertad. En los años siguientes ocupó cargos políticos importantes.

«¡Justicia!» Mundo sordo
... Y por fin, libertad. Aclamación.
Palma rebulle. «¡Viva Jovellanos!»
Tropas, banderas, música, gentío.

El varón ejemplar   15
Suscita solidarios sentimientos.
¿Guerra civil? La patria en desgarrones.
A través de los años se repite
La usurpación pomposa del poder.
Por el castillo vaga todavía   20
La sombra del egregio. [12]

22

ESPERANZA

Los días no me otorgan más que tránsito
De espera.
Una sola y muy larga expectación
Me conduce hacia un término posible,
Acaso ya probable: 5
La fuente resurgida ante mi sed.

Esta sed de errabundo...
Hombre solo entre gentes. Y perdido.
Tan perdido por dentro de sus años,
Sus glorias.   10

Y tú callas, te guardas. ¡No! Te pierdes.

---

[12] *egregio:* insigne, ilustre.

Que tu silencio venga hasta mis brazos,
Se ahonde y se trasforme
De pronto en un murmullo,
En un acercamiento de la entraña,   15
Y que todo tu ser esperanzado
Se articule hacia luz,
Prorrumpa,
Y sea voz, tu voz,
O nada más —y entonces desplomándose—   20
Tu cabeza, mi pecho, nuestro abrazo.

23

ESA BOCA

Esa boca, tan bella boca para
Besar y ser besada bien ¿por qué
No rinde con su implícita gran fe
Culto expreso al amor, ya cara a cara?

¿Por qué sobre esos labios no se aclara   5
La sonrisa ya en rumbo a quien la ve
Como iluminación, y sigue a pie
Modesto aquella luz aún avara?

El reticente rasgo de esa boca,
De pronto revelada valentía   10
De rojizo retiro tras blancura,

Si el amor lo descubre y no lo toca,
Si así no ha de saber lo que sabría,
¿Para qué vanamente dura y dura?

24

OBRA COMPLETA

Siempre he querido concluir mi obra,
Y sucediendo está que la concluyo.
Lo mejor de la vida mía es suyo.
¿Hay tiempo aún de más? Papel no sobra.

Al lograr mi propósito me siento   5
Triste, muy triste. Soy superviviente,
Aunque sin pausa mane aún la fuente,
Y yo responda al sol con nuevo aliento.

¡Dure yo más! La obra sí se acaba.
Ay, con más versos se alzaría obesa.   10
Mi corazón murmura: cesa, cesa.
La pluma será así más firme y brava.

Como a todos a mí también me digo:
Límite necesario nos defina.
Es atroz que el minero muera en mina.   15
Acompáñeme luz que abarque trigo.

Este sol inflexible de meseta
Nos sume en la verdad del aire puro.
Hemos llegado al fin y yo inauguro,
Triste, mi paz: la obra está completa.   20

(*Homenaje*)

Antología

25

DE SENECTUTE

10

Las horas del amor habrán pasado.
Mientras, ay, la vejez mantiene en medio
De círculos estrictos a quien sigue
Fiel a su juventud, jamás extinta
Dentro de esa prisión que le circunda,   5
Ajena al yo central más entrañable.

25

Y mientras sigan átomos danzando
    Quedará un Sí triunfante,
Más fuerte que los nones de ese bando
    Perdido a cada instante.

26

GUIRNALDA CIVIL

11

Innúmeras son ya las vidas truncas. [13]
Cadáveres sepultos no se sabe
Dónde: no hay cementerios de vencidos.
Gente medio enterrada en sus prisiones.
Algunos huyen, otros se destierran   5
Para no perecer de propia cólera.

—————————
[13] *truncas:* truncadas.

Pero entre tantas muertes y catástrofes
Algo subsiste sin cesar feroz,
El más feroz de todos los poderes:
Vida, vida sin fin.   10

              Y poco a poco,
Y sin cesar, inexorablemente
Se reanudan las formas cotidianas,
Se inventan soluciones.
La vida es implacable.   15

27

ARTE RUPESTRE

7

Español a machamartillo: [14]
El anatema [15] en el bolsillo.

De pronto defiende su fe
Con la pistola o con el pie.

Chispea a veces, sin embargo,   5
A la luz de su sol amargo.

En torno siempre de una noria,
Se queda al margen de la Historia.

Español a machamartillo:
Los zapatos con mucho brillo.   10

(*Y otros poemas*)

---

[14] *a machamartillo:* con firmeza.   [15] *anatema:* excomunión, maldición.

GERARDO DIEGO

Nace en Santander en 1896, en el seno de una familia de la burguesía industrial, católica y de ideas conservadoras (tres de sus hermanos se hicieron religiosos). Estudia Filosofía y Letras en la Universidad de Deusto. En 1918 comienza a escribir en verso y prosa y a manifestar ideas literarias innovadoras (una conferencia que pronuncia en el Ateneo de Santander sobre «La poesía nueva» desencadena una polémica periodística). Poco después, en Madrid, inicia sus relaciones con los círculos vanguardistas y colabora en las revistas *Grecia, Cervantes* y *Reflector*. En 1920 obtiene la cátedra de Lengua y Literatura españolas en el Instituto General y Técnico de Soria. Tres años más tarde se traslada al de Gijón. En 1925 obtiene, compartido con Rafael Alberti, el Premio Nacional de Literatura por *Versos humanos*. Alberti recordará: «Desde aquel día [de 1925] vi a Gerardo como ya lo vi siempre: tímido, nervioso, apasionado, contraído, raro y alegre a su manera, con algo de congregante mariano, de frailuco de pueblo.»

En 1926 colabora en los dos únicos números que salieron de la revista *Favorables Paris Poema*, dirigida por Larrea, de quien había sido condiscípulo en Deusto, y César Vallejo. Un año después se convierte en uno de los más destacados impulsores de las muchas actividades que se celebran para conmemorar el tercer centenario de la muerte de Góngora. Dirige la revista *Carmen*, de la que salieron siete números, y su suplemento *Lola*, destinado a recoger «lo que debe callar *Carmen*». En 1928 viaja por Andalucía y visita Buenos Aires, en donde diserta sobre «La nueva arte poética española». En 1931 se traslada al Instituto de Santander. En 1934 se casa con la francesa Germaine Marin y realiza un viaje a Filipinas.

En 1936, al estallar la guerra, se encontraba en Francia. Regresa a Santander y se reintegra a su cátedra. En 1939 se traslada al Instituto Beatriz Galindo de Madrid, en donde permanecerá hasta 1966. En los años cuarenta y cincuenta frecuenta la vida cultura madrileña, asiste a tertulias y conciertos y desarrolla una amplia actividad periodística. En 1948 ingresa en la Real Academia Española, con un discurso titulado «Una estrofa de Lope». Durante estos años realiza viajes a Lisboa, Roma, Bélgica, Marruecos y diversos países de Hispanoamérica. En 1961 obtiene el premio de la Fundación Juan March a la creación literaria. El 22 de diciembre de 1962 se estrena en el teatro María Guerrero de Madrid su retablo escénico *El cerezo y la palmera.* En 1968 se le concede la Medalla de Oro del trabajo. En 1979 recibe, junto con Jorge Luis Borges, el Premio Cervantes. Muere en Madrid en 1987.

Hombre profundamente católico y gran aficionado a la música («la música es una necesidad de mi vida, la forma más mía, más natural de experiencia dentro del arte»), publicó sin interrupción libro tras libro, hasta un número que se aproxima a la cincuentena. Algunos de ellos aparecieron muchos años después de ser escritos, otros aumentaron el número de sus poemas en ediciones sucesivas. Tampoco es extraño que aparezcan textos inéditos en las varias *Antologías* que de su obra publicó a partir de 1941.

OBRA POÉTICA

La primera o primeras fechas entre paréntesis corresponden a los años de composición del libro; la segunda a la de publicación (si sólo aparece una es la de publicación).

Iniciales (1918:1943), *El romancero de la novia* (1918:1920),
Nocturnos de Chopin (1918:1963), *Evasión* (1918-1919:1958),
Imagen (1918-1921:1922). *Limbo* (1919-1921:1951), *Manual
de espumas* (1922:1924), *Fábula de Equis y Zeda* (1926-1929:
1932), *Poemas adrede* (1926-1931:1932) (en la edición conjunta que de estos dos últimos libros realiza la colección
Adonais en 1943, a *Poemas adrede* se le añadieron otros
textos), *Versos humanos* (1918-1925:1925), *Soria* (publicado en
1923 e incrementado con nuevos poemas en las ediciones de
1948 y 1977: en esta última apareció con el título de *Soria
sucedida*), *Alondra de verdad* (1926-1936:1941), *Ángeles de Compostela* (1929-1939:1940, y muy ampliado después), *Versos
divinos* (1971: engloba *Viacrucis*, publicado en 1931, y otra
serie de poemas compuestos entre 1938 y 1971), *Biografía
incompleta*, iniciado en 1925 y publicado en 1953 (en la
edición de 1967 añadió nuevos poemas), *Biografía continuada*
(escrito entre 1971 y 1972 y publicado en *Poesía de creación*:
1974), *Hasta siempre* (1925-1941:1949), *Paisaje con figuras*
(1943-1955:1956), *Égloga de Antonio Bienvenida* (1956), *La
Suerte o la Muerte. Poema del Toreo* (1926-1963:1963), *El
«Cordobés» dilucidado y Vuelta del Peregrino* (1966: se trata de
dos libros independientes), *La sorpresa (Cancionero de Sentarai-
lle)* (1941:1944), *Amazona* (1949-1952:1955), *Amor solo* (1951:
1958), *Canciones a Violante* (1951-1959:1959), *Sonetos a Violante*
(1951-1957:1962) y *Glosa a Villamediana* (1952-1961:1961).

   Completan la producción de G. Diego: *Carmen jubilar*
(1966-1975:1975), *Mi Santander, mi cuna, mi palabra* (1946-
1961:1961, aunque también recoge poemas de sus libros
anteriores), *Preludio, Aria y Coda a Gabriel Fauré* (1941:1967),
Variación (1954), *La Rama* (1943-1960:1961), *La luna en el
desierto y otros poemas* (1942-1949:1949), *Tántalo (Versiones
poéticas)* (1919-1960: 1960), *Variación, 2* (1941-1966:1966),
El Jándalo (Sevilla y Cádiz) (1957-1964: 1964), *Odas morales*
(1966), *Cementerio civil* (1972), *La fundación del querer* (1970),
Un jándalo en Cádiz (1974) y *Cometa errante* (1985).

EDICIONES

Poesía, I y II (Madrid, Aguilar, 1989). Pueden utilizarse algunas de las diversas antologías que él mismo hizo de su obra, en especial *Versos escogidos* (Madrid, Gredos, 1970) y *Poemas mayores* y *Poemas menores* (Madrid, Alianza, 1980). También: *Poesía amorosa,* con muestras de poemas de amor de sus libros anteriores (Barcelona, Plaza y Janés, 1965. Se reeditó en 1970). *Poesía de creación,* en donde se recogió su obra vanguardista (Barcelona, Seix-Barral, 1974). *Ángeles de Compostela* y *Vuelta del peregrino* (Madrid, Narcea, 1976). *Manual de espumas* y *Versos humanos* (Madrid, Cátedra, 1986). *Alondra de verdad. Ángeles de Compostela.* (Madrid, Castalia, 1986).

G. Diego escribió también numerosos ensayos sobre literatura. En *Crítica y poesía* (Gijón, Júcar, 1984) se recogieron algunos de los más interesantes.

1

ELLA [20]

¿No la conocéis? Entonces
imaginadla, soñadla.
¿Quién será capaz de hacer
el retrato de la amada?

Yo sólo podría hablaros   5
vagamente de su lánguida
figura, de su aureola
triste, profunda y romántica.

Os diría que sus trenzas
rizadas sobre la espalda   10
son tan negras que iluminan
en la noche. Que cuando anda,
no parece que se apoya,
flota, navega, resbala...
Os hablaría de un gesto   15
muy suyo..., de sus palabras,

(20) *El romancero de la novia* era, según G. Diego, la narración de
su «primera y más importante desdicha amorosa». Por el tono
ingenuo y candoroso, por el vocabulario, por la adopción del
romance lírico como forma poética, no sería difícil establecer
relaciones entre este texto y las *Rimas* de Bécquer o los primeros
libros de Juan Ramón Jiménez (*Rimas, Arias tristes* y *Jardines
lejanos*).

a la vez desdén y mimo,
a un tiempo reproche y lágrimas,
distantes como en un éxtasis,
como en un beso cercanas...   20

Pero no: cerrad los ojos,
imaginadla, soñadla,
reflejada en el cambiante
espejo de vuestra alma.

(*El romancero de la novia*)

2

AHOGO

Déjame hacer un árbol con tus trenzas.

Mañana me hallarán ahorcado
en el nudo celeste de tus venas.

Se va a casar la novia
                del marinerito.   5

Haré una gran pajarita
con sus cartas cruzadas.
                Y luego romperé
                la luna de una pedrada.
        Neurastenia, dice el doctor.   10

Gulliver
ha hundido todos sus navíos.

Codicilo:[1] dejo a mi novia
un puñal y una carcajada.

(*Evasión*) [21]

3

ÁNGELUS [22]

A Antonio Machado

Sentado en el columpio
el ángelus dormita

Enmudecen los astros y los frutos

---

[1] *Codicilo*: documento en el que, sin excesivas formalidades, se establecen disposiciones de última voluntad.

~~~~~~

(**21**) *Evasión* puede considerarse como una obra de transición hacia la plenitud creacionista que exhiben *Imagen*, *Limbo* y *Manual de espumas*. Obsérvese que en el poema que aquí incluimos, más próximo al ultraísmo, se mantienen los signos de puntuación.

(**22**) A pesar del carácter arbitrario de las imágenes que se suceden, muchos críticos han intentado encontrar un sentido subyacente en este poema. El propio G. Diego precisó: «Su unidad es melódica y clarísima. La dedicación a A. Machado es tan simbólica como obligada, ya que el sentido del tiempo es el eje conductor de su palabra. Su rítmica es muy suave, sin nexos que estorben la fluencia de las imágenes. Para ello se sustituyen por blancos o espacios. El verso central separa una de otra sus siete palabras para hacer ópticamente interminable el verso único que es la vida. Tanto esta conmovida exclamación como el poema entero sonará a algunos con música simbolista. En este caso, simbolismo y creacionismo se abrazan en un solo ser».

Y los hombres heridos
pasean sus surtidores
como delfines líricos

                    Otros más agobiados
                    con los ríos al hombro
          peregrinan sin llamar en las posadas

          La vida es un único verso interminable

          Nadie llegó a su fin

     Nadie sabe que el cielo es un jardín

Olvido

          El ángelus ha fallecido

          Con la guadaña ensangrentada
          un segador cantando se alejaba

(*Imagen*)

4

AJEDREZ

A Luis Zubillaga

Hoy lo he visto claro
Todos mis poemas
                    son sólo epitafios[2]

---

[2] *epitafio*: inscripción sepulcral.

Debajo de cada cuartilla
siempre hay un poco de mis huesos   5

Y aquí en mi corazón

     se ha cariado el piano

     No sé quién habrá sido
     pero del reloj
     en vez del péndulo vivo 10
     colgaba un ancla anclada

       Y sin embargo
    todavía del paracaídas
llueven los cánticos

Alguna vez ha de ser   15

La muerte   y la vida
  me   están
 jugando   al ajedrez

(*Limbo*)

5

RIMA

Homenaje a Bécquer

Tus ojos oxigenan los rizos de la lluvia
y cuando el sol se pone en tus mejillas
tus cabellos no mojan ni la tarde es ya rubia

  Amor   Apaga la luna

No bebas tus palabras   5
ni viertas en mi vaso tus ojeras amargas
La mañana de verte se ha puesto morena

Enciende el sol   Amor
y mata la verbena

6

NOCTURNO

A Manuel Machado [23]

Están todas

También las que se encienden en las noches de moda

Nace del cielo tanto humo
que ha oxidado mis ojos

Son sensibles al tacto las estrellas   5
No sé escribir a máquina sin ellas

Ellas lo saben todo
Graduar el mar febril
y refrescar mi sangre con su nieve infantil

La noche ha abierto el piano   10
y yo las digo adiós con la mano

(*Manual de espumas*)

---

(23) Manuel Machado fue otro de los poetas predilectos de G. Diego. En 1975 le dedicó un folleto titulado *El poeta Manuel Machado*. Un año antes había hecho una *Antología* de sus poemas, a la que puso una extensa introducción (Madrid, Editora Nacional).

7

AMOR

Góngora, 1927

Era el mes que aplicaba sus teorías
cada vez que un amor nacía en torno
cediendo dócil peso y calorías
cuándo por caridad ya para adorno
en beneficio de esos amadores   5
que hurtan siempre relámpagos y flores

Ella llevaba por vestido combo
un proyecto de arcángel en relieve
Del hombro al pie su línea exacta un rombo
que a armonizar con el clavel se atreve   10
A su paso en dos lunas o en dos frutos
se abrían los espacios absolutos.

Amor amor obesidad hermana
soplo de fuelle hasta abombar las horas
y encontrarse al salir una mañana   15
que Dios es Dios sin colaboradoras
y que es azul la mano del grumete
—amor amor amor— de seis a siete

Así con la mirada en lo improviso
barajando en la mano alas remotas   20
iba el galán ladrándole el aviso
de plumas blancas casi gaviotas
por las calles que huelen a pintura
siempre buscando a ella en cuadratura

Y vedla aquí equipando en jabón tierno   25
globos que nunca han visto las espumas
vedla extrayendo de su propio invierno
la nieve en tiras la pasión en sumas
y en margaritas que pacerá el chivo
su porvenir listado en subjuntivo   30

Desde el plano sincero del diedro
que se queja al girar su arista viva
contempla el amador nivel de cedro
la amada que en su hipótesis estriba
y acariciando el lomo del instante   35
disuelve sus dos manos en menguante

«A ti la bella entre las iniciales
la más genuina en tinta verde impresa
a ti imposible y lenta cuando sales
tangente cuando el céfiro regresa   40
a ti envío mi amada caravana
larga como el amor por la mañana

Si tus piernas que vencen los compases
silencioso el resorte de sus grados
si más difícil que los cuatro ases   45
telegrama en tu estela de venados
mis geometrías y mi sed desdeñas
no olvides canjear mis contraseñas

Luna en el horno tibio de aburridas
bien inflada de un gas que silba apenas   50
contempla mis rodillas doloridas
así no estallen tus mejillas llenas
contempla y dime si hay otro infortunio
comparable al desdén y al plenilunio

Y tú inicial del más esbelto cuello   55
que a tu tacto haces sólida la espera
no me abandones no Yo haré un camello
del viento que en tus pechos desaltera
y para perseguir tu fuga en chasis
yo te daré un desierto y un oasis   60

Yo extraeré para ti la presuntuosa
raíz de la columna vespertina
Yo en fiel teorema de volumen rosa
te expondré el caso de la mandolina
Yo peces te traeré —entre crisantemos—   65
tan diminutos que los dos lloremos

Para ti el fruto de dos suaves nalgas
que al abrirse dan paso a una moneda
Para ti el arrebato de las algas
y el alelí de sálvese el que pueda   70
y los gusanos de pasar el rato
príncipes del azar en campeonato

Príncipes del azar Así el tecleo
en ritmo y luz de mecanografía
hace olvidar tu nombre y mi deseo   75
tu nombre que una estrella ama y enfría
Príncipes del azar gusanos leves
para pasar el rato entre las nieves

Pero tú voladora no te obstines
Para cantar de ti dame tu huella   80
La cruzaré de cuerdas de violines
y he de esperar que el sol se ponga en ella
Yo inscribiré en tu rombo mi programa
conocido del mar desde que ama»

Y resumiendo el amador su dicho   85
recogió los suspiros redondeles
y abandonado al humo del capricho
se dejó resbalar por dos rieles
Una sesión de circo se iniciaba
en la constelación decimoctava   90

(*Fábula de Equis y Zeda*)

8

AZUCENAS EN CAMISA

A Fernando Villalón

Venid a oír de rosas y azucenas
        la alborotada esbelta risa
Venid a ver las rosas sin cadenas
        las azucenas en camisa

Venid las amazonas del instinto   5
        los caballeros sin espuelas
aquí al jardín injerto en laberinto
        de girasoles y de bielas [3]

Una música en níquel sustentada
        cabellos curvos peina urgente   10
y hay sólo una mejilla acelerada
        y una oropéndola [4] que miente

---

[3] *biela*: barra que en las máquinas sirve para transformar el movimiento
de vaivén en otro de rotación, o viceversa.   [4] *oropéndola*: pájaro de unos 24
centímetros de longitud, que abunda en la Europa meridional y central. Los
machos adultos poseen un bello color dorado, con las alas y la cola negras, y
las hembras son verde amarillentas y grisáceas.

Agria sazón la del febril minuto
  todo picado de favores
cuando al jazmín le recomienda el luto 15
  un ruiseñor de ruiseñores

Cuando el que vuelve de silbar a solas
  el vals de «Ya no más me muero»
comienza a perseguir por las corolas
  la certidumbre del sombrero 20

No amigos míos Vuelva la armonía
  y el bienestar de los claveles
Mi corazón amigos fue algún día
  tierno galope de corceles

Quiero vivir La vida es nuevo estilo 25
  grifo de amor grifo de llanto
Girafa del vivir Tu cuello en vilo
  yo te estimulo y te levanto

Pasad jinetes leves de la aurora
  hacia un oeste de violetas 30
Lejos de mí la trompa engañadora
  y al ralantí[5] vuestras corvetas[6]

Tornan las nubes a extremar sus bordes
  más cada día decisivos
y a su contacto puéblanse de acordes 35
  los dulces nervios electivos

---

[5] *al ralantí*: con energía o intensidad atenuadas. [6] *corveta*: movimiento que se enseña al caballo, obligándole a ir sobre las patas traseras con los brazos en el aire.

Rozan mis manos dádivas agudas
                lunas calientes y dichosas
Sabed que desde hoy andan desnudas
                las azucenas y las rosas   40

(*Poemas adrede*)

9

VALLE VALLEJO

Albert Samain[7] diría Vallejo[8] dice
Gerardo Diego enmudecido dirá mañana
y por una sola vez Piedra de estupor
y madera dulce de establo querido amigo
hermano en la persecución gemela de los   5
sombreros desprendidos por la velocidad de los astros

Piedra de estupor y madera noble de establo
constituyen tu temeraria materia prima
anterior a los decretos del péndulo y a la
creación secular de las golondrinas   10

Naciste en un cementerio de palabras
una noche en que los esqueletos de todos los verbos
                                              [intransitivos
proclamaban la huelga del te quiero para siempre siempre
                                              [siempre

[7] Albert Samain: escritor francés (1858-1900). Publicó *En el jardín de la infanta* (1893) y *En los flancos del jarrón* (1898). Póstumamente aparecieron: *La carreta de oro* (1901), *Cuentos* (1902) y el drama *Polifemo* (1904). Su poesía se caracteriza por un fuerte intimismo.   [8] César Vallejo: importante escritor peruano (1892-1938). Es autor de *Los heraldos negros* (1918) y *Trilce* (1922). Después de su muerte se publicaron *Poemas humanos* y *España, aparta de mí este cáliz*. En la segunda edición de *Trilce* (1930), Vallejo añadió un prólogo de José Bergamín y este poema de G. Diego, escrito en 1929.

una noche en que la luna lloraba y reía y lloraba
y volvía a reír y a llorar   15
jugándose a sí misma a cara o cruz
Y salió cara y tú viviste entre nosotros

Desde aquella noche muchas palabras apenas nacidas
                        [fallecieron repentinamente
tales como Caricia Quizás Categoría Cuñado Cataclismo
Y otras nunca jamás oídas se alumbraron sobre la   20
                                        [tierra
así como Madre Miga Moribundo Melquisedec[9] Milagro
y todas las terminadas en un rabo inocente

Vallejo tú vives rodeado de pájaros a gatas
en un mundo que está muerto requetemuerto y podrido
Vives tú con tus palabras muertas y vivas   25
Y gracias a que tú vives nosotros desahuciados acertamos
                        [a levantar los párpados
para ver el mundo tu mundo con la mula y
el hombre guillermosecundario y la tiernísima niña y
los cuchillos que duelen en el paladar
Porque el mundo existe y tú existes y nosotros   30
                                    [probablemente
terminaremos por existir
si tú te empeñas y cantas y voceas
en tu valiente valle Vallejo

(*Biografía incompleta*)

---

[9] Melquisedec: rey y sacerdote que bendijo a Abraham. De él se habla en el *Génesis*, los *Salmos* y la *Epístola a los hebreos*, de San Pablo.

10

ROMANCE DEL DUERO

Río Duero, río Duero,
nadie a acompañarte baja,
nadie se detiene a oír
tu eterna estrofa de agua.

Indiferente o cobarde 5
la ciudad[10] vuelve la espalda.
No quiere ver en tu espejo
su muralla desdentada.

Tú, viejo Duero, sonríes
entre tus barbas de plata, 10
moliendo con tus romances
las cosechas mal logradas.

Y entre los santos de pieda[11]
y los álamos de magia
pasas llevando en tus ondas 15
palabras de amor, palabras.

Quién pudiera como tú,
a la vez quieto y en marcha,
cantar siempre el mismo verso
pero con distinta agua. 20

Río Duero, río Duero,
nadie a estar contigo baja,
ya nadie quiere atender
tu eterna estrofa olvidada,

---

[10] La ciudad es, obviamente, Soria. [11] Estos santos de piedra son San Saturio, patrón de Soria, y San Polo, cuyos templos están próximos al río.

sino los enamorados   15
que preguntan por sus almas
y siembran en tus espumas
palabras de amor, palabras.

11

CUMBRE DE URBIÓN [24]

A Joaquín Gómez de Llarena

Es la cumbre, por fin, la última cumbre.
Y mis ojos en torno hacen la ronda
y cantan el perfil, a la redonda,
de media España y su fanal de lumbre.

Leve es la tierra. Toda pesadumbre   5
se desvanece en cenital rotonda.
Y al beso y tacto de infinita onda
duermen sierras y valles su costumbre.

Geología yacente, sin más huellas
que una nostalgia trémula de aquellas   10
palmas de Dios palpando su relieve.

---

(24) «Cumbre de Urbión» apareció primero en *Alondra de verdad*.
Pasó después a la segunda edición de *Soria* (1948). En los primeros
poemas de este último libro, G. Diego suele reflejar las emociones
de su vida en la ciudad; en los siguientes, habla de los pueblos, de
los paisajes y de las personas que conoció allí. Su amor por la tierra
soriana que, según confesará, «me enriqueció con tantos y tan
hondos afectos», está presente en toda su producción (en *Versos
humanos* hasta incluyó un «Nuevo cuaderno de Soria»). «Total,
precisa, exacta. Soria: bien te aprendí. / Yo no sabré cantarte; pero
te llevo en mí, / toda entrañable, toda humilde, / sin quitar ni
poner una tilde», confesará en un poema.

Pero algo, Urbión, no duerme en tu nevero[12],
que entre pañales de tu virgen nieve
sin cesar nace y llora el niño Duero[13].

(*Soria sucedida*)

12

EL CIPRÉS DE SILOS [(25)] [14]

A Ángel del Río

Enhiesto surtidor de sombra y sueño
que acongojas el cielo con tu lanza.
Chorro que a las estrellas casi alcanza
devanado a sí mismo en loco empeño.

---

[12] *nevero*: paraje de las montañas elevadas, donde se conserva la nieve todo el año. [13] El río Duero nace en la vertiente meridional de los Picos de Urbión (el pico más alto está situado a 2.228 metros de altitud), sistema montañoso perteneciente a la Cordillera Ibérica. [14] Pueblo burgalés en el que está el monasterio benedictino de Santo Domingo. Su claustro, en donde se encuentra este gigantesco ciprés, es una de las joyas del arte románico.

~~~~~~

(25) El 3 de julio de 1924, G. Diego, en un viejo «Ford», llegó al monasterio de Silos, acompañado de varios amigos. Pasó allí veinticuatro horas. Después de la cena, recorrió el claustro y se detuvo ante el ciprés. En su celda, esa misma noche, escribió este soneto, que estampó a la mañana siguiente en el álbum del monasterio. La poetisa chilena Gabriela Mistral lo consideró «el mayor logro de la decena 1920-1930; seguramente es uno de los puntos mágicos de la escritura poética del tiempo. Mágico, es decir, subyugador. Este super-ciprés, se aprende para no volver a perderse, y es el verdadero, que no su modelo». Nótese la escasa importancia que en él tiene, a pesar de la referencia al Arlanza, la determinación temporal o espacial. G. Diego personifica al árbol y le adjudica, con el mismo tono fervoroso de una letanía, una serie de epítetos.

Mástil de soledad, prodigio isleño;　　　　　　　5
flecha de fe, saeta de esperanza.
Hoy llegó a ti, riberas del Arlanza,[15]
peregrina al azar, mi alma sin dueño.

Cuando te vi, señero, dulce, firme,
qué ansiedades sentí de diluirme　　　　　　　10
y ascender como tú, vuelto en cristales,

como tú, negra torre de arduos filos,
ejemplo de delirios verticales,
mudo ciprés en el fervor de Silos.

(*Versos humanos*) [26]

13

INSOMNIO

Tú y tu desnudo sueño. No lo sabes.
Duermes. No. No lo sabes. Yo en desvelo
y tú, inocente, duermes bajo el cielo.
Tú por tu sueño y por el mar las naves.

---

[15] Arlanza: afluente del Arlanzón. Nace en el término de Quintanar de la Sierra y mantiene, por lo general, una dirección SE-NO.

[26] *Versos humanos* se publicó, sin ánimo de entablar una polémica, el mismo año que *La deshumanización del arte*, de Ortega y Gasset. G. Diego sólo se propuso diferenciar este libro de otro que, con el título de *Versos divinos*, proyectaba por esas fechas.

En cárceles de espacio, aéreas llaves   5
te me encierran, recluyen, roban. Hielo,
cristal de aire en mil hojas. No. No hay vuelo
que alce hasta ti las alas de mis aves.

Saber que duermes tú, cierta, segura
—cauce fiel de abandono, línea pura—,   10
tan cerca de mis brazos maniatados.

Qué pavorosa esclavitud de isleño,
yo insomne, loco, en los acantilados,
las naves por el mar, tú por tu sueño.

14

REVELACIÓN

A Blas Taracena

Era en Numancia, [16] al tiempo que declina
la tarde del agosto augusto y lento,
Numancia del silencio y de la ruina,
alma de libertad, trono del viento.

La luz se hacía por momentos mina   5
de transparencia y desvanecimiento,
diafanidad de ausencia vespertina,
esperanza, esperanza del portento.

Súbito ¿dónde? un pájaro sin lira,
sin rama, sin atril, canta, delira,   10
flota en la cima de su fiebre aguda.

---

[16] Numancia: antigua ciudad celtibérica cercana a Soria, famosa por la
resistencia que opuso a los romanos.

Vivo latir de Dios nos goteaba,
risa y charla de Dios, libre y desnuda.
Y el pájaro, sabiéndolo, cantaba.

15

A C. A. DEBUSSY [17]

Sonidos y perfumes, Claudio Aquiles,
giran al aire de la noche hermosa.
Tú sabes dónde yerra un son de rosa,
una fragancia rara de añafiles [18]

con sordina, de crótalos [19] sutiles   5
y luna de guitarras. Perezosa
tu orquesta, mariposa a mariposa,
hasta noventa te abren sus atriles.

Iberia, Andalucía, España en sueños,
lentas Granadas, frágiles Sevillas,   10
Giraldas tres por ocho, altas Comares. [20]

Y metales en flor, celestes leños
elevan al nivel de las mejillas
lágrimas de claveles y azahares.

(*Alondra de verdad*)

---

[17] Claude Debussy: compositor francés (1862-1918). Entre sus obras se encuentran *Preludio a la siesta de un fauno, Canciones de Bilitis, Fiestas galantes* y *El mar*.   [18] *añafil*: trompeta morisca, de unos 80 centímetros de longitud, que se usó también en Castilla.   [19] *crótalo*: instrumento de percusión, usado antiguamente y semejante a la castañuela.   [20] Comares: villa de Málaga, al NE de la capital y a 685 metros de altitud.

16

CELOS [27]

Poesía no eres tú.
Sois tú y tú, las dos distintas.
Os llevo una a cada lado.
No tengáis celos, mis vidas.

Poesía, mi ala impar,   5
alborotando a mi diestra.
Mujer, en el otro hombro
reclinando la cabeza.

Y qué claro mi destino
y cómo sé barajaros.   10
Cantar el amor, cantar,
cantar y querer cantarlo.

(*La sorpresa*)

17

TUYA

Ya sólo existe una palabra: tuya.
Ángeles por el mar la están salvando
cuando ya se iba a hundir, la están alzando,
calentando en sus alas, ¡aleluya!

(27) G. Diego presenta aquí como compatibles las dos grandes
pasiones de su vida: la poesía y el amor por su mujer. El primer
verso recuerda la famosa «Rima» de Bécquer que empieza: «¿Qué
es poesía..?»

Las criaturas cantan: —Aunque huya,   5
aunque se esconda a ciegas sollozando,
es tuya, tuya, tuya. Aunque nevando
se borre, aunque en el agua se diluya—.

«Tuya», cantan los pájaros, los peces
mudos lo escriben con sus colas de oro: 10
Te, u, y griega, a, sí, tuya, tuya.

Cantádmela otra vez y tantas veces,
a ver si a fuerza de cantar a coro
—¿Tú? ¿Ya? ¿De veras? —Sí. Yo. Tuya. Tuya.

(*Amor solo*)

18

LA FALTA

Mi lección no escuchaste. Tú no estabas
entre el callar del mirlo y el convento
del unánime y dulce pensamiento
de las alumnas nuevas. Tú faltabas.

(¿Te pondré falta?) Rítmicas, esclavas,   5
por aquel virreinal recogimiento
—tu paraninfo en palosanto atento—
mis palabras volaban. ¿Qué orotavas

de amor, teides[21] de éxtasis sublime,
lagunas hondas de estrellor secreto   10
te me hurtaron? ¿Por qué no estabas, dime?

---

[21] Se refiere al valle de la Orotava y al pico del Teide, el más alto de
España, situados en el norte de la isla de Tenerife. En *Vuelta del peregrino*
existe un poema titulado «Juegos del Teide». La altura de este monte le sirve
a G. Diego, metafóricamente, lo mismo que el «estrellor secreto» del verso
siguiente, para dar por sentado que la ausencia de la alumna se debió a un
asunto amoroso de envergadura.

Salí al claustro, era ya la noche alta
que clausura la flor y abre el soneto.
Y miré al cielo y no te puse falta.

(*Sonetos a Violante*) [28]

19

ME ESTÁS ENSEÑANDO

Me estás enseñando a amar.
    Yo no sabía.
Amar es no pedir, es dar,
    noche tras día.

La Noche ama al Día, el Claro   5
    ama a la Oscura.
Qué amor tan perfecto y tan raro.
    Tú, mi ventura.

El Día a la Noche alza, besa
    sólo un instante.   10
La Noche al Día —alba, promesa—
    beso de amante.

(**28**) *Sonetos* y *Canciones a Violante* son dos libros que se complementan entre sí. Según G. Diego, Violante no es ni «la amante, ni la amada, ni la novia, ni la esposa, ni la musa, ni el eterno femenino», sino un ser indeterminado que le pidió, como Violante a Lope de Vega, un poema. G. Diego le contesta, no con una teoría literaria, sino con treinta sonetos. En el segundo libro, *Canciones,* ya emplea diversas formas métricas, como puede verse en «Me estás enseñando a amar».

Me estás enseñando a amar.
   Yo no sabía.
Amar es no pedir, es dar.   15
   Mi alma, vacía.

(*Canciones a Violante*)

20

PENÚLTIMA ESTACIÓN [29]

He aquí helados, cristalinos
sobre el virginal regazo,
muertos ya para el abrazo,
aquellos miembros divinos.
Huyeron los asesinos.   5
Qué soledad sin colores.
Oh, Madre mía, no llores.
Cómo lloraba María.
La llaman desde aquel día
la Virgen de los Dolores.   10

¿Quién fue el escultor que pudo
dar morbidez [22] al marfil?

---

[22] *morbidez*: calidad de blando, delicado, suave.

(**29**) Cada «estación» de este libro consta de dos décimas: una que evoca en síntesis rítmica la escena y su movimiento, y otra en la que el orante extrae del paso su lección y provecho y expresa sus ansias de gracia. Movido por el deseo de poner freno a cualquier tentación retórica que pudiera alejarlo de los caminos de la sencillez y de la densidad conceptual, G. Diego elige esta estrofa, de gran dificultad técnica.

¿Quién apuró su buril[23]
en el prodigio desnudo?
Yo, Madre mía, fui el rudo   15
artífice, fui el profano
que modelé con mi mano
ese triunfo de la muerte
sobre el cual tu piedad vierte
cálidas perlas en vano.   20

(*Viacrucis*)

21

LA PALMERA

Si la palmera pudiera
volverse tan niña, niña,
como cuando era una niña
con cintura de pulsera.
Para que el Niño la viera...   5

—Si la palmera tuviera
las patas del borriquillo,
las alas de Gabrielillo.[24]
Para cuando el Niño quiera
correr, volar a su vera...   10

—Que no, que correr no quiere
el Niño,

---

[22] *morbidez*: calidad de blando, delicado, suave.   [23] *buril*: instrumento de acero para grabar metales. El sentido de estos versos sería: «¿Quién pudo conseguir con su buril tan extraordinaria perfección en la representación de Jesucristo?».   [24] Gabrielillo: se refiere al arcángel San Gabriel, que anunció a María el nacimiento de Cristo.

que lo que quiere es dormirse
y es, capullito, cerrarse
para soñar con su madre.
Y lo sabe la palmera...   15

—Si la palmera supiera
  que sus palmas algún día...
—Si la palmera supiera
  por qué la Virgen María
  la mira.
             Si ella tuviera...

—Si la palmera pudiera...   20

                 La palmera...

(*Versos divinos*)

                    22

                 NIÑO [30]

Niño dormido en el florido huerto.
Una cosa tan sólo aún es más bella.
                 Niño despierto.
                 Estrella.

Niño despierto en el huerto florido.   5
Una cosa —una sola— a ti prefiero.
                 Niño dormido.
                 Lucero.

(*Hasta siempre*)

(**30**) El mundo de los juguetes, de las primeras palabras, de la fe
sin límites, del interés indiscriminado por las cosas, característico de
la niñez, aparece algunas veces en la obra de G. Diego.

23

RESPUESTA

A Ramón Otero Pedrayo

¿Que en dónde está Galicia? En la cautela
de la luz mansa que al besar enjoya,
en el collar de espumas de la boya
y en el tosco remiendo de la vela.

En la vaca también color canela   5
y en la vocal que su dulzura apoya
y en el molusco mariscado en Noya
y en el sueño del tren por Redondela. [25]

Búscala en la sonrisa tan arcaica,
tan ambigua y angélica y galaica   10
de la muiñeira y ribeirana [26] airosa.

La hallarás, piedra lírica, en el pazo,
piedra de oro y verdín, piedra leprosa.
Y donde haya un regazo, en el regazo.

(*Ángeles de Compostela*)

---

[25] Noya y Redondela: son dos villas de La Coruña y de Pontevedra,
respectivamente. [26] La *muiñeira:* (el diccionario de la Academia sólo
registra *muñeira*) es la danza de la molinera. La *ribeirana* es la danza de la
comarca del Ribeiro, famosa por su vino.

24

TORERILLO EN TRIANA

Torerillo en Triana [27]
    frente a Sevilla.
Cántale a la Sultana
    tu seguidilla. [28]

Sultana de mis penas   5
    y mi esperanza.
Plaza de las Arenas
    de la Maestranza. [29]

Arenas amarillas,
    palcos de oro.   10
Quién viera a las mulillas
    llevarse el toro.

Relumbrar de faroles [30]
    por mí encendidos.
Y un estallido de oles   15
    en los tendidos.

Arenal de Sevilla,
    Torre del Oro. [31]
Azulejo a la orilla
    del río moro [32].   20

---

[27] Triana: popular barrio de Sevilla. [28] *seguidilla:* composición métrica que consta de cuatro o siete versos heptasílabos y pentasílabos; es la estrofa aquí empleada. [29] Maestranza: plaza de toros de Sevilla. [30] *Relumbrar de faroles:* es decir, quién me viera ejecutar brillantes pases de farol («faroles») al toro. [31] Torre del Oro: edificio sevillano situado a orillas del Guadalquivir. Fue construido por los almohades en el siglo XIII. [32] *río moro:* el Guadalquivir.

Azulejo bermejo,
    sol de la tarde.
No mientas, azulejo,
    que soy cobarde.

Guadalquivir tan verde   25
    de aceite antiguo. [33]
Si el barquero me pierde
    yo me santiguo.

La puente no la paso,
    no la atravieso.   30
Envuelto en oro y raso
    no se hace eso. [34]

Ay, río de Triana,
    muerto entre luces.
No embarca la chalana [35]   35
    los andaluces.

Ay, río de Sevilla,
    quién te cruzase
sin que mi zapatilla
    se me mojase.   40

Zapatilla escotada
    para el estribo.
Media rosa estirada
    y alamar vivo [36].

---

[33] El río tiene el agua de color verde a causa de los viejos olivares plantados en sus orillas. [34] *no se hace eso*: alude a una superstición taurina. [35] *chalana*: embarcación de fondo plano, adecuada para utilizarse en parajes de escasa profundidad. [36] *alamar*: adorno en un traje.

Tabaco y oro. Faja   45
    salmón. Montera.
Tirilla[37] verde baja
    por la chorrera.

Capote de paseo.
    Seda amarilla.   50
Prieta para el toreo
    la taleguilla.[38]

La verónica[39] cruje.
    Suenan caireles.[40]
Que nadie la dibuje.   55
    Fuera pinceles.

Banderillas al quiebro.
    Cose el miura[41]
el arco que le enhebro
    con la cintura.   60

Torneados en rueda
    tres naturales.[42]
Y una hélice de seda
    con arrabales.[43]

---

[37] *Tirilla*: se refiere al corbatín que desciende por la chorrera de la camisa. [38] *taleguilla*: calzón ajustado del traje de los toreros. [39] *verónica*: en este lance, el torero espera la acometida del toro, presentándole la capa extendida o abierta, con ambas manos. [40] *caireles*: los adornos del traje del torero suenan cuando pasa, rozándolos, el toro. [41] *miura*: toro de la ganadería de Miura. Por antonomasia, cualquier toro bravo. [42] *natural*: pase que se da con la mano izquierda. [43] Alude a los pases «naturales» que ha dado en redondo, girando, el torero al toro, y que han concluido con un adorno.

Me perfilo. La espada.   65
    Los dedos mojo. [44]
Abanico y mirada.
    Clavel y antojo.

En hombros por tu orilla,
    Torre del Oro.
En tu azulejo brilla   70
    sangre de toro.

Si salgo en la Maestranza
    te bordo un manto,
Virgen de la Esperanza [45]   75
    de Viernes Santo.

Adiós, torero nuevo,
    Triana y Sevilla,
que a Sanlúcar [46] me llevo
    tu seguidilla.   80

(*La suerte o la muerte*)

25

ELEGÍA DE ATARAZANAS [47]

Ni ascua ya, ni ceniza ni pavesa;
aire en el aire, luz en el sobrado
de la santa memoria. Aquel tejado,
trampolín de aquel sueño que no cesa;

---

[44] *Los dedos mojo*: el torero clava la espada hasta el fondo y moja los dedos en la sangre del toro.   [45] Esperanza: alude a la popular Virgen del barrio sevillano de la Macarena.   [46] Sanlúcar de Barrameda: pueblo gaditano.   [47] *atarazana*: arsenal, establecimiento para la construcción y reparación de embarcaciones. Desde el siglo XII, la ciudad de Santander, entregada a las actividades marítimas, se convirtió en fortaleza con atarazanas, y colaboró en la reconquista de las ciudades de la costa andaluza durante la campaña de Fernando III.

vuelve la golondrina y embelesa   5
con su trovar mi oído enamorado,
y está el cielo del Alta serpeado
de altas cometas que el nordeste besa.

¿Todo es ya nada? El fuego ¿también puede
devorar la ilusión, lo que no cede?   10
A ese alado ladrón ¿no hay quien le ladre?

Nada es ya todo. Viva está mi casa.
Es verdad. No te has muerto. Un ángel pasa
por tus ojos azules, madre, madre.

(*Mi Santander, mi cuna, mi palabra*)

26

ALGECIRAS

Siempre hay baile en el Estrecho
y al que baila le parece
            que es Algeciras
            la que se mece.

Y Algeciras se está quieta   5
frente al inglés, frente al moro,
clavándose la peineta.

(*El Jándalo*) [31]

---

(31) *El Jándalo*, libro en el que expresa su amor por Andalucía la
Baja, presente también en otros de sus libros, surgió como consecuencia de sus estancias en Sevilla y de un viaje por la provincia de

27

NADA

Sentencia en duro mausoleo:
«Nada hay después de la muerte.»
¿Y cómo lo sabe ese sabio?
Por él y por su muerto oscuro
yo rezo: creo, creo, creo.   5

(*Cementerio Civil*)

Cádiz. En la montaña de Santander llamaban jándalos a los que
marchaban de jóvenes a Sevilla o Cádiz, en donde abrían tiendas o
tabernas, y volvían a su tierra presumiendo de indianos, a pesar de
que no habían salido de España. M. Machado, en un poema que
dedicó a G. Diego con motivo de la publicación de su *Oda a
Belmonte,* decía: «Magnífico hasta el escándalo, / todo de gracia y de
luz, / nos ha salido este «jándalo» / supremamente andaluz. / ¡Eso
es! / ¡Montañés!».

FEDERICO GARCÍA LORCA

Nace en Fuente Vaqueros (Granada) en 1898. En 1908 se traslada con su familia a Granada, en donde cursa el bachillerato. «Estudié mucho. Pero me dieron cates colosales —confesará años más tarde—. Yo he fracasado en Literatura, Preceptiva e Historia de la Lengua castellana. En cambio, me gané una popularidad magnífica poniendo motes y apodos a las gentes.»

En 1915 inicia las carreras de Filosofía y Letras, que nunca terminará, y de Derecho, en la que se licencia en 1923. Al mismo tiempo, escribe y estudia música. En 1918 publica su primer libro, *Impresiones y paisajes,* en prosa poética, inspirado en parte por un viaje estudiantil que había realizado el año anterior por Castilla la Vieja, León y Galicia. Un año después se instala en la Residencia de Estudiantes de Madrid, en donde vivirá, durante los períodos de clase, hasta 1928.

En 1920 estrena, sin éxito, *El maleficio de la mariposa,* su primera obra teatral. Dos años más tarde organiza, con Manuel de Falla, la «Fiesta del cante jondo». A lo largo de estos años entabla estrechas relaciones con Salvador Dalí, Luis Buñuel y diversos escritores de la época. En 1927 obtiene su primer éxito teatral con *Mariana Pineda*. Pasa una temporada en Cataluña y expone sus dibujos en la Galería Dalmau de Barcelona. En diciembre viaja a Sevilla para participar en un homenaje a Góngora. Allí conoce a Luis Cernuda. En 1928 publica *Romancero gitano,* que le acarrea una enorme popularidad. En junio de 1929 parte para

Nueva York, con el fin de estudiar en la Universidad de Columbia y para alejarse de la «penumbra sentimental» en que se encontraba desde hacía algún tiempo. Frecuenta museos, teatros y se apasiona por el jazz. Compone los poemas incluidos más tarde en *Poeta en Nueva York*, termina la «Oda al Santísimo Sacramento del Altar» y escribe el guión cinematográfico *Viaje a la luna*. En marzo de 1930 se traslada a Cuba, en donde permanecerá, antes de regresar a España, casi tres meses y medio.

En 1932 crea el Teatro Universitario «La Barraca», que dirigirá hasta 1935, y que dio a conocer diferentes obras clásicas por los más alejados pueblos españoles. Entre octubre de 1933 y marzo de 1934 visita algunos países de Hispanoamérica, en donde da conferencias y asiste a las representaciones clamorosas de *Mariana Pineda, La zapatera prodigiosa* y *Bodas de sangre*. La muerte del torero Ignacio Sánchez Mejías, en 1934, le inspirará uno de sus mejores poemas. Aunque fue notoria su escasa afición por la política, es un decidido defensor de la República. Al estallar la guerra civil se encontraba en Granada. Poco después es detenido y fusilado.

Todos los que lo conocieron y trataron coinciden, sin excepción, en su fascinante personalidad. «En el teatro y en el silencio, en la multitud y en el decoro, era un multiplicador de la hermosura —dirá Pablo Neruda—. Nunca vi un tipo con tanta magia en las manos, nunca tuve un hermano más alegre. Reía, cantaba, musicaba, saltaba, inventaba, chisporroteaba.»

Sin embargo, esa alegría irresistible y su habitual histrionismo nunca ocultan la otra cara de sombras en que vivió (él mismo afirmaba que «la luz del poeta es la contradicción» y que todo artista debía escuchar «tres fuertes voces»: «La *voz* de la muerte, con todos sus presagios; la *voz* del amor y la *voz* del arte».) V. Aleixandre evocará al «noble Federico de la tristeza, al hombre de soledad y de pasión que en el vértigo de su vida de triunfo difícilmente podía adivinarse. Su corazón no era ciertamente alegre. Era capaz de toda la alegría del Universo; pero su sima profunda, como la de todo gran poeta, no era la de la alegría».

Esa otra cara debe considerarse como la consecuencia, no sólo, como suele afirmarse, de una presunta frustración erótica, fruto de su homosexualidad, sino también de sus angustias y terrores ante los enigmas del mundo y de la vida. Su religiosidad heterodoxa, aunque pueda encontrarse en ella alguna veta de cristianismo, tampoco constituyó una ayuda para encontrar respuesta a muchos de sus interrogantes.

OBRA POÉTICA

No es fácil estudiar cronológicamente la producción de Lorca, ya que algunas de sus obras se redactaron paralelamente o fueron sometidas a un largo proceso de reelaboración (el *Poema del Cante Jondo*, por ejemplo, fue compuesto en casi su totalidad en 1921 y dado a conocer diez años después). En una primera etapa, que se prolonga hasta 1928, publica: *Libro de poemas* (1921, con textos escritos entre 1918 y 1920), *Poema del Cante Jondo*, *Canciones* (escrito entre 1921 y 1924, y publicado en 1927), «Oda a Salvador Dalí» (1926) y *Romancero gitano* (1928, aunque redactado entre 1924 y 1927).

A una segunda etapa corresponden: *Poeta en Nueva York* (escrito entre 1929 y 1930, y editado en México en 1940), *Llanto por Ignacio Sánchez Mejías* (1935) y *Seis poemas galegos* (1935).

También escribió otros libros que quedaron inéditos y, en su mayor parte, incompletos. Además del citado *Poeta en Nueva York*, *Suites* (1920-1923), *Odas* (1924-1929), *Poemas en prosa* (1927-1928), *Tierra y Luna* (1929-1930) y *Diván del*

Tamarit (1931-1934). En 1935 comienza a redactar un libro de *Sonetos* que, al parecer, pensaba titular *Jardín de los sonetos*. A él pertenece la famosa serie *Sonetos del amor oscuro*, que permaneció inédita hasta 1984.

Entre 1920 y 1936, Lorca cultivó con intensidad el teatro. Algunas de sus obras más conocidas son: *Mariana Pineda* (1927), *La zapatera prodigiosa* (1930), *Bodas de sangre* (1933), *Yerma* (1934), *Doña Rosita la soltera* (1935), *Así que pasen cinco años* (1931) y *La casa de Bernarda Alba* (1936).

Lorca es también el escritor español de este siglo que ha alcanzado una mayor difusión en el extranjero. Su obra está traducida a numerosísimas lenguas.

EDICIONES

Obras completas, ed. de Arturo del Hoyo (Madrid, Aguilar, 1987). *Poesía,* 1 y 2, ed. de Miguel García Posada (Madrid, Akal, 1982). *Obras* (en diversos volúmenes), edición de Mario Hernández (Madrid, Alianza). *Primer romancero gitano. Llanto por Ignacio Sánchez Mejías,* ed. de Miguel García Posada (Madrid, Castalia, 1988).

1

BALADA¹ DE LA PLACETA

1919

Cantan los niños
En la noche quieta:
¡Arroyo claro,
Fuente serena!

LOS NIÑOS

¡Qué tiene tu divino   5
Corazón en fiesta?

YO

Un doblar de campanas
Perdidas en la niebla.

---

¹ *Balada:* composición poética, dividida en estrofas iguales,
y en la cual, por lo común, se refieren, sencilla y melancólicamente, sucesos
legendarios o tradicionales y se transparenta la profunda emoción del
poeta.

LOS NIÑOS

Ya nos dejas cantando
En la plazuela.   10
¡Arroyo claro,
Fuente serena!

¿Qué tienes en tus manos
De primavera?

YO

Una rosa de sangre   15
Y una azucena.

LOS NIÑOS

Mójalas en el agua
De la canción añeja.
¡Arroyo claro,
Fuente serena!   20

¿Qué sientes en tu boca
Roja y sedienta?

YO

El sabor de los huesos
De mi gran calavera.

LOS NIÑOS

Bebe el agua tranquila   25
De la canción añeja.
¡Arroyo claro,
Fuente serena!

¿Por qué te vas tan lejos
De la plazuela?   30

YO

¡Voy en busca de magos
Y de princesas!

LOS NIÑOS

¿Quién te enseñó el camino
De los poetas?

YO

La fuente y el arroyo   35
De la canción añeja.

LOS NIÑOS

¿Te vas lejos, muy lejos
Del mar y de la tierra?

YO

Se ha llenado de luces
Mi corazón de seda,   40
De campanas perdidas,
De lirios y de abejas.
Y yo me iré muy lejos,
Más allá de esas sierras,
Más allá de los mares,   45
Cerca de las estrellas,
Para pedirle a Cristo
Señor que me devuelva
Mi alma antigua de niño,
Madura de leyendas,   50
Con el gorro de plumas
Y el sable de madera.

LOS NIÑOS

Ya nos dejas cantando
En la plazuela.
¡Arroyo claro,   55
Fuente serena!

Las pupilas enormes
De las frondas resecas,
Heridas por el viento,
Lloran las hojas muertas.   60

(*Libro de poemas*)

2

BALADILLA DE LOS TRES RÍOS

A Salvador Quintero

El río Guadalquivir
va entre naranjos y olivos.
Los dos ríos de Granada
bajan de la nieve al trigo[2].

¡Ay, amor   5
que se fue y no vino!

El río Guadalquivir
tiene las barbas granates.
Los dos ríos de Granada,
uno llanto y otro sangre.   10

¡Ay, amor
que se fue por el aire!

Para los barcos de vela,
Sevilla tiene un camino;[(32)]
por el agua de Granada   15
sólo reman los suspiros.

---

[2] Estos dos ríos son el Darro y el Genil, que bajan desde Sierra Nevada (la nieve) hasta la vega (el trigo).

(32) Recuérdese que el Guadalquivir es navegable hasta Sevilla. Aunque todas las ciudades andaluzas aparecen en la obra de Lorca, es frecuente en ella la comparación entre Granada y Sevilla. Aquí se contraponen estas dos ciudades desde un punto de vista histórico y sentimental. Frente al ancho río sevillano, los dos ríos de

¡Ay, amor
que se fue y no vino!

Guadalquivir, alta torre
y viento en los naranjales.   20
Dauro y Genil, torrecillas
muertas sobre los estanques,

¡Ay, amor
que se fue por el aire!

¡Quién dirá que el agua lleva   25
un fuego fatuo de gritos! ³

¡Ay, amor
que se fue y no vino!

---

³ *fuego fatuo:* llama errática que se produce en el suelo, especialmente en los cementerios, por la inflamación de ciertas materias que se elevan de las sustancias animales o vegetales en putrefacción. El sentido de estos versos sería: «quién dirá que el agua arrastra gritos de dolor y de muerte que se encienden como un fuego fatuo».

Granada arrastran un lamento elegíaco: llanto, sangre, suspiros, torrecillas muertas. En «Sevilla», también del *Poema del cante jondo*, esta ciudad aparece enfrentada a Córdoba: «Sevilla para herir. / Córdoba para morir». En su artículo «Granada (Paraíso cerrado para muchos)» dirá el poeta: «Granada es apta para el sueño y el ensueño. Por todas partes limita con lo inefable. Y hay mucha diferencia entre soñar y pensar, aunque las actitudes sean gemelas. Granada será siempre más plástica que filosófica. Más lírica que dramática [...] Todo lo contrario que Sevilla. Sevilla es el hombre y su complejo sensual y sentimental. Es la intriga política y el arco de triunfo. Don Pedro y don Juan. Está llena de elemento humano, y su voz arranca lágrimas, porque todos la entienden».

Lleva azahar, lleva [4] olivas,
Andalucía, a tus mares.   30

¡Ay, amor
que se fue por el aire!

3

LA GUITARRA [33]

Empieza el llanto
de la guitarra.
Se rompen las copas
de la madrugada.
Empieza el llanto   5
de la guitarra.

---

[4] *lleva azahar:* esta forma verbal podría corresponder al presente de indicativo o al imperativo. En uno y otro casos el significado varía.

(33) «La guitarra» pertenece al «Poema de la siguiriya gitana» (la seguidilla y la soleá, con un ritmo más marcado, son los cantes gitanos por excelencia). Con unos símbolos precisos y con una admirable economía de medios, el poeta concreta en el sonido de la guitarra dos grandes temas de su canto elegíaco: la insatisfacción del deseo y la muerte. En una conferencia que pronunció, con el título de «Arquitectura del Cante Jondo», dijo de este instrumento musical: «Lo que no cabe duda es que la guitarra ha construido el cante jondo. Ha labrado, profundizado, la oscura musa oriental judía y árabe antiquísima, pero por eso balbuciente. La guitarra ha occidentalizado el cante, y ha hecho belleza sin par, y belleza positiva, del drama andaluz. Oriente y occidente en pugna, que hacen de Bética una isla de cultura». Es justo destacar el acierto de los dos primeros versos de este poema: en una seguidilla, lo primero que se oye es, efectivamente, el rasgueo de la guitarra.

Es inútil
callarla.
Es imposible
callarla. 10
Llora monótona
como llora el agua,
como llora el viento
sobre la nevada.
Es imposible 15
callarla.
Llora por cosas
lejanas.
Arena del Sur caliente
que pide camelias blancas. 20
Llora flecha sin blanco,
la tarde sin mañana,
y el primer pájaro muerto [34]
sobre la rama.
¡Oh guitarra! 25
Corazón malherido
por cinco espadas. [5]

4

PUEBLO [35]

Sobre el monte pelado,
un calvario.

---

[5] Se refiere a los cinco dedos de la mano.

(34) Lorca encadena aquí, metafóricamente, tres maneras de frustración: flecha *sin* blanco, tarde *sin* mañana, pájaro muerto.
(35) Este poema fue publicado inicialmente con el título de «Pueblo de la soleá». Las expresiones procedentes del lenguaje

Agua clara
y olivos centenarios.
Por las callejas   5
hombres embozados,
y en las torres
veletas girando.
Eternamente
girando.   10
¡Oh, pueblo perdido,
en la Andalucía del llanto!

5

CAFÉ CANTANTE

Lámparas de cristal
y espejos verdes.

Sobre el tablado oscuro,
la Parrala sostiene[6]
una conversación
con la Muerte.

---

[6] Dolores «La Parrala» fue una famosa cantaora, nacida en Moguer (Huelva). En su conferencia sobre «El cante jondo», Lorca la situó entre los grandes artistas «que cantaron como nadie las soleares y evocaron a la virgen Pena en los limonares de Málaga o bajo las noches marinas del Puerto».

religioso son frecuentes en *Poema del cante jondo*. Aquí el «pueblo» aparece identificado con un «calvario». En «Encuentro», un amante desgraciado muestra en sus manos «los agujeros de los clavos». En «Baile sevillano», de «Tres ciudades», el dolor se metaforiza en «espinas».

La llama,
no viene,
y la vuelve a llamar.
Las gentes   10
aspiran los sollozos.
Y en los espejos verdes,
largas colas de seda
se mueven.

6

MEMENTO [36]

Cuando yo me muera,
enterradme con mi guitarra
bajo la arena.

Cuando yo me muera,
entre los naranjos   5
y la hierbabuena.

Cuando yo me muera,
enterradme, si queréis
en una veleta.

¡Cuando yo me muera!   10

(*Poema del cante jondo*)

[36] Lo habitual es que Lorca se valga de elementos objetivos para materializar el sentimiento. Sin embargo, a veces, como ocurre aquí, la expresión subjetiva cobra un particular relieve.

7

[EL LAGARTO ESTÁ LLORANDO]

A Mademoiselle Teresita Guillén
tocando su piano de seis notas

El lagarto está llorando.
La lagarta está llorando.

El lagarto y la lagarta
con delantaritos blancos.

Han perdido sin querer   5
su anillo de desposados.

¡Ay, su anillito de plomo,
ay, su anillito plomado!

Un cielo grande y sin gente
monta en su globo a los pájaros.   10

El sol, capitán redondo,
lleva un chaleco de raso.

¡Miradlos qué viejos son!
¡Qué viejos son los lagartos!

¡Ay cómo lloran y lloran,   15
¡ay! ¡ay!, cómo están llorando!

8

CANCIÓN DE JINETE

1860

En la luna negra
de los bandoleros,
cantan las espuelas.

Caballito negro.
¿Dónde llevas tu jinete muerto?   5

... Las duras espuelas
del bandido inmóvil
que perdió las riendas.

Caballito frío.
¡Qué perfume de flor de cuchillo!   10

En la luna negra,
sangraba el costado
de Sierra Morena.

Caballito negro.
¿Dónde llevas tu jinete muerto?   15

La noche espolea
sus negros ijares
clavándose estrellas.

Caballito frío.
¡Qué perfume de flor de cuchillo!   20

En la luna negra,
¡un grito! y el cuerno
largo de la hoguera.

Caballito negro.
¿Dónde llevas tu jinete muerto?   25

9

CANCIÓN DE JINETE

Córdoba.
Lejana y sola.

Jaca negra, luna grande,
y aceitunas en mi alforja.
Aunque sepa los caminos   5
yo nunca llegaré a Córdoba.

Por el llano, por el viento,
jaca negra, luna roja.
La muerte me está mirando
desde las torres de Córdoba.   10

¡Ay qué camino tan largo!
¡Ay mi jaca valerosa!
¡Ay que la muerte me espera,
antes de llegar a Córdoba!

Córdoba.   15
Lejana y sola.

10

LUCÍA MARTÍNEZ

Lucía Martínez.
Umbría de seda roja.

Tus muslos como la tarde
van de la luz a la sombra.
Los azabaches recónditos   5
oscurecen tus magnolias.

Aquí estoy, Lucía Martínez.
Vengo a consumir tu boca
y a arrastrarte del cabello
en madrugada de conchas.   10

Porque quiero, y porque puedo.
Umbría de seda roja.

11

SERENATA

(Homenaje a Lope de Vega)

Por las orillas del río
se está la noche mojando
y en los pechos de Lolita
se mueren de amor los ramos.

Se mueren de amor los ramos.   5

La noche canta desnuda
sobre los puentes de Marzo.
Lolita lava su cuerpo
con agua salobre y nardos.

Se mueren de amor los ramos.   10

La noche de anís y plata
relumbra por los tejados.
Plata de arroyos y espejos.
Anís de tus muslos blancos.

Se mueren de amor los ramos.   15

12

MALESTAR Y NOCHE [37]

Abejaruco.[7]
En tus árboles oscuros.
Noche de cielo balbuciente
y aire tartamudo.

Tres borrachos eternizan   5
sus gestos de vino y luto.

---

[7] *Abejaruco:* ave trepadora, de colores vivos y variados, pico largo y patas
cortas. Se alimenta de insectos, especialmente de abejas.

[37] La honda desazón que recorre muchos poemas de *Canciones*
tiene su más perfecta expresión en «Malestar y noche». El poeta
expresa, mediante una visión onírica, sus más íntimas inquietudes.

Los astros de plomo y giran
sobre un pie.
            Abejaruco.
En tus árboles oscuros.   10

    Dolor de sien oprimida
con guirnalda de minutos.
¿Y tu silencio? Los tres
borrachos cantan desnudos.
Pespunte de seda virgen   15
tu canción.
            Abejaruco.
Uco uco uco uco.
            Abejaruco.

(*Canciones*) [38]

13

ROMANCE DE LA LUNA, LUNA [39]

A Conchita García Lorca

La luna vino a la fragua
con su polisón [8] de nardos.
El niño la mira mira.

---

[8] *polisón:* armazón o almohadilla que las mujeres se ajustaban en la cintura para aumentar por detrás el volumen de la falda.

(38) Como se recordará, *Canciones* está dividido en diferentes partes. Los poemas que aparecen aquí corresponden a las secciones «Canciones para niños» («El lagarto está llorando»), «Andaluzas» (las dos «Canciones de jinete»), «Eros con bastón» («Lucía Martínez» y «Serenata») y «Trasmundo» («Malestar y noche»).
(39) Este poema, que abre el *Romancero gitano*, nos presenta ya diversos elementos característicos del mundo gitano: la fragua, el

El niño la está mirando.
En el aire conmovido   5
mueve la luna sus brazos
y enseña, lúbrica[9] y pura,
sus senos de duro estaño.
Huye luna, luna, luna.
Si vinieran los gitanos,   10
harían con tu corazón
collares y anillos blancos.
Niño, déjame que baile.
Cuando vengan los gitanos,
te encontrarán sobre el yunque   15
con los ojillos cerrados.
Huye luna, luna, luna,
que ya siento sus caballos.
Niño, déjame, no pises
mi blancor almidonado.   20

El jinete se acercaba
tocando el tambor del llano.
Dentro de la fragua el niño,
tiene los ojos cerrados.

Por el olivar venían,   25
bronce y sueño, [40] los gitanos.

---

[9] *lúbrico:* lascivo, propenso a la lujuria.

yunque, el baile, los collares y los anillos. La luna hace acto de
presencia 218 veces en la obra de Lorca y, casi siempre, con
premoniciones de muerte. Aquí aparece personificada, lo mismo
que en *Bodas de sangre*.

   (**40**) En el «Romance de la pena negra» vuelve Lorca a emplear
metáforas aposicionales para referirse al cuerpo humano. La carne
de Soledad Montoya será «cobre amarillo» y sus pechos «yunques
ahumados».

Las cabezas levantadas
y los ojos entornados.

   Cómo canta la zumaya, [10]
¡ay, cómo canta en el árbol!   30
Por el cielo va la luna
con un niño de la mano.

Dentro de la fragua lloran,
dando gritos, los gitanos.
El aire la vela vela.   35
El aire la está velando.

14

ROMANCE SONÁMBULO [41]

*A Gloria Giner
y a Fernando de los Ríos*

Verde que te quiero verde.
Verde viento. Verdes ramas.
El barco sobre la mar
y el caballo en la montaña.

---

[10] *zumaya:* se trata del chotacabras, pájaro de plumaje gris con manchas y rayas negras en la cabeza; es crepuscular y gusta de los insectos que se crían en los rediles.

(41) Si exceptuamos el suicidio de la joven y la llegada del contrabandista, casi moribundo, en este romance, en el que reaparece el tema del destino trágico, apenas ocurre nada. Lorca dijo de él: es «uno de los más misteriosos del libro, interpretado por mucha gente como un romance que expresa el ansia de Granada por el mar, la angustia de una ciudad que no oye las olas y las

Con la sombra en la cintura,   5
ella sueña en su baranda,
verde carne, pelo verde,
con ojos de fría plata.
Verde que te quiero verde.
Bajo la luna gitana,   10
las cosas la están mirando
y ella no puede mirarlas.

          * * *

Verde que te quiero verde.
Grandes estrellas de escarcha,

---

busca en sus juegos, de agua subterránea y en las nieblas onduladas
con que cubre sus montes. Está bien. Es así, pero también es otra
cosa. Es un hecho poético puro del fondo andaluz, y siempre tendrá
luces cambiantes, aun para el hombre que lo ha comunicado, que
soy yo». Sin embargo, el poeta no tuvo tiempo de conocer otras
muchas interpretaciones, como las que reseñamos a continuación.
Para Hugo Friedrich: «el verde es una fuerza mágica que lanza sus
reflejos a través de todo el poema, es algo así como un velo sonoro».
Francisco García Lorca vio en el primer verso «una personificación
del verde, elevado a la interlocución». Arturo Barea cree que el
verde de la gitana tiene su origen en el «verdín flotante en el algibe
que refleja la luz de la luna en sus aguas e ilumina suavemente de
verde su cara aceitunada». Para Gustavo Correa, «el verde está
relacionado con el color que suelen tener los gitanos de García
Lorca». J. M. Aguirre se adentra en los terrenos del psicoanálisis: el
verde es símbolo de «esterilidad, frustración, muerte; amor, sí, pero
amor sin fruto, amargo, equívoco». Carmen Hernández Valcárcel
aventura que «la gitana está ahogada desde el comienzo del poema
y el agua del pozo la tiñe de verde, aunque poéticamente está
colocada en su baranda como antes del suicidio, esperando todavía
a su amante». También estos versos del poema «El pajarito verde»,
de Juan Ramón Jiménez, podrían considerarse como un antecedente de este romance: «Verde es la niña: tiene / verdes ojos, pelo
verde. / Su rodilla silvestre / no es rosa ni blanca: es verde. / ¡En el
aire verde viene! / —La tierra se pone verde».

vienen con el pez de sombra 15
que abre el camino del alba.
La higuera frota su viento
con la lija de sus ramas,
y el monte, gato garduño,[11]
eriza sus pitas[12] agrias. 20
¿Pero quién vendrá? ¿Y por dónde...?
Ella sigue en su baranda,
verde carne, pelo verde,
soñando en la mar amarga.

       * * *

—Compadre, quiero cambiar 25
mi caballo por su casa,
mi montura por su espejo,
mi cuchillo por su manta.
Compadre, vengo sangrando,
desde los puertos de Cabra.[13] 30
—Si yo pudiera, mocito,
este trato se cerraba.
Pero yo ya no soy yo,
ni mi casa es ya mi casa.
—Compadre, quiero morir 35
decentemente en mi cama.
De acero, si puede ser,
con las sábanas de holanda.
¿No ves la herida que tengo
desde el pecho a la garganta? 40
—Trescientas rosas morenas
lleva tu pechera blanca.
Tu sangre rezuma y huele
alrededor de tu faja.

---

[11] *gato garduño:* es un gato parecido al lince, pero más doméstico. [12] *pita:* planta oriunda de México, con hojas o pencas carnosas y de color verde claro. [13] Alude a una zona del sur de Córdoba que tuvo fama en el siglo XIX por los bandoleros que se refugiaban en ella.

Pero yo ya no soy yo,⁣ 45
ni mi casa es ya mi casa.
—Dejadme subir al menos
hasta las altas barandas,
¡dejadme subir!, dejadme
hasta las verdes barandas. 50
Barandales de la luna
por donde retumba el agua.
* * *

Ya suben los dos compadres
hacia las altas barandas.
Dejando un rastro de sangre. 55
Dejando un rastro de lágrimas.
Temblaban en los tejados
farolillos de hojalata.
Mil panderos de cristal
herían la madrugada. 60
* * *

Verde que te quiero verde,
verde viento, verdes ramas.
Los dos compadres subieron.
El largo viento, dejaba
en la boca un raro gusto 65
de hiel, de menta y de albahaca.
—¡Compadre! ¿Dónde está, dime?
¿Dónde está tu niña amarga?
—¡Cuántas veces te esperó!
¡Cuántas veces te esperara, 70
cara fresca, negro pelo,
en esta verde baranda!
* * *

Sobre el rostro del aljibe
se mecía la gitana.
Verde carne, pelo verde, 75
con ojos de fría plata.

Un carámbano[14] de luna
la sostiene sobre el agua.
La noche se puso íntima
como una pequeña plaza.   80
Guardias civiles borrachos
en la puerta golpeaban.
Verde que te quiero verde.
Verde viento. Verdes ramas.
El barco sobre la mar.   85
Y el caballo en la montaña.

15

ROMANCE DE LA PENA NEGRA[(42)]

A José Navarro Pardo

Las piquetas de los gallos[(43)]
cavan buscando la aurora,
cuando por el monte oscuro
baja Soledad Montoya.

---

[14] *carámbano:* pedazo de hielo más o menos largo y puntiagudo.

(**42**) Este romance ejemplifica a la perfección el tema central del libro. Soledad Montoya, la protagonista, no experimenta la pena, sino que ella misma se identifica con la pena negra. Lorca precisó: «La pena de Soledad Montoya es la raíz del pueblo andaluz. No es angustia porque con pena se puede sonreír, ni es un dolor que ciega puesto que jamás produce llanto; es un ansia sin objeto, es un amor agudo a nada, con una seguridad de que la muerte (preocupación perenne de Andalucía) está respirando detrás de la puerta». Téngase en cuenta que la pena, irracional, surgida de lo más profundo del ser humano, no puede confundirse con la angustia existencial, de raíz intelectual y más filosófica y artificiosa.

(**43**) La imagen recuerda otra del *Poema de Mio Cid:* «Apriessa cantan los gallos / e quieren crebar albores».

Cobre amarillo, su carne   5
huele a caballo y a sombra.
Yunques ahumados sus pechos,
gimen canciones redondas.
—Soledad: ¿por quién preguntas
    sin compaña y a estas horas?   10
—Pregunte por quien pregunte,
    dime: ¿a ti qué se te importa?
    Vengo a buscar lo que busco,
    mi alegría y mi persona.
—Soledad de mis pesares,   15
    'caballo que se desboca,
    al fin encuentra la mar
    y se lo tragan las olas.
—No me recuerdes el mar
    que la pena negra, brota   20
    en las tierras de aceituna
    bajo el rumor de las hojas.
—¡Soledad, qué pena tienes!
    ¡Qué pena tan lastimosa!
    Lloras zumo de limón   25
    agrio de espera y de boca.
—¡Qué pena tan grande! Corro
    mi casa como una loca,
    mis dos trenzas por el suelo
    de la cocina a la alcoba.   30
    ¡Qué pena! Me estoy poniendo
    de azabache, carne y ropa.
    ¡Ay mis camisas de hilo!
    ¡Ay mis muslos de amapola!
—Soledad: lava tu cuerpo   35
    con agua de las alondras,
    y deja tu corazón
    en paz, Soledad Montoya.

                    * * *

Por abajo canta el río:
volante de cielo y hojas.   40
Con flores de calabaza
la nueva luz se corona.
¡Oh, pena de los gitanos!
Pena limpia y siempre sola.
¡Oh, pena de cauce oculto   45
y madrugada remota!

16

SAN GABRIEL [44]

(SEVILLA)

A D. Agustín Viñuales

Un bello niño de junco,
anchos hombros, fino talle,
piel de nocturna manzana,
boca triste y ojos grandes,
nervio de plata caliente,   5
ronda la desierta calle.
Sus zapatos de charol

---

(44) En el *Romancero gitano* existen otros dos poemas dedicados a
Córdoba y a Granada. En el caso de éste, no existe ninguna razón
histórica que justifique la relación de San Gabriel con Sevilla. Para
Mario Hernández: «como en el viejo romance de Abenámar, no
podían faltar en el *Primer romancero gitano* Córdoba y Sevilla,
ciudades que el rey don Juan ofrece como preciadas arras y dote a
Granada en su rechazada oferta de matrimonio. Acaso este recuerdo facilita la elocución del poeta, pues ningún *a priori* exige, desde
fuera del mundo lorquiano, la asociación de San Gabriel a Sevilla».

rompen las dalias del aire,
con los dos ritmos que cantan
breves lutos celestiales.   10
En la ribera del mar
no hay palma que se le iguale,
ni emperador coronado,
ni lucero caminante.
Cuando la cabeza inclina   15
sobre su pecho de jaspe,
la noche busca llanuras
porque quiere arrodillarse.
Las guitarras suenan solas
para San Gabriel Arcángel,   20
domador de palomillas
y enemigo de los sauces.
San Gabriel: el niño llora
en el vientre de su madre.
No olvides que los gitanos   25
te regalaron el traje.

II

Anunciación de los Reyes
bien lunada y mal vestida,
abre la puerta al lucero
que por la calle venía.   30
El Arcángel San Gabriel,
entre azucena y sonrisa,
biznieto de la Giralda,
se acercaba de visita.
En su chaleco bordado   35
grillos ocultos palpitan.
Las estrellas de la noche,
se volvieron campanillas.

—San Gabriel: aquí me tienes
con tres clavos de alegría.   40
Tu fulgor abre jazmines
sobre mi cara encendida.
—Dios te salve, Anunciación.
Morena de maravilla.
Tendrás un niño más bello   45
que los tallos de la brisa.
—¡Ay, San Gabriel de mis ojos!
¡Gabrielillo de mi vida!
Para sentarte yo sueño
un sillón de clavellinas.   50
—Dios te salve, Anunciación,
bien lunada y mal vestida.
Tu niño tendrá en el pecho
un lunar y tres heridas.
—¡Ay, San Gabriel que reluces!   55
¡Gabrielillo de mi vida!
En el fondo de mis pechos
ya nace la leche tibia.
—Dios te salve, Anunciación.
Madre de cien dinastías.   60
Áridos lucen tus ojos,
paisajes de caballista.

                * * *

El niño canta en el seno
de Anunciación sorprendida.
Tres balas de almendra verde   65
tiemblan en su vocecita.

Ya San Gabriel en el aire
por una escala subía.
Las estrellas de la noche
se volvieron siemprevivas.   70

17

MUERTE DE ANTOÑITO EL CAMBORIO

A José Antonio Rubio Sacristán

Voces de muerte sonaron
cerca del Guadalquivir.
Voces antiguas que cercan
voz del clavel varonil.
Les clavó sobre las botas   5
mordiscos de jabalí.
En la lucha daba saltos
jabonados de delfín.
Bañó con sangre enemiga
su corbata carmesí,   10
pero eran cuatro puñales
y tuvo que sucumbir.
Cuando las estrellas clavan
rejones al agua gris, [45]
cuando los erales[15] sueñan   15
verónicas de alhelí,
voces de muerte sonaron
cerca del Guadalquivir.

* * *

—Antonio Torres Heredia,
Camborio de dura crin,   20

---

[15] *eral:* res vacuna de más de un año y que no pasa de dos.

(**45**) La muerte de Antoñito el Camborio es simultánea a este otro asesinato de carácter cósmico. La imagen ya había sido utilizada antes por el poeta. En «Paisaje», de *Libro de poemas,* puede leerse: «Ya es de noche y las estrellas / clavan puñales al río / verdoso y frío».

moreno de verde luna,
voz de clavel varonil:
¿Quién te ha quitado la vida
cerca del Guadalquivir?
—Mis cuatro primos Heredias,   25
hijos de Benamejí. [46]
Lo que en otros no envidiaban,
ya lo envidiaban en mí.
Zapatos color corinto,
medallones de marfil,   30
y este cutis amasado
con aceituna y jazmín.
—¡Ay, Antoñito el Camborio,
digno de una Emperatriz!
Acuérdate de la Virgen   35
porque te vas a morir.
—¡Ay, Federico García,
llama a la Guardia Civil!
Ya mi talle se ha quebrado
como caña de maíz. [47]   40

* * *

Tres golpes de sangre tuvo,
y se murió de perfil.
Viva moneda que nunca
se volverá a repetir.

---

(46) Está probado que nunca vivió en este pueblo cordobés una familia gitana apellidada Heredia. Lorca debió elegir este nombre por la terminación en vocal aguda. Obsérvese que la extraordinaria musicalidad del poema está conseguida, en gran parte, por la rima.

(47) Lorca, con el fin de aconsejar o de increpar a sus personajes, hace acto de presencia en muchos poemas del *Romancero gitano*. Sin embargo, es aquí la única vez que, como él mismo reconoció, «un personaje me llama por mi nombre en el momento de su muerte».

Un ángel marchoso[16] pone   45
su cabeza en un cojín.
Otros de rubor cansado
encendieron un candil.
Y cuando los cuatro primos
llegan a Benamejí,   50
voces de muerte cesaron
cerca del Guadalquivir.

(*Romancero gitano*)

18

VUELTA DE PASEO [(48)]

Asesinado por el cielo.
Entre las formas que van hacia la sierpe
y las formas que buscan el cristal,
dejaré crecer mis cabellos.

Con el árbol de muñones que no canta   5
y el niño con el blanco rostro de huevo.

Con los animalitos de cabeza rota
y el agua harapienta de los pies secos.

---

[16] *marchoso:* arrogante, gallardo.

(**48**) En «Vuelta del paseo» ya nos muestra Lorca su desconcierto ante la pérdida de identidad en un mundo hostil. En «Paisaje de
la multitud que vomita», también de *Poeta en Nueva York,* dirá: «Yo,
poeta sin brazos, perdido / entre la multitud que vomita».

Con todo lo que tiene cansancio sordomudo
y mariposa ahogada en el tintero.   10

Tropezando con mi rostro distinto de cada día.
¡Asesinado por el cielo!

19

LA AURORA [49]

La aurora de Nueva York tiene
cuatro columnas de cieno
y un huracán de negras palomas
que chapotean las aguas podridas.
La aurora de Nueva York gime   5
por las inmensas escaleras
buscando entre las aristas
nardos de angustia dibujada.
La aurora llega y nadie la recibe en su boca
porque allí no hay mañana ni esperanza posible.   10
A veces las monedas en enjambres furiosos
taladran y devoran abandonados niños.
Los primeros que salen comprenden con sus huesos
que no habrá paraíso ni amores deshojados:
saben que van al cieno de números y leyes,   15
a los juegos sin arte, a sudores sin fruto.
La luz es sepultada por cadenas y ruidos
en impúdico reto de ciencia sin raíces.
Por los barrios hay gentes que vacilan insomnes
como recién salidas de un naufragio de sangre.   20

---

(49) En el manuscrito de este poema, que se conserva en la
Fundación García Lorca, aparecen dos títulos tachados: «Obrero
parado» y «Amanecer».

20

POEMA DOBLE DEL LAGO EDEN [(50)]

Nuestro ganado pace, el viento espira.

GARCILASO

Era mi voz antigua
ignorante de los densos jugos amargos.
La adivino lamiendo mis pies
bajo los frágiles helechos mojados.

¡Ay voz antigua de mi amor!   5
¡Ay voz de mi verdad!
¡Ay voz de mi abierto costado,
cuando todas las rosas manaban de mi lengua
y el césped no conocía la impasible dentadura del caballo!

Estás aquí bebiendo mi sangre,   10
bebiendo mi humor de niño pasado,
mientras mis ojos se quiebran en el viento
con el aluminio y las voces de los borrachos.

Dejarme pasar la puerta
donde Eva come hormigas   15
y Adán fecunda peces deslumbrados.
Dejarme pasar, hombrecillos de los cuernos,
al bosque de los desperezos
y los alegrísimos saltos.

---

(50) Lorca contrasta en este poema la felicidad de su niñez con su desolada situación presente, debida, no a las impresiones recibidas en Nueva York, sino a la imposibilidad de materializar sus anhelos amorosos.

Yo sé el uso más secreto 20
que tiene un viejo alfiler oxidado
y sé del horror de unos ojos despiertos
sobre la superficie concreta del plato.

Pero no quiero mundo ni sueño, voz divina,
quiero mi libertad, mi amor humano 25
en el rincón más oscuro de la brisa que nadie quiera.
¡Mi amor humano!

Esos perros marinos se persiguen
y el viento acecha troncos descuidados.
¡Oh voz antigua, quema con tu lengua 30
esta voz de hojalata y de talco!

Quiero llorar porque me da la gana,
como lloran los niños del último banco,
porque yo no soy un hombre, ni un poeta, ni una hoja,
pero sí un pulso herido que ronda las cosas del otro 35
                                    [lado.

Quiero llorar diciendo mi nombre,
rosa, niño y abeto a la orilla de este lago,
para decir mi verdad de hombre de sangre
matando en mí la burla y la sugestión del vocablo.

No, no. Yo no pregunto, yo deseo. 40
Voz mía libertada que me lames las manos.
En el laberinto de biombos es mi desnudo el que recibe
la luna de castigo y el reloj encenizado.

Así hablaba yo.
Así hablaba yo cuando Saturno detuvo los trenes 45
y la bruma y el Sueño y la Muerte me estaban buscando.
Me estaban buscando

allí donde mugen las vacas que tienen patitas de paje
y allí donde flota mi cuerpo entre los equilibrios contrarios.

21

NIÑA AHOGADA EN EL POZO

(GRANADA Y NEWBURG)

Las estatuas sufren con los ojos por la oscuridad de los
[ataúdes,
pero sufren mucho más por el agua [51] que no desemboca.
... que no desemboca.

El pueblo corría por las almenas rompiendo las cañas de los
[pescadores.
¡Pronto! ¡Los bordes! ¡Deprisa! Y croaban las estrellas   5
[tiernas.
... que no desemboca.

Tranquila en mi recuerdo, astro, círculo, meta,
lloras por las orillas de un ojo de caballo.
... que no desemboca.

Pero nadie en lo oscuro podrá darte distancias,   10
sino afilado límite: porvenir de diamante.
... que no desemboca.

Mientras la gente busca silencios de almohada
tú lates para siempre definida en tu anillo.
... que no desemboca.   15

---

(51) Obsérvese el simbolismo negativo que tiene aquí el agua.
Los pozos, los estanques, los aljibes, las cisternas, las acequias,
aparecen en otros poemas como símbolos de muerte.

Eterna en los finales de unas ondas que aceptan
combate de raíces y soledad prevista.
... que no desemboca.

¡Ya vienen por las rampas! ¡Levántate del agua!
¡Cada punto de luz te dará una cadena!   20
... que no desemboca.

Pero el pozo te alarga manecitas de musgo,
insospechada ondina de su casta ignorancia.
... que no desemboca.

No, que no desemboca. Agua fija en un punto,   25
respirando con todos sus violines sin cuerdas
en la escala de las heridas y los edificios deshabitados.
¡Agua que no desemboca!

22

GRITO HACIA ROMA [(52)]

(DESDE LA TORRE DEL CHRYSLER BUILDING)

Manzanas levemente heridas
por finos espadines de plata;
nubes rasgadas por una mano de coral

---

(52) El mundo deshumanizado de Nueva York, el sufrimiento de los seres que lo pueblan y, por extensión, su propio dolor y la constatación de la insolidaridad que ha invadido el universo, se condensan en este texto. El propio Lorca puntualizó: «El Crysler Building se defiende al sol como un enorme pico de plata, y puentes, barcos, ferrocarriles y hombres los veo encadenados y sordos, encadenados a un sistema económico cruel al que pronto

que lleva en el dorso una almendra de fuego;
peces de arsénico como tiburones,   5
tiburones como gotas de llanto para cegar una multitud,
rosas que hieren
y agujas instaladas en los caños de la sangre;
mundos enemigos y amores cubiertos de gusanos,
caerán sobre ti. Caerán sobre la gran cúpula   10
que unta de aceite las lenguas militares,
donde un hombre se orina en una deslumbrante paloma
y escupe carbón machacado
rodeado de miles de campanillas.

Porque ya no hay quien reparta el pan ni el vino,   15
ni quien cultive hierbas en la boca del muerto,
ni quien abra los linos del reposo,
ni quien llore por las heridas de los elefantes.
No hay más que un millón de herreros
forjando cadenas para los niños que han de venir.   20
No hay más que un millón de carpinteros
que hacen ataúdes sin cruz.
No hay más que un gentío de lamentos
que se abren las ropas en espera de la bala.
El hombre que desprecia la paloma debía hablar,   25
debía gritar desnudo entre las columnas
y ponerse una inyección para adquirir la lepra

~~~~~~

habrá que cortar el cuello, y sordos por sobra de disciplina y falta
de la imprescindible dosis de locura». Aunque la denuncia del
poeta adquiere un carácter general, son la Iglesia católica y su
representante máximo, el Papa, siempre al lado de los poderosos y
de espaldas a los que sufren, los blancos principales hacia los que
apunta. La Iglesia ha traicionado el mensaje evangélico de fraternidad y justicia, que han de reconquistar, con su lucha, las masas
oprimidas, porque, como dice en el verso 71, «queremos el pan
nuestro de cada día».

y llorar un llanto tan terrible
que disolviera sus anillos y sus teléfonos de diamante.
Pero el hombre vestido de blanco   30
ignora el misterio de la espiga,
ignora el gemido de la parturienta,
ignora que Cristo puede dar agua todavía,
ignora que la moneda quema el beso de prodigio
y da la sangre del cordero al pico idiota del faisán.   35

Los maestros enseñan a los niños
una luz maravillosa que viene del monte;
pero lo que llega es una reunión de cloacas
donde gritan las oscuras ninfas del cólera.
Los maestros señalan con devoción las enormes cúpulas 40
                                        [sahumadas,
pero debajo de las estatuas no hay amor,
no hay amor bajo los ojos de cristal definitivo.
El amor está en las carnes desgarradas por la sed,
en la choza diminuta que lucha con la inundación.
El amor está en los fosos donde luchan las sierpes   45
                                        [del hambre,
en el triste mar que mece los cadáveres de las gaviotas
y en el oscurísimo beso punzante debajo de las almohadas.
Pero el viejo de las manos traslúcidas
dirá: Amor, amor, amor,
aclamado por millones de moribundos.   50
Dirá: amor, amor, amor,
entre el tisú estremecido de ternura;
dirá: paz, paz, paz,
entre el tirite de cuchillos y melenas de dinamita.
Dirá: amor, amor, amor,   55
hasta que se le pongan de plata los labios.

Mientras tanto, mientras tanto ¡ay! mientras tanto,
los negros que sacan las escupideras,

los muchachos que tiemblan bajo el terror pálido de los
                                                    [directores,
las mujeres ahogadas en aceites minerales,   60
la muchedumbre de martillo, de violín o de nube,
ha de gritar aunque le estrellen los sesos en el muro,
ha de gritar frente a las cúpulas,
ha de gritar loca de fuego,
ha de gritar loca de nieve,   65
ha de gritar con la cabeza llena de excremento,
ha de gritar como todas las noches juntas,
ha de gritar con voz tan desgarrada
hasta que las ciudades tiemblen como niñas
y rompan las prisiones del aceite y la música.   70
Porque queremos el pan nuestro de cada día,
flor de aliso y perenne ternura desgranada,
porque queremos que se cumpla la voluntad de la Tierra
que da sus frutos para todos.

(*Poeta en Nueva York*)

23

GACELA DEL AMOR IMPREVISTO [53]

Nadie comprendía el perfume
de la oscura magnolia de tu vientre. [54]

_____

(53) Se llama *casida*, en árabe, a todo poema de cierta longitud,
con determinada arquitectura interna, y en versos monorrimos. La
gacela —empleada principalmente en la lírica persa— es un corto
poema, de asunto preferentemente erótico, ajustado a determina-
dos cánones técnicos y que tiene más de cuatro versos y menos de
quince. *Diván* es la colección de las composiciones de un poeta,
generalmente catalogadas por orden alfabético de rimas. Como se
verá, Lorca no se ajusta a ninguna de estas definiciones.
(54) Este verso es muy parecido a otro del poema «Lucía

Nadie sabía que martirizabas
un colibrí [55] de amor entre los dientes.

Mil caballitos persas se dormían 5
en la plaza con luna de tu frente,
mientras que yo enlazaba cuatro noches
tu cintura, enemiga de la nieve.

Entre yeso y jazmines, tu mirada
era un pálido ramo de simientes. 10
Yo busqué, para darte, por mi pecho
las letras de marfil que dicen «siempre.

Siempre, siempre»: jardín de mi agonía,
tu cuerpo fugitivo para siempre,
la sangre de tus venas en mi boca, 15
tu boca ya sin luz para mi muerte.

Martínez», [10], de *Canciones*. En su conferencia «Cómo canta una
ciudad de noviembre a noviembre», Lorca se refirió a «las grana-
dinas, con sus hermosos brazos desnudos y sus vientres como
magnolias oscuras».

(55) Sobre este vocablo puntualizará Mario Hernández: «La
presencia del colibrí, pájaro tropical americano, ¿supone un desliz
geográfico de ambientación? No importa, en todo caso, dados los
márgenes de libertad que García Lorca ha elegido, en búsqueda
tan solo de una tonalidad exótica, que continuamente trasciende y
que no es en modo alguno "modernista". Por otro lado, ese "colibrí
de amor" vive su aleteo de martirio agudamente asistido y exigido
por el contexto en que aparece [...] Colibrí, pues, que es acaso
audaz metáfora de lengua en el beso a la muchacha que la gacela
parece evocar».

24

GACELA DEL AMOR DESESPERADO [56]

La noche no quiere venir
para que tú no vengas,
ni yo pueda ir.

Pero yo iré,
aunque un sol de alacranes me coma la sien.   5

Pero tú vendrás
con la lengua quemada por la lluvia de sal.

El día no quiere venir
para que tú no vengas,
ni yo pueda ir.   10

Pero yo iré
entregando a los sapos mi mordido clavel.

Pero tú vendrás
por las turbias cloacas de la oscuridad.

Ni la noche ni el día quieren venir   15
para que por ti muera
y tú mueras por mí.

---

(56) Obsérvese que el poema está estructurado a base de contra-
posiciones: día (1-7) y noche (8-14), luz y oscuridad, sequedad y
humedad.

25

CASIDA DEL LLANTO [57]

He cerrado mi balcón
porque no quiero oír el llanto,
pero por detrás de los grises muros
no se oye otra cosa que el llanto.

Hay muy pocos ángeles que canten,   5
hay muy pocos perros que ladren,
mil violines caben en la palma de mi mano.

Pero el llanto es un perro inmenso,
el llanto es un ángel inmenso,
el llanto es un violín inmenso,   10
las lágrimas amordazan al viento,
y no se oye otra cosa que el llanto.

(*Diván del Tamarit*) [17]

26

2

LA SANGRE DERRAMADA

¡Que no quiero verla! [58]

---

[17] *Tamarit:* nombre de origen árabe con el que se denominaba un pago que pertenecía a un tío de Lorca.

(57) La «Casida del llanto» puede considerarse como uno de los máximos ejemplos de la visión desolada del mundo y de los deseos de solidaridad con los que sufren que manifestó Lorca a lo largo de toda su obra.

(58) Lorca parece tener en cuenta aquí los versos de una de las *Coplas* que Jorge Manrique dedicó a la muerte de su padre: «Amigo de sus amigos, /¡qué señor para criados / e parientes! / ¡Qué enemigo de enemigos! / ¡Qué maestro de esforçados / e valientes!...»

Dile a la luna que venga,
que no quiero ver la sangre
de Ignacio sobre la arena.

¡Que no quiero verla!   5

La luna de par en par,
caballo de nubes quietas,
y la plaza gris del sueño
con sauces en las barreras.

¡Que no quiero verla!   10
Que mi recuerdo se quema.
¡Avisad a los jazmines
con su blancura pequeña!

¡Que no quiero verla!

La vaca del viejo mundo   15
pasaba su triste lengua
sobre un hocico de sangres
derramadas en la arena,
y los toros de Guisando, [18]
casi muerte y casi piedra,   20
mugieron como dos siglos
hartos de pisar la tierra.

No.
¡Que no quiero verla!

---

[18] Se refiere a las esculturas ibéricas de cuatro animales, situadas cerca de
Ávila.

Por las gradas sube Ignacio   25
con toda su muerte a cuestas.
Buscaba el amanecer,
y el amanecer no era.
Busca su perfil seguro,
y el sueño lo desorienta.   30
Buscaba su hermoso cuerpo
y encontró su sangre abierta.
¡No me digáis que la vea!
No quiero sentir el chorro
cada vez con menos fuerza;   35
ese chorro que ilumina
los tendidos y se vuelca
sobre la pana y el cuero
de muchedumbre sedienta.
¿Quién me grita que me asome?   40
¡No me digáis que la vea!

No se cerraron sus ojos
cuando vio los cuernos cerca,
pero las madres terribles
levantaron la cabeza.   45
Y a través de las ganaderías
hubo un aire de voces secretas,
que gritaban a toros celestes
mayorales de pálida niebla.

No hubo príncipe en Sevilla   50
que comparársele pueda,
ni espada como su espada
ni corazón tan de veras.
Como un río de leones
su maravillosa fuerza,   55
y como un torso de mármol
su dibujada prudencia.

Aire de Roma andaluza
le doraba la cabeza
donde su risa era un nardo   60
de sal y de inteligencia.
¡Qué gran torero en la plaza!
¡Qué buen serrano en la sierra!
¡Qué blando con las espigas!
¡Qué duro con las espuelas!   65
¡Qué tierno con el rocío!
¡Qué deslumbrante en la feria!
¡Qué tremendo con las últimas
banderillas de tiniebla!

Pero ya duerme sin fin.   70
Ya los musgos y la hierba
abren con dedos seguros
la flor de su calavera.
Y su sangre ya viene cantando:
cantando por marismas y praderas,   75
resbalando por cuernos ateridos,
vacilando sin alma por la niebla,
tropezando con miles de pezuñas
como una larga, oscura, triste lengua,
para formar un charco de agonía   80
junto al Guadalquivir de las estrellas.

¡Oh blanco muro de España!
¡Oh negro toro de pena!
¡Oh sangre dura de Ignacio!
¡Oh ruiseñor de sus venas!   85

No.
¡Que no quiero verla!
Que no hay cáliz que la contenga,
que no hay golondrinas que se la beban,

no hay escarcha de luz que la enfríe,   90
no hay canto ni diluvio de azucenas,
no hay cristal que la cubra de plata.
No.
¡¡Yo no quiero verla!!

4

ALMA AUSENTE

No te conoce el toro ni la higuera,
ni caballos ni hormigas de tu casa.
No te conoce el niño ni la tarde
porque te has muerto para siempre.

No te conoce el lomo de la piedra,   5
ni el raso negro donde te destrozas.
No te conoce tu recuerdo mudo
porque te has muerto para siempre.

El otoño vendrá con caracolas,
uva de niebla y montes agrupados,   10
pero nadie querrá mirar tus ojos
porque te has muerto para siempre.

Porque te has muerto para siempre,
como todos los muertos de la Tierra,
como todos los muertos que se olvidan   15
en un montón de perros apagados.

No te conoce nadie. No. Pero yo te canto.
Yo canto para luego tu perfil y tu gracia.
La madurez insigne de tu conocimiento.
Tu apetencia de muerte y el gusto de su boca.   20
La tristeza que tuvo tu valiente alegría.

Tardará mucho tiempo en nacer, si es que nace,
un andaluz tan claro, tan rico de aventura.
Yo canto su elegancia con palabras que gimen
y recuerdo una brisa triste por los olivos.   25

(*Llanto por Ignacio Sánchez Mejías*) [59]

27

EL POETA PIDE A SU AMOR QUE LE ESCRIBA

Amor de mis entrañas, viva muerte,
en vano espero tu palabra escrita
y pienso, con la flor que se marchita,
que si vivo sin mí quiero perderte.

El aire es inmortal. La piedra inerte   5
ni conoce la sombra ni la evita.
Corazón interior no necesita
la miel helada que la luna vierte.

Pero yo te sufrí. Rasgué mis venas,
tigre y paloma, sobre tu cintura   10
en duelo de mordiscos y azucenas.

---

(59) Sánchez Mejías fue un famoso torero sevillano, culto,
generoso, vital, que murió en 1934, a consecuencia de una cogida
en la plaza de Manzanares (Ciudad Real). Tuvo una gran amistad
con los poetas del 27 y hasta escribió y estrenó un drama de
carácter freudiano, *Sinrazón*. Alberti le dedicó en 1935 la elegía
Verte y no verte. También Gerardo Diego escribió un poema en su
honor, que incluyó en *La suerte o la muerte*.

Llena, pues, de palabras mi locura
o déjame vivir en mi serena
noche del alma para siempre oscura. [60]

28

[SONETO DE LA DULCE QUEJA]

Tengo miedo a perder la maravilla
de tus ojos de estatua y el acento
que de noche me pone en la mejilla
la solitaria rosa de tu aliento.

Tengo pena de ser en esta orilla   5
tronco sin ramas; y lo que más siento
es no tener la flor, pulpa o arcilla,
para el gusano de mi sufrimiento.

Si tú eres el tesoro oculto mío,
si eres mi cruz y mi dolor mojado,   10
si soy el perro de tu señorío,

no me dejes perder lo que he ganado
y decora las aguas de tu río
con hojas de mi otoño enajenado.

(*Sonetos*)

---

(60) No es raro encontrar en la poesía de Lorca, como ocurre en el último verso de este soneto (aunque aquí la noche no sea dichosa, sino el ámbito de la soledad y del sufrimiento), ecos de San Juan de la Cruz. También en el primer verso, aunque enlace más con la tradición petrarquista, podría verse algún recuerdo de este poeta en el oxímoron «viva muerte» aplicado al «amor de mis entrañas». Aunque en estos sonetos se canta una relación homosexual, el término *oscuro* se refiere también a la pasión erótica y a la fuerza avasalladora del amor.

VICENTE ALEIXANDRE

Nació en Sevilla en 1898, el mismo año que Lorca y Dámaso Alonso. Pasó su infancia en Málaga (el paisaje marinero e idílico de sus primeros años será evocado en poemas como «Ciudad del paraíso» y «Mar del paraíso»). «El poeta —recordará—, por un azar de su vida, abandonó Málaga en años tempranos; pero en esa edad imborrable, Málaga, con sus costas y su cielo y sus espumas, y su profunda aura indefinible, fueron haciéndose existencia del poeta, masa misma de su vivir». En 1909 su familia se trasladó a Madrid. Estudió Derecho y Comercio. Trabajó en una compañía de ferrocarriles y como profesor auxiliar en la Escuela de Comercio, pero una grave enfermedad (una tuberculosis renal), en 1925, lo apartó de toda actividad profesional.

La *Ilíada*, novelas folletinescas y policíacas, los dramas de Schiller, los escritores del 98 y Galdós, que será desde entonces uno de sus autores predilectos, constituyeron sus primeras lecturas. «Yo era así; un muchacho interesado de lectura, entusiasta hasta la obsesión de la literatura y de su mundo de fantasía y pasión, y desconocedor, evitador, de la poesía.» En 1917, una *Antología* de Rubén Darío despertó sus inquietudes poéticas. «Aquella verdaderamente original lectura fue una revolución en mi espíritu. Descubrí la poesía: me fue revelada, y en mí se instauró la gran pasión de mi vida que nunca más habría de ser desarraigada.» A los poemas de Rubén, siguieron los de Juan Ramón Jiménez, Antonio Machado y Bécquer. También reconocerá la importancia para su formación de los románticos alemanes (Hölderlin, Novalis), de los simbolistas franceses (Rimbaud, especialmente), de Proust, Joyce, los surrealistas y Freud.

Sus primeros poemas aparecen en 1926, en *Revista de Occidente*. En esos años entabla estrecha amistad con los demás poetas del 27 y, más tarde, con Pablo Neruda y Miguel Hernández. En 1927 se adhiere al homenaje que se tributa a Góngora. En 1933 se le concede a *La destrucción o el amor*, libro todavía inédito, el Premio Nacional de Literatura. Durante la guerra, que coincide con un nuevo período de obligado reposo, publica algunos romances en periódicos y revistas de la zona republicana. Al término de la misma se queda en España. Su magisterio sobre los poetas de posguerra es enorme. José Luis Cano escribirá: «Aleixandre se convierte en el maestro de las nuevas generaciones, y su papel de estimulador y maestro va a asemejarse en esos primeros años de la posguerra al que desempeñó Juan Ramón Jiménez con los poetas de la generación del 27 veinte años antes.» En 1949 es elegido miembro de número de la Real Academia Española. En enero de 1950 lee su discurso de ingreso, titulado *En la vida del poeta: el amor y la poesía*. Ese mismo año viaja a Inglaterra y da conferencias en las universidades de Londres y de Oxford. En 1969, *Poemas de la consumación* obtiene el Premio de la Crítica. En 1977 se le concede el Premio Nobel, «por su gran obra creadora, enraizada en la tradición de la lírica española y en las modernas corrientes poéticas iluminadoras de la condición del hombre en el cosmos, y de las necesidades de la hora presente». Muere en Madrid en 1984.

OBRA POÉTICA

(Damos el año de composición y, a continuación, el de publicación): *Ámbito* (1924-1927:1928), *Pasión de la tierra*

(1928-1929:1935), *Espadas como labios* (1930-1931:1932), *La destrucción o el amor* (1932-1933:1935), *Mundo a solas* (1934-1936:1950), *Sombra del paraíso* (1939-1944:1944), *Nacimiento último* (1927-1952:1953), *Historia del corazón* (1945-1953: 1954), *En un vasto dominio* (1958-1962:1962), *Poemas de la consumación* (1965-1966, con la excepción de un poema: 1968), *Diálogos del conocimiento* (1974). También se han publicado diversas antologías de su obra: *Poemas paradisíacos* (1952), *Mis poemas mejores* (Madrid, Gredos, 1956: la última edición es de 1984) y *Poesía superrealista* (1973).

Es autor, además, de *Retratos con nombre* (1958-1964:1965) y de un libro en prosa, *Los encuentros,* publicado en 1958, y reeditado por José Luis Cano en 1985, con importantes adiciones. En ambos libros traza unas interesantes semblanzas de personajes a los que conoció, o del pasado.

EDICIONES

Obras completas, Madrid, Aguilar, 1968, con un extenso estudio preliminar de Carlos Bousoño. *Espadas como labios. La destrucción o el amor,* ed. de José Luis Cano (Madrid, Castalia, 1972). *Sombra del paraíso,* ed. de Leopoldo de Luis (Madrid, Castalia, 1976). *Ámbito,* ed. de A. Duque Amusco (Madrid, Castalia, 1990).

1

NOCHE CERRADA [61]

Campo desnudo. Sola
la noche inerme. El viento
insinúa latidos
sordos contra sus lienzos.

La sombra a plomo ciñe   5
fría, sobre tu seno
su seda grave, negra,
cerrada. Queda opreso

el bulto así en materia
de noche, insigne, quieto   10
sobre el límpido plano
retrasado del cielo.

---

(61) El uso del romance heptasilábico, el predominio de las
nominaciones sin verbo y la falta de artículos pueden recordar la
poesía de Guillén. Pero, como señala Rafael Lapesa, «la tersura
geométrica de estos versos, los «latidos sordos» del viento ponen
una primera nota de dramatismo, que se acrecienta al quedar
«opreso» el cuerpo «en materia de noche»; y sobre todo, al
irrumpir una imagen visionaria que obsesivamente puebla de
violencia el final del poema». La presencia de esta y otras visiones
trasmutadoras de la realidad, así como la atracción que sobre el
poeta ejercen las fuerzas cósmicas desencadenadas, anuncian, aunque sea tenuemente, lo que será la obra posterior de Aleixandre.

Hay estrellas fallidas.
Pulidos goznes. Hielos
flotan a la deriva   15
en lo alto. Fríos lentos.

Una sombra que pasa,
sobre el contorno serio
y mudo bate, adusta,
su látigo secreto.   20

Flagelación. Corales
de sangre o luz o fuego
bajo el cendal se auguran,
vetean, ceden luego.

O carne o luz de carne,   25
profunda. Vive el viento
porque anticipa ráfagas,
cruces, pausas, silencios.

(*Ámbito*)

2

EL AMOR NO ES RELIEVE

Hoy te quiero declarar mi amor.

Un río de sangre, un mar de sangre es este beso estrellado
sobre tus labios. Tus dos pechos son muy pequeños para
resumir una historia. Encántame. Cuéntame el relato de ese
lunar sin paisaje. Talado bosque por el que yo me padece-
ría, llanura clara.

Tu compañía es un abecedario. Me acabaré sin oírte. Las nubes no salen de tu cabeza, pero hay peces que no respiran. No lloran tus pelos caídos porque yo los recojo sobre tu nuca. Te estremeces de tristeza porque las alegrías van en volandas. Un niño sobre mi brazo cabalga secretamente. En tu cintura no hay nada más que mi tacto quieto. Se te saldrá el corazón por la boca mientras la tormenta se hace morada. Este paisaje está muerto. Una piedra caída indica que la desnudez se va haciendo. Reclínate clandestinamente. En tu frente hay dibujos ya muy gastados. Las pulseras de oro ciñen el agua y tus brazos son limpios, limpios de referencia. No me ciñas el cuello, que creeré que se va a hacer de noche. Los truenos están bajo tierra. El plomo no puede verse. Hay una asfixia que me sale a la boca. Tus dientes blancos están en el centro de la tierra. Pájaros amarillos bordean tus pestañas. No llores. Si yo te amo. Tu pecho no es de albahaca; pero esa flor, caliente. Me ahogo. El mundo se está derrumbando cuesta abajo. Cuando yo me muera.

Crecerán los magnolios. Mujer, tus axilas son frías. Las rosas serán tan grandes que ahogarán todos los ruidos. Bajo los brazos se puede escuchar el latido del corazón de gamuza. ¡Qué beso! Sobre la espalda una catarata de agua helada te recordará tu destino. Hijo mío. —La voz casi muda—. Pero tu voz muy suave, pero la tos muy ronca escupirá las flores oscuras. Las luces se hincarán en tierra, arraigándose a mediodía. Te amo, te amo, no te amo. Tierra y fuego en tus labios saben a muerte perdida. Una lluvia de pétalos me aplastará la columna vertebral. Me arrastraré como una serpiente. Un pozo de lengua seca cavado en el vacío alza su furia y golpea mi frente. Me descrismo [1] y derribo, alzo los ojos contra el cielo mojado. El mundo llueve sus cañas huecas. Yo te he amado, yo. ¿Dónde estás, que mi soledad no es morada? Seccióname con

---

[1] *descrismar:* perder el tino.

perfección y mis mitades vivíparas se arrastrarán por la tierra cárdena.

(*Pasión de la tierra*)

3

EL VALS [62]

Eres hermosa como la piedra,
oh difunta;
oh viva, oh viva, eres dichosa como la nave.
Esta orquesta que agita
mis cuidados como una negligencia,   5
como un elegante biendecir de buen tono,
ignora el vello de los pubis,
ignora la risa que sale del esternón como una gran batuta.

Unas olas de afrecho,
un poco de serrín en los ojos   10
o si acaso en las sienes,
o acaso adornando las cabelleras;
unas faldas largas hechas de colas de cocodrilos;
unas lenguas o unas sonrisas hechas con caparazones
                                                    [de cangrejos.

(**62**) Aleixandre nos ofrece en este poema, de forma caricaturesca y sarcástica, pero al mismo tiempo desde dentro, como si él mismo participara, una visión de los salones de finales del siglo pasado, en donde se bailaba el vals. A pesar de su contenido, poco tiene que ver con la literatura satírica y con lo que se entiende habitualmente por poesía social. El ritmo se va ajustando, a la perfección, al vértigo que envuelve las acciones que describe. A partir del verso 21, las imágenes se hacen más rápidas, deslabazadas, delirantes y teñidas de erotismo, hasta concluir con el estallido final.

Todo lo que está suficientemente visto   15
no puede sorprender a nadie.

   Las damas aguardan su momento sentadas sobre
                                          [una lágrima,
disimulando la humedad a fuerza de abanico insistente.
Y los caballeros abandonados de sus traseros
quieren atraer todas las miradas a la fuerza hacia   20
                                          [sus bigotes.

   Pero el vals ha llegado.
Es una playa sin ondas,
es un entrechocar de conchas, de tacones, de espumas
                          [o de dentaduras postizas.
Es todo lo revuelto que arriba.

   Pechos exuberantes en bandeja en los brazos,   25
dulces tartas caídas sobre los hombros llorosos,
una languidez que revierte,
un beso sorprendido en el instante que se hacía «cabello
                                          [de ángel»,
un dulce «sí» de cristal pintado de verde.

   Un polvillo de azúcar sobre las frentes   30
da una blancura cándida a las palabras limadas,
y las manos se acortan más redondeadas que nunca,
mientras fruncen los vestidos hechos de esparto querido.

   Las cabezas son nubes, la música es una larga goma,
las colas de plomo casi vuelan, y el estrépito   35
se ha convertido en los corazones en oleadas de sangre,
en un licor, si blanco, que sabe a memoria o a cita.

   Adiós, adiós, esmeralda, amatista o misterio;
adiós, como una bola enorme ha llegado el instante,

el preciso momento de la desnudez cabeza abajo,   40
cuando los vellos van a pinchar los labios obscenos
                                        [que saben.

   Es el instante, el momento de decir la palabra que estalla,
el momento en que los vestidos se convertirán en aves,
las ventanas en gritos,
las luces en ¡socorro!   45
y ese beso que estaba (en el rincón) entre dos bocas
se convertirá en una espina
que dispensará la muerte diciendo:
Yo os amo.

4

SIEMPRE

   Estoy solo. Las ondas; playa, escúchame
De frente los delfines o la espada.
La certeza de siempre, los no-límites.
Esta tierna cabeza no amarilla,
esta piedra de carne que solloza.   5
Arena, arena, tu clamor es mío.
Por mi sombra no existes como seno,
no finjas que las velas, que la brisa,
que un aquilón, un viento furibundo,
va a empujar tu sonrisa hasta la espuma,   10
robándole a la sangre sus navíos.

Amor, amor, detén tu planta impura.

(*Espadas como labios*)

5

UNIDAD EN ELLA

Cuerpo feliz que fluye entre mis manos,
rostro amado donde contemplo el mundo,
donde graciosos pájaros se copian fugitivos,
volando a la región donde nada se olvida.

Tu forma externa, diamante o rubí duro, 5
brillo de un sol que entre mis manos deslumbra,
cráter que me convoca con su música íntima,
con esa indescifrable llamada de tus dientes.

Muero porque me arrojo[63], porque quiero morir,
porque quiero vivir en el fuego, porque este aire de 10
[fuera
no es mío, sino el caliente aliento
que si me acerco quema y dora mis labios desde un fondo.

Deja, deja que mire, teñido del amor,
enrojecido el rostro por tu purpúrea vida,
deja que mire el hondo clamor de tus entrañas 15
donde muero y renuncio a vivir para siempre.

Quiero amor o la muerte, quiero morir del todo,
quiero ser tú, tu sangre, esa lava rugiente
que regando encerrada bellos miembros extremos
siente así los hermosos límites de la vida. 20

---

(63) La destrucción que provoca la unión carnal de la pareja es
el medio de que cada uno pueda vivir en el otro. El «cuerpo feliz»
de la amada se presenta como un cráter en el que el amante se
sumerge para encontrar la muerte y la vida a un mismo tiempo.

Este beso en tus labios como una lenta espina,
como un mar que voló hecho un espejo,
como el brillo de un ala,
es todavía unas manos, un repasar de tu crujiente pelo,
un crepitar de la luz vengadora,   25
luz o espada mortal que sobre mi cuello amenaza,
pero que nunca podrá destruir la unidad de este mundo.

6

CANCIÓN A UNA MUCHACHA MUERTA

Dime, dime el secreto de tu corazón virgen,
dime el secreto de tu cuerpo bajo tierra,
quiero saber por qué ahora eres un agua,
esas orillas frescas donde unos pies desnudos se bañan
                                        [con espuma.

Dime por qué sobre tu pelo suelto,   5
sobre tu dulce hierba acariciada,
cae, resbala, acaricia, se va
un sol ardiente o reposado que te toca
como un viento que lleva sólo un pájaro o mano.

Dime por qué tu corazón como una selva diminuta   10
espera bajo tierra los imposibles pájaros,
esa canción total que por encima de los ojos
hacen los sueños cuando pasan sin ruido.

Oh tú, canción que a un cuerpo muerto o vivo,
que a un ser hermoso que bajo el suelo duerme,   15
cantas color de piedra, color de beso o labio,
cantas como si el nácar durmiera o respirara.

Esa cintura, ese débil volumen de un pecho triste,
ese rizo voluble que ignora el viento,
esos ojos por donde sólo boga el silencio,   20
esos dientes que son de marfil resguardado,
ese aire que no mueve unas hojas no verdes...

¡Oh tú, cielo riente que pasas como nube;
oh pájaro feliz que sobre un hombro ríes;
fuente que, chorro fresco, te enredas con la luna;   25
césped blando que pisan unos pies adorados!

7

VEN SIEMPRE, VEN

No te acerques. Tu frente, tu ardiente frente, tu
[encendida frente,
las huellas de unos besos,
ese resplandor que aun de día se siente si te acercas,
ese resplandor contagioso que me queda en las manos,
ese río luminoso en que hundo mis brazos,   5
en el que casi no me atrevo a beber, por temor después
[a ya una dura vida de lucero.

No quiero que vivas en mí como vive la luz,
con ese ya aislamiento de estrella que se une con su luz,
a quien el amor se niega a través del espacio
duro y azul que separa y no une,   10
donde cada lucero inaccesible
es una soledad que, gemebunda, envía su tristeza.

La soledad destella en el mundo sin amor.
La vida es una vívida corteza,
una rugosa piel inmóvil   15

donde el hombre no puede encontrar su descanso,
por más que aplique su sueño contra un astro apagado.

Pero tú no te acerques. Tu frente destellante, carbón
    [encendido que me arrebata a la propia conciencia,
duelo fulgúreo[2] en que de pronto siento la tentación
                              [de morir,
de quemarme los labios con tu roce indeleble,   20
de sentir mi carne deshacerse contra tu diamante abrasador.

No te acerques, porque tu beso se prolonga como
    [el choque imposible de las estrellas,
como el espacio que súbitamente se incendia,
éter propagador donde la destrucción de los mundos
es un único corazón que totalmente se abrasa.   25

Ven, ven, ven como el carbón extinto oscuro que
    [encierra una muerte;
ven como la noche ciega que me acerca su rostro;
ven como los dos labios marcados por el rojo,
por esa línea larga que funde los metales.

Ven, ven, amor mío; ven, hermética frente,   30
    [redondez casi rodante
que luces como una órbita que va a morir en mis brazos;
ven como dos ojos o dos profundas soledades,
dos imperiosas llamadas de una hondura que no conozco.

¡Ven, ven, muerte, amor; ven pronto, te destruyo;
ven, que quiero matar o amar o morir o darte todo;   35
ven, que ruedas como liviana piedra,
confundida como una luna que me pide mis rayos!

---

  [2] *fulgúreo:* resplandeciente, fulgurante.

8

SE QUERÍAN

Se querían.
Sufrían por la luz, labios azules en la madrugada,
labios saliendo de la noche dura,
labios partidos, sangre, ¿sangre dónde?
Se querían en un lecho navío, mitad noche, mitad luz.   5

Se querían como las flores a las espinas hondas,
a esa amorosa gema del amarillo nuevo,
cuando los rostros giran melancólicamente,
giralunas que brillan recibiendo aquel beso.

Se querían de noche, cuando los perros hondos   10
laten bajo la tierra y los valles se estiran
como lomos arcaicos que se sienten repasados:
caricia, seda, mano, luna que llega y toca.

Se querían de amor entre la madrugada,
entre las duras piedras cerradas de la noche,   15
duras como los cuerpos helados por las horas,
duras como los besos de diente a diente sólo.

Se querían de día, playa que va creciendo,
ondas que por los pies acarician los muslos,
cuerpos que se levantan de la tierra y flotando...   20
Se querían de día, sobre el mar, bajo el cielo.

Mediodía perfecto, se querían tan íntimos,
mar altísimo y joven, intimidad extensa,
soledad de lo vivo, horizontes remotos
ligados como cuerpos en soledad cantando.   25

Amando. Se querían como la luna lúcida,
como ese mar redondo que se aplica a ese rostro,
dulce eclipse de agua, mejilla oscurecida,
donde los peces rojos van y vienen sin música.

Día, noche, ponientes, madrugadas, espacios,   30
ondas nuevas, antiguas, fugitivas, perpetuas,
mar o tierra, navío, lecho, pluma, cristal,
metal, música, labio, silencio, vegetal,
mundo, quietud, su forma. Se querían, sabedlo.

(*La destrucción o el amor*)

9

NO EXISTE EL HOMBRE

Sólo la luna sospecha la verdad;
y es que no existe el hombre.

La luna tantea por los llanos, atraviesa los ríos,
penetra por los bosques.
Modela las aún tibias montañas.   5
Encuentra el calor de las ciudades erguidas.
Fragua una sombra, mata una oscura esquina,
inunda de fulgurantes rosas
el misterio de las cuevas donde no huele a nada.

La luna pasa, sabe, canta, avanza y avanza sin   10
                                        [descanso.
Un mar no es un lecho donde el cuerpo de un hombre
                                        [puede tenderse a solas.
Un mar no es un sudario para una muerte lúcida.
La luna sigue, cala, ahonda, raya las profundas arenas.

Mueve fantástica los verdes rumores aplacados.
Un cadáver en pie un instante se mece,   15
duda, ya avanza, verde queda inmóvil.
La luna miente sus brazos rotos,
su imponente mirada donde unos peces anidan.
Enciende las ciudades hundidas donde todavía se pueden oír
(qué dulces) las campanas vividas;   20
donde las ondas postreras aún repercuten sobre los
                                          [pechos neutros,
sobre los pechos blandos que algún pulpo ha adorado.

Pero la luna es pura y seca siempre.
Sale de un mar que es una caja siempre,
que es un bloque con límites que nadie, nadie estrecha,   25
que no es una piedra sobre un monte irradiando.

Sale y persigue lo que fuera los huesos,
lo que fuera las venas de un hombre,
lo que fuera su sangre sonada, su melodiosa cárcel,
su cintura visible que a la vida divide,   30
o su cabeza ligera sobre un aire hacia oriente.

Pero el hombre no existe.
Nunca ha existido, nunca.
Pero el hombre no vive, como no vive el día.
Pero la luna inventa sus metales furiosos.   35

(*Mundo a solas*)

10

CRIATURAS EN LA AURORA

Vosotros conocisteis la generosa luz de la inocencia.

Entre las flores silvestres recogisteis cada mañana
el último, el pálido eco de la postrer estrella.

Bebisteis ese cristalino fulgor,
que como una mano purísima   5
dice adiós a los hombres detrás de la fantástica
                              [presencia montañosa.
Bajo el azul naciente,
entre las luces nuevas, entre los puros céfiros primeros,
que vencían a fuerza de candor a la noche,
amanecisteis cada día, porque cada día la túnica   10
                              [casi húmeda
se desgarraba virginalmente para amaros,
desnuda, pura, invïolada.

Aparecisteis entre la suavidad de las laderas,
donde la yerba apacible ha recibido eternamente el
                              [beso instantáneo de la luna.
Ojo dulce, mirada repentina para un mundo   15
                              [estremecido
que se tiende inefable más allá de su misma apariencia.

La música de los ríos, la quietud de las alas,
esas plumas que todavía con el recuerdo del día se
                  [plegaron para el amor, como para el sueño,
entonaban su quietísimo éxtasis
bajo el mágico soplo de la luz,   20
luna ferviente que aparecida en el cielo
parece ignorar su efímero destino transparente.

La melancólica inclinación de los montes
no significaba el arrepentimiento terreno
ante la inevitable mutación de las horas: 25
era más bien la tersura, la mórbida[3] superficie del
                              [mundo
que ofrecía su curva como un seno hechizado.

---

[3] *mórbido:* blando, suave.

Allí vivisteis. Allí cada día presenciasteis la tierra,
la luz, el calor, el sondear lentísimo
de los rayos celestes que adivinaban las formas,   30
que palpaban tiernamente las laderas, los valles,
los ríos con su ya casi brillante espada solar,
acero vívido que guarda aún, sin lágrima, la amarillez
                                            [tan íntima,
la plateada faz de la luna retenida en sus ondas.

Allí nacían cada mañana los pájaros,   35
sorprendentes, novísimos, vividores, celestes.
Las lenguas de la inocencia
no decían palabras:
entre las ramas de los altos álamos blancos
sonaban casi también vegetales, como el soplo en   40
                                            [las frondas.
¡Pájaros de la dicha inicial, que se abrían
estrenando sus alas, sin perder la gota virginal del rocío!

Las flores salpicadas, las apenas brillantes florecillas
                                            [del soto,
eran blandas, sin grito, a vuestras plantas desnudas.
Yo os vi, os presentí cuando el perfume invisible   45
besaba vuestros pies, insensibles al beso.

¡No crueles: dichosos! En las cabezas desnudas
brillaban acaso las hojas iluminadas del alba.
Vuestra frente se hería, ella misma, contra los rayos
                            [dorados, recientes, de la vida,
del sol, del amor, del silencio bellísimo.   50

No había lluvia, pero unos dulces brazos
parecían presidir a los aires,
y vuestros cuellos sentían su hechicera presencia,
mientras decíais palabras a las que el sol naciente
                                    [daba magia de plumas.

No, no es ahora cuando la noche va cayendo,   55
también con la misma dulzura pero con un levísimo
                              [vapor de ceniza,
cuando yo correré tras vuestras sombras amadas.
Lejos están las inmarchitas horas matinales,
imagen feliz de la aurora impaciente,
tierno nacimiento de la dicha en los labios,   60
en los seres vivísimos que yo amé en vuestras márgenes.

El placer no tomaba el temeroso nombre de placer,
ni el turbio espesor de los bosques hendidos,
sino la embriagadora nitidez de las cañadas abiertas
donde la luz se desliza con sencillez de pájaro.   65

Por eso os amo, inocentes, amorosos seres mortales
de un mundo virginal que diariamente se repetía
cuando la vida sonaba en las gargantas felices
de las aves, los ríos, los aires y los hombres.

11

CIUDAD DEL PARAÍSO [64]

A mi ciudad de Málaga

Siempre te ven mis ojos, ciudad de mis días marinos.
Colgada del imponente monte, apenas detenida
en tu vertical caída a las ondas azules,

---

(64) Aleixandre recrea aquí el mundo de su infancia y el marco en el que ésta se desenvolvió. El tiempo transcurrido ha aventado en el recuerdo las escorias que podrían constituir un obstáculo para convertir a la ciudad amada en un ámbito paradisíaco. También se esfuerza en indagar lo que en el hombre adulto pervive del niño que fue.

pareces reinar bajo el cielo, sobre las aguas,
intermedia en los aires, como si una mano dichosa   5
te hubiera retenido, un momento de gloria, antes de
    [hundirte para siempre en las olas amantes.

Pero tú duras, nunca desciendes, y el mar suspira
o brama, por ti, ciudad de mis días alegres,
ciudad madre y blanquísima donde viví, y recuerdo,
angélica ciudad que, más alta que el mar, presides   10
    [sus espumas.

Calles apenas, leves, musicales. Jardines
donde flores tropicales elevan sus juveniles palmas gruesas.
Palmas de luz que sobre las cabezas, aladas,
mecen el brillo de la brisa y suspenden
por un instante labios celestiales que cruzan   15
con destino a las islas remotísimas, mágicas,
que allá en el azul índigo, [4] libertadas, navegan.

Allí también viví, allí, ciudad graciosa, ciudad honda.
Allí, donde los jóvenes resbalan sobre la piedra amable
y donde las rutilantes paredes besan siempre   20
a quienes siempre cruzan, hervidores, en brillos.

Allí fui conducido por una mano materna.
Acaso de una reja florida una guitarra triste
cantaba la súbita canción suspendida en el tiempo;
quieta la noche, más quieto el amante,   25
bajo la luna eterna que instantánea transcurre.

---

[4] *índigo:* añil. En estos últimos cinco versos, Aleixandre describe los efectos
cambiantes de la luz malagueña; efectos tan marcados que hasta interrum-
pen el soplo de los vientos («labios celestiales») que cruzan su espacio con
destino a encantadas y lejanísimas islas, las cuales, libres de la sujeción de los
continentes, parece que navegan por un mar de color azul índigo.

Un soplo de eternidad pudo destruirte,
ciudad prodigiosa, momento que en la mente de un Dios
                                                    [emergiste.
Los hombres por un sueño vivieron, no vivieron,
eternamente fúlgidos[5] como un soplo divino.   30

Jardines, flores. Mar alentando[6] como un brazo que
                                                    [anhela
a la ciudad voladora entre monte y abismo,
blanca en los aires, con calidad de pájaro suspenso
que nunca arriba. ¡Oh ciudad no en la tierra!

Por aquella mano materna fui llevado ligero   35
por tus calles ingrávidas.[7] Pie desnudo en el día.
Pie desnudo en la noche. Luna grande. Sol puro.
Allí el cielo eras tú, ciudad que en él morabas.
Ciudad que en él volabas con tus alas abiertas.

(*Sombra del Paraíso*)

12

EL MORIBUNDO

A Alfonso Costafreda

I

PALABRAS

Él decía palabras.
Quiero decir palabras, todavía palabras.

---

[5] *fúlgido:* brillante, resplandeciente.   [6] *alentando:* que respira, que cobra
aliento y vigor.   [7] *calles ingrávidas:* que se recorren sin dificultad.

Esperanza. El Amor. La Tristeza. Los Ojos.
Y decía palabras,
mientras su mano ligeramente débil sobre el lienzo   5
                                        [aún vivía.
Palabras que fueron alegres, que fueron tristes, que fueron
                                        [soberanas.
Decía moviendo los labios, quería decir el signo aquél,
el olvidado, ese que saben decir mejor dos labios,
no, dos bocas que fundidas en soledad pronuncian.
Decía apenas un signo leve como un suspiro, decía   10
                                        [un aliento,
una burbuja; decía un gemido y enmudecían los labios,
mientras las letras teñidas de un carmín en su boca
destellaban muy débiles, hasta que al fin cesaban.

Entonces alguien, no sé, alguien no humano,
alguien puso unos labios en los suyos.   15
Y alzó una boca donde sólo quedó el calor prestado,
las letras tristes de un beso nunca dicho.

II

EL SILENCIO

Miró, miró por último y quiso hablar.
Unas borrosas letras sobre sus labios aparecieron.
Amor. Sí, amé. He amado. Amé, amé mucho.   20
Alzó su mano débil, su mano sagaz, y un pájaro
voló súbito en la alcoba. Amé mucho, el aliento aún decía.
Por la ventana negra de la noche las luces daban su claridad
sobre una boca, que no bebía ya de un sentido agotado.
Abrió los ojos. Llevó su mano al pecho y dijo: 25
Oídme.

Nadie oyó nada. Una sonrisa oscura veladamente puso
                        [su dulce máscara,
sobre el rostro, borrándolo.
Un soplo sonó. Oídme. Todos, todos pusieron su
                        [delicado oído.
Oídme. Y se oyó puro, cristalino, el silencio.   30

(*Nacimiento último*)

13

MANO ENTREGADA

Pero otro día toco tu mano. Mano tibia.
Tu delicada mano silente.[8] A veces cierro
mis ojos y toco leve tu mano, leve toque
que comprueba su forma, que tienta
su estructura, sintiendo bajo la piel alada el duro hueso 5
insobornable, el triste hueso adonde no llega nunca
el amor. Oh carne dulce, que sí se empapa del
                        [amor hermoso.

Es por la piel secreta, secretamente abierta,
                        [invisiblemente entreabierta,
por donde el calor tibio propaga su voz, su afán dulce;
por donde mi voz penetra hasta tus venas tibias,   10
para rodar por ellas en tu escondida sangre,
como otra sangre que sonara oscura, que dulcemente
                        [oscura te besara
por dentro, recorriendo despacio como sonido puro
ese cuerpo, que ahora resuena mío, mío poblado de
                        [mis voces profundas,

---

[8] *silente:* silencioso, tranquilo, sosegado.

oh resonado cuerpo de mi amor, oh poseído cuerpo,   15
      [oh cuerpo sólo sonido de mi voz poseyéndole.

Por eso, cuando acaricio tu mano, sé que sólo el
                            [hueso rehúsa
mi amor —el nunca incandescente hueso del hombre—.
Y que una zona triste de tu ser se rehúsa,
mientras tu carne entera llega un instar
en que total flamea, por virtud de ese l   acto   20
                                    tu mano,
de tu porosa mano suavísima que gime
tu delicada mano silente, por donde entro
despacio, despacísimo, secretamente en tu vida,
hasta tus venas hondas totales donde bogo,
donde te pueblo y canto completo entre tu carne.   25

14

MIRADA FINAL

(MUERTE Y RECONOCIMIENTO)

La soledad, en que hemos abierto los ojos.
La soledad en que una mañana nos hemos despertado,
                                [caídos,
derribados de alguna parte, casi no pudiendo reconocernos.
Como un cuerpo que ha rodado por un terraplén
y, revuelto con la tierra súbita, se levanta y casi no   5
                          [puede reconocerse.
Y se mira y se sacude y ve alzarse la nube de polvo que él
                    [no es, y ve aparecer sus miembros,
y se palpa: «Aquí yo, aquí mi brazo, y éste mi cuerpo,
            [y ésta mi pierna, e intacta está mi cabeza»;
y todavía mareado mira arriba y ve por dónde ha rodado,
y ahora el montón de tierra que le cubriera está a sus
                        [pies y él emerge,

no sé si dolorido, no sé si brillando, y alza los ojos y   10
        [el cielo destella
con un pesaroso resplandor, y en el borde se sienta
y casi siente deseos de llorar. Y nada le duele,
pero le duele todo. Y arriba mira el camino,
y aquí la hondonada, aquí donde sentado se absorbe
y pone la cabeza en las manos; donde nadie le ve,   15
      [pero un cielo azul apagado parece lejanamente contemplarle.

Aquí, en el borde del vivir, después de haber rodado
        [toda la vida como un instante, me miro.
¿Esta tierra fuiste tú, amor de mi vida? ¿Me preguntaré
      [así cuando en el fin me conozca, cuando me reconozca
         [y despierte,
recién levantado de la tierra, y me tiente, y sentado
       [en la hondonada, en el fin, mire un cielo
piadosamente brillar?

No puedo concebirte a ti, amada de mi existir, como   20
 [sólo una tierra que se sacude al levantarse, para acabar,
cuando el largo rodar de la vida ha cesado.
No, polvo mío, tierra súbita que me ha acompañado todo
          [el vivir.
No, materia adherida y tristísima que una postrer mano,
      [la mía misma, hubiera al fin de expulsar.
No: alma más bien en que todo yo he vivido, alma por
       [la que me fue la vida posible
y desde la que también alzaré mis ojos finales   25
cuando con estos mismos ojos que son los tuyos, con los
      [que mi alma contigo todo lo mira,
contemple con tus pupilas, con las solas pupilas que
       [siento bajo los párpados,
en el fin el cielo piadosamente brillar.

(*Historia del corazón*)

15

IMPAR [65]

[(ÓLEO («*NIÑO DE VALLECAS*»)]

A veces ser humano es difícil. Se nació casi al borde.
Helo aquí, y casi mira. Desde su estar inmóvil rompe el aire
y asoma súbito a este frente: aquí es asombro.
Pues está y os contempla, o más, pide ser visto, y más:
                              [mirado, salvo.
Tiene su pelo mixto, cubriendo desigual la enorme   5
                              [masa,
y luego, más despacio, la mano de quien aquí lo puso
                         [trazó lenta la frente,
la inerte frente que sería y no fuese,
no era. La hizo despacio como quien traza un mundo
a oscuras, sin iluminación posible,
piedra en espacios que nació sin vida   10
para rodar externamente yerta.
Pero esa mano sabia, humana, más despacio lo hizo,
aquí lo puso como materia, y dándole
su calidad con tanto amor que más verdad sería:
sería más luces, y luz daba esa piedra.   15

---

(65) Se refiere al cuadro del Museo del Prado en el que
Velázquez retrató a un oligofrénico, hidrocéfalo y aquejado de
parálisis facial. El pintor realza, con cruda penetración, la miseria
humana de este ser a través de lo inútil de su actitud: apretar con la
mano una piedra o un pedazo de madera, levantar una pierna,
mientras el peso de la cabeza parece insostenible. Lejos de las
estilizaciones del Greco o de las deformaciones de Goya, Aleixandre
aplica la misma mirada fiel y serena de Velázquez y al mismo
tiempo que refleja la realidad penetra en ella y la deja como
suspensa en la luz de un tiempo que es ya eterno.

La frente muerta dulcemente brilla,
casi riela en la penumbra, y vive.
Y enorme vela sobre unos ojos mudos,
horriblemente dulces, al fondo de su estar, vítreos,
                                                    [sin lágrima.

La pesada cabeza, derribada hacia atrás, mira,   20
                                                    [no mira,
pues nada ve. La boca está entreabierta;
sólo por ella alienta, y los bracitos cortos juegan, ríen,
mientras la cara grande muerta, ofrécese.

La mano aquí lo pintó, lo acarició
y más: lo respetó, existiendo.   25
Pues era. Y la mano apenas lo resumió exaltando
su dimensión veraz. Más templó el aire,
lo hizo más verdadero en su oquedad posible
para el ser, como una onda que límites se impone
y dobla suavemente en sus orillas.   30

Si le miráis le veréis hoy ardiendo
como en húmeda luz, todo él envuelto
en verdad, que es amor, y ahí adelantado, aducido,
pidiendo, suplicando sin voz: pide ser salvo.
Miradle, sí: salvadle. Él fía en el hombre.   35

(*En un vasto dominio*)

16

EL LÍMITE

Basta. No es insistir mirar el brillo largo
de tus ojos. Allí, hasta el fin del mundo.
Miré y obtuve. Contemplé, y pasaba.

La dignidad del hombre está en su muerte.
Pero los brillos temporales ponen   5
color, verdad. La luz pensada, engaña.
Basta. En el caudal de luz —tu ojos— puse
mi fe. Por ellos vi, viviera.
Hoy que piso mi fin, beso estos bordes.
Tú, mi limitación, mi sueño. ¡Seas!

17

PENSAMIENTOS FINALES

Nació y no supo. Respondió y no ha hablado.

Las sorprendidas ánimas te miran
cuando no pasas. El viento nunca cumple.
Tu pensamiento a solas cae despacio.
Como las fenecidas hojas caen y vuelven
a caer, si el viento las dispersa.   5
Mientras la sobria tierra las espera,
abierta. Callado el corazón, mudos los ojos,
tu pensamiento lento se deshace
en el aire. Movido suavemente. Un son de ramas
finales, un desvaído sueño de oros vivos   10
se esparce... Las hojas van cayendo.

(*Poemas de la consumación*)

DÁMASO ALONSO

Nace en Madrid en 1898. Recibe una educación esmerada en el colegio jesuita de Nuestra Señora del Recuerdo. En 1916, año en que descubre, con entusiasmo, la poesía de Rubén Darío, se ve obligado a abandonar, a causa de una enfermedad de la vista, su preparación para ingresar en la Escuela de Ingenieros de Caminos. En 1918 lee a Juan Ramón Jiménez y a Antonio Machado y se decide su vocación literaria. Él mismo confesará en un poema: «'Veinte años tienes' —hoy me dije— / 'veinte años tienes, Dámaso'. / Y los novios pasaban por la calle, / cogidos, cogiditos de la mano. / Y me puse a leer un libro viejo / y a escribir unos versos, donde canto / el amor y la dicha de ser joven / cuando hace sol, florido el campo.»

En 1919 y 1921, respectivamente, termina sus estudios de Derecho y de Filosofía y Letras. Poco después entabla estrecha amistad con G. Diego, Alberti, Salinas, Guillén y García Lorca (a Vicente Aleixandre lo había conocido en 1917). En 1921 es nombrado «lector» de español en la Universidad de Berlín. Entre 1923 y 1925 da clases de Literatura en Cambridge. En 1926 traduce *Retrato del artista adolescente*, de Joyce. Un año después aparece su edición comentada de las *Soledades* de Góngora. En 1928 lee su tesis doctoral sobre *Evolución de la sintaxis de Góngora*, origen de su importante estudio *La lengua poética de Góngora* (1935). Durante el curso 1928-1929 enseña, de nuevo, en la universidad de Cambridge. En mayo de 1929 se casa con la escritora Eulalia Galvarriato. El curso siguiente lo pasa en la Universidad de Columbia, en donde coincide con García Lorca, y en el Hunter College.

Entre 1931 y 1933 es profesor en la Universidad de Oxford. Poco después gana la cátedra de Lengua y Literatura españolas en la Universidad de Valencia (el tribunal estuvo presidido por Miguel de Unamuno). Pasa la guerra civil en la zona republicana. En 1939 sucede a Menéndez Pidal en la cátedra de Filología Románica de la Universidad de Madrid. En 1942 aparece su estudio *La poesía de San Juan de la Cruz,* que recibe el Premio Fastenrath. En 1945 es elegido para la Real Academia Española, de la que será nombrado director en 1968 (dimitirá de este cargo en 1982). En 1950 y 1952 publica, respectivamente, sus libros *Poesía española* y *Poetas españoles contemporáneos.* Entre 1948 y 1969 imparte cursos en las Universidades de Yale (1948-1951), de Johns Hopkins (1953), Harvard (1954), Massachusetts (1969) y pronuncia numerosas conferencias en Hispanoamérica. Muere en Madrid en 1990.

En 1978 se le concedió el Premio Cervantes de Literatura. Perteneció, además, a la Academia de la Historia y fue doctor *Honoris causa* de numerosas universidades extranjeras.

OBRA POÉTICA

En 1921 aparece su primera obra, *Poemas puros. Poemillas de la ciudad,* con textos escritos desde 1918. Cuatro años más tarde, con el título de *El viento y el verso,* da a conocer en la revista *Sí,* que dirigía Juan Ramón Jiménez, una serie de poemas. Después de veinte años de silencio, publica, en 1944, dos libros: *Oscura noticia* e *Hijos de la ira* (ampliado en la edición de 1946). Siguieron: *Hombre y Dios* (1955), *Gozos de la vista,* publicado en 1981, aunque con poemas escritos desde mucho antes (la mayor parte de ellos habían aparecido en revistas), y *Duda y amor sobre el Ser Supremo* (1985), que, en realidad, es un extenso poema de casi mil versos.

Es autor, además, de *Tres sonetos sobre la lengua castellana* (1958) y de *Canciones a pito solo* (1981), libro del que ya había incluido algunas muestras en una *Antología* de su obra que, con el título de *Poemas escogidos,* hizo en 1969 para la editorial Gredos.

Dámaso Alonso escribió también importantes estudios sobre literatura española. Según confesará, esos trabajos, «llevándome por muchas sendas espirituales, me servían para encubrirme mi vital aflicción, me valían para distraerme haciéndome trabajar mucho». En 1972 comenzaron a publicarse en la editorial Gredos sus *Obras completas,* de las que han aparecido diversos volúmenes.

EDICIONES

Hijos de la ira, ed. de M. J. Flys (Madrid, Castalia, 1986). *Duda y amor sobre el Ser Supremo,* que va precedida de una selección de poemas de sus libros anteriores, con el expresivo título de *Antología de nuestro monstruoso mundo* (Madrid, Cátedra, 1985). Para el resto de sus obras debe acudirse a la colección Austral de Espasa-Calpe.

1

CÓMO ERA [66]

> *¿Cómo era, Dios mío, cómo era?*
> JUAN R. JIMÉNEZ

La puerta, franca.
                    Vino queda y suave.
Ni materia ni espíritu. Traía
una ligera inclinación de nave
y una luz matinal de claro día.

No era de ritmo, no era de armonía   5
ni de color. El corazón la sabe,
pero decir cómo era no podría
porque no es forma, ni en la forma cabe.

(66) El lema corresponde al primer verso de un conocido soneto de Juan Ramón Jiménez, titulado «Retorno fugaz», de *Sonetos espirituales* (1917). Sin embargo, mientras el poema de Juan Ramón tiene como tema el retorno, el recuerdo impreciso de una experiencia vivida, Dámaso Alonso trata, inútilmente, de definir a una criatura femenina (¿la Amada? ¿la Poesía?) que ha producido en su espíritu una honda impresión. El mismo Dámaso ha precisado sobre este texto: «El fracaso del intento de definición no es sino un aspecto de la *inefabilidad* de las altas experiencias de amor (la mística, la poética, la erótica humana)».

Lengua, barro mortal, cincel inepto,
deja la flor intacta del concepto   10
en esta clara noche de mi boda,

y canta mansamente, humildemente,
la sensación, la sombra, el accidente,
mientras Ella me llena el alma toda!

(*Poemas puros. Poemillas de la ciudad*)

2

CANCIONCILLA [67]

Otros querrán mausoleos
donde cuelguen los trofeos,
donde nadie ha de llorar,

y yo no los quiero, no
(que lo digo en un cantar)   5
porque yo

morir quisiera en el viento,
como la gente de mar
en el mar.

Me podrían enterrar   10
en la ancha fosa del viento.

Oh, qué dulce descansar,
ir sepultado en el viento,

(**67**) Este poema pasó después a *Oscura noticia*. Obsérvese el
parecido con otros que Rafael Alberti escribió por esos mismos
años.

como un capitán del viento;
como un capitán del mar,   15
muerto en medio de la mar.

(*El viento y el verso*)

3

CIENCIA DE AMOR

No sé. Sólo me llega, en el venero[1]
de tus ojos, la lóbrega noticia
de Dios: sólo en tus labios, la caricia
de un mundo en mies, de un celestial granero.

¿Eres limpio cristal, o ventisquero   5
destructor? No, no sé... De esta delicia,
yo sólo sé su cósmica avaricia,
el sideral[2] latir con que te quiero.

Yo no sé si eres muerte o si eres vida,
si toco rosa en ti, si toco estrella,   10
si llamo a Dios o a ti cuando te llamo.

Junco en el agua o sorda piedra herida,
sólo sé que la tarde es ancha y bella,
sólo sé que soy hombre y que te amo.

---

[1] *venero:* manantial.   [2] *sideral:* perteneciente a las estrellas o a los astros.

4

A LOS QUE VAN A NACER

¡Cuán cerca todavía
de las manos de Dios! ¿Sentís su aliento
rugir entre los cedros del Levante?
¿Hay en vuestras pupilas rabos de oro,
vedijitas,[3] aún, incandescentes,   5
de la gran lumbrarada[4] creadora?
¿O fraguasteis, tal vez, en su sonrisa
—sonrisillas de Dios, niños dormidos—
y juega en vuestras salas,
niño eterno, gran inventor de juegos?   10
Oh, vosotros le veis, seres profundos,
y saltáis en el vientre de la madre.

    ¿Qué peces de colores
os surcan aguas del dorado sueño?
¿Qué divinos esquifes[5]   15
—juguetes sin engaño—
cruzan el día albar[6] de vuestro cauce?
¿De qué extraña ladera
son esas pedrezuelas diminutas
que bullen al manar de vuestras aguas?   20
Oh fuentes silenciosas.
Oh soterradas fuentes
de los enormes ríos de la vida.

    Seréis torrente en furia
que va a rodar al páramo. Seréis   25
indagación y grito sin respuesta.

---

[3] *vedija:* mechón.   [4] *lumbrarada:* lumbre grande, con llamas.   [5] *esquife:* barco pequeño que se lleva en el navío para saltar a tierra y para otros usos.   [6] *albar:* blanco.

Ay, guardad esa luz estremecida.
Ay, refrenad el agua,
volved al centro exacto.
Ay de vosotros.   30

... Ay de esos cieguecitos
de leche no cuajada,
de tierna pulpa vegetal, dormida.
Ay, copos de manteca,
que hacia el mercado vais —de sus ordeños   35
modelados por Dios, aún en su música,
con las gotas aún de su rocío—
entre las verdes hojas de los úteros. [7]

5

ORACIÓN POR LA BELLEZA DE UNA MUCHACHA

Tú le diste esa ardiente simetría
de los labios, con brasa de tu hondura,
y en dos enormes cauces de negrura,
simas de infinitud, luz de tu día;

esos bultos de nieve, que bullía   5
al soliviar [8] del lino la tersura,
y, prodigios de exacta arquitectura,
dos columnas que cantan tu armonía.

Ay, tú, Señor, le diste esa ladera
que en un álabe [9] dulce se derrama,   10
miel secreta en el humo entredorado.

[7] Toda esta comparación final hace alusión a que a principios de siglo, en el norte de España, las mujeres de las aldeas llevaban al mercado las pellas de manteca envueltas en hojas de berza. [8] *soliviar:* esponjar, poner de relieve. [9] *álabe:* curva. En el verso 166 de «Mujer con alcuza»: rama de árbol combada hacia el suelo.

¿A qué tu poderosa mano espera?
Mortal belleza eternidad reclama.
¡Dale la eternidad que le has negado!

(*Oscura noticia*)

6

INSOMNIO [68]

Madrid es una ciudad de más de un millón de
          [cadáveres (según las últimas estadísticas).
A veces en la noche yo me revuelvo y me incorporo en
[este nicho en el que hace cuarenta y cinco años que
                              [me pudro, [69]
y paso largas horas oyendo gemir al huracán, o ladrar
     [los perros, o fluir blandamente la luz de la luna.

~~~~~~

(**68**) Para este poema, Dámaso se inspiró en una noticia de la
época en la que se informaba de que Madrid había alcanzado la
cifra de un millón de habitantes. Fue escrito en 1940, cuando tenía
cuarenta y dos años y no los que confiesa en el verso 2.

(**69**) Este verso podría recordar un artículo, «El día de difuntos
de 1836», en el que Larra, después de presentar la decadencia y la
corrupción que reinaban en la capital de España, afirmaba:
«Madrid es el cementerio. Pero vasto cementerio, donde cada casa
es el nicho de una familia; cada calle, el sepulcro de un acontecimiento; cada corazón, la urna cineraria de una esperanza o de un
deseo». Sin embargo, mientras Larra lleva a cabo una crítica de
carácter social, Dámaso da rienda suelta a sus angustias personales.
Obsérvense también las imágenes de filiación romántica (el huracán, el fluir de la luna) y cómo, en los últimos versos, el poeta hace
responsable a Dios de las injusticias existenciales humanas. También en el poema que sigue, «Mujer con alcuza», aparecerá un
cementerio con carácter simbólico.

Y paso largas horas gimiendo como el huracán,
[ladrando como un perro enfurecido, fluyendo como la
[leche de la ubre caliente de una gran vaca amarilla.
Y paso largas horas preguntándole a Dios,   5
[preguntándole por qué se pudre lentamente mi alma,
por qué se pudren más de un millón de cadáveres en
                                    [esta ciudad de Madrid,
por qué mil millones de cadáveres se pudren
                                    [lentamente en el mundo.
Dime, ¿qué huerto quieres abonar con nuestra
                                    [podredumbre?
¿Temes que se te sequen los grandes rosales del día,
las tristes azucenas letales [10] de tus noches?   10

7

MUJER CON ALCUZA [11] **(70)**

A Leopoldo Panero [12]

¿Adónde va esa mujer,
arrastrándose por la acera,

---

[10] *letal:* mortífero, capaz de ocasionar la muerte. [11] *alcuza:* vasija, generalmente de hojalata y de forma cónica, en la que se tiene el aceite para el uso diario. [12] Este poeta, «amigo fraternal» de Dámaso Alonso, nació en Astorga en 1909. Cultivó la poesía arraigada, de la que se habla en el Documento XI. Sus libros más conocidos son: *La estancia vacía* (1944), *Escrito a cada instante* (1949) y *Canto personal* (1953), compuesto como réplica al *Canto general* de Pablo Neruda.

(70) Aunque se inspiró para este poema en una criada que tuvo y que acabó sus días, sola y abandonada, en un asilo de ancianos, Dámaso Alonso ha insistido en los valores simbólicos y alegóricos

ahora que ya es casi de noche,
con la alcuza en la mano?

Acercaos: no nos ve. 5
Yo no sé qué es más gris,
si el acero frío de sus ojos,
si el gris desvaído de ese chal
con el que se envuelve el cuello y la cabeza,
o si el paisaje desolado de su alma. 10

Va despacio, arrastrando los pies,
desgastando suela, desgastando losa,
pero llevada
por un terror
oscuro, 15
por una voluntad
de esquivar algo horrible.

Sí, estamos equivocados.
Esta mujer no avanza por la acera
de esta ciudad, 20

del mismo: «El largo viaje en un tren que se va vaciando es el
símbolo de la vida de esta mujer, y, en cierto modo, de todo
hombre, porque, para todos, la vejez es un vaciarse de compañía,
de ilusión y de sentido del vivir [...] Esa mujer puede representar lo
mismo a un ser humano que a toda la Humanidad; en un sentido
distinto podría aplicarse muy bien a España». Para Miguel J. Flys,
el texto «admite varias interpretaciones: desde la historia de una
mujer concreta (su criada, Carmen) que inspiró la creación del
poema, hasta la de toda la humanidad, pasando por una posible
personificación del proceso histórico de España». También Ricardo
Gullón ha identificado a la protagonista con «cualquier transeúnte
cansado y solo». El lector puede ir analizando los posibles símbolos
que se encadenan: el tren podría ser la vida; las estaciones, sus
diferentes fases; el sueño, el cansancio y la monotonía que acompañan a la existencia; las risas o los chillidos, los acontecimientos,
felices o trágicos, de la historia individual o de la colectiva, etc.

esta mujer va por un campo yerto,
entre zanjas abiertas, zanjas antiguas, zanjas recientes,
y tristes caballones, [13]
de humana dimensión, de tierra removida,
de tierra   25
que ya no cabe en el hoyo de donde se sacó,
entre abismales pozos sombríos,
y turbias simas súbitas,
llenas de barro y agua fangosa y sudarios harapientos
                              [del color de la desesperanza.

Oh sí, la conozco. [71]   30
Esta mujer yo la conozco: ha venido en un tren,
en un tren muy largo;
ha viajado durante muchos días
y durante muchas noches:
unas veces nevaba y hacía mucho frío,   35
otras veces lucía el sol y remejía [14] el viento
arbustos juveniles
en los campos en donde incesantemente estallan
                              [extrañas flores encendidas.
Y ella ha viajado y ha viajado,
mareada por el ruido de la conversación,   40
por el traqueteo de las ruedas
y por el humo, por el olor a nicotina rancia.
¡Oh!:
noches y días,

---

[13] *caballón:* lomo entre surco y surco de la tierra arada.   [14] *remejer:*
remover. Es un vocablo regional zamorano. En la edición de *Poemas escogidos*
(1969), Dámaso lo sustituyó por «sacudir».

(71) Entre los versos 30 y 130 se hace más intenso el carácter
alegórico del poema. El río y el camino, habituales en la poesía
anterior como metáforas de la vida humana, son sustituidos ahora
por el viaje en un tren.

días y noches,   45
noches y días,
días y noches,
y muchos, muchos días,
y muchas, muchas noches.

Pero el horrible tren ha ido parando   50
en tantas estaciones diferentes,
que ella no sabe con exactitud ni cómo se llamaban,
ni los sitios,
ni las épocas.

Ella   55
recuerda sólo
que en todas hacía frío,
que en todas estaba oscuro,
y que al partir, al arrancar el tren
ha comprendido siempre   60
cuán bestial es el topetazo de la injusticia absoluta,
ha sentido siempre
una tristeza que era como un ciempiés monstruoso
                         [que le colgara de la mejilla,
como si con el arrancar del tren le arrancaran el alma,
como si con el arrancar del tren le arrancaran innu-
[merables margaritas, blancas cual su alegría infantil
                         [en la fiesta del pueblo,   65
como si le arrancaran los días azules, el gozo de amar a
[Dios y esa voluntad de minutos en sucesión que
                                        [llamamos vivir.
Pero las lúgubres estaciones se alejaban,
y ella se asomaba frenética a las ventanillas,
gritando y retorciéndose,
sólo   70
para ver alejarse en la infinita llanura
eso, una solitaria estación,
un lugar

señalado en las tres dimensiones del gran espacio cósmico
por una cruz   75
bajo las estrellas.

Y por fin se ha dormido,
sí, ha dormitado en la sombra,
arrullada por un fondo de lejanas conversaciones,
por gritos ahogados y empañadas risas,   80
como de gentes que hablaran a través de mantas
                                          [bien espesas,
sólo rasgadas de improviso
por lloros de niños que se despiertan mojados a la
                                          [media noche,
o por cortantes chillidos de mozas a las que en los túneles
                                          [les pellizcan las nalgas,
... aún mareada por el humo del tabaco.   85

Y ha viajado noches y días,
sí, muchos días,
y muchas noches.
Siempre parando en estaciones diferentes,
siempre con un ansia turbia de bajar ella también,
                                          [de quedarse ella también,   90
ay,
para siempre partir de nuevo con el alma desgarrada,
para siempre dormitar de nuevo en trayectos inacabables.

... No ha sabido cómo.
Su sueño era cada vez más profundo,   95
iban cesando,
casi habían cesado por fin los ruidos a su alrededor:
sólo alguna vez una risa como un puñal que brilla
                                          [un instante en las sombras,
algún chillido como un limón agrio que pone amarilla
                                          [un momento la noche.

Y luego nada.   100
Sólo la velocidad,
sólo el traqueteo de maderas y hierro
del tren,
sólo el ruido del tren.

Y esta mujer se ha despertado en la noche,   105
y estaba sola,
y ha mirado a su alrededor,
y estaba sola,
y ha comenzado a correr por los pasillos del tren,
de un vagón a otro,   110
y estaba sola,
y ha buscado al revisor, a los mozos del tren,
a algún empleado,
a algún mendigo que viajara oculto bajo un asiento,
y estaba sola,   115
y ha gritado en la oscuridad,
y estaba sola,
y ha preguntado en la oscuridad,
y estaba sola,
y ha preguntado   120
quién conducía,
quién movía aquel horrible tren.
Y no le ha contestado nadie,
porque estaba sola,
porque estaba sola.   125
Y ha seguido días y días,
loca, frenética,
en el enorme tren vacío,
donde no va nadie,
que no conduce nadie.   130

... Y esa es la terrible,
la estúpida fuerza sin pupilas,

que aún hace que esa mujer
avance y avance por la acera,
desgastando la suela de sus viejos zapatones,   135
desgastando las losas,
entre zanjas abiertas a un lado y otro,
entre caballones de tierra,
de dos metros de longitud,
con ese tamaño preciso   140
de nuestra ternura de cuerpos humanos.
Ah, por eso esa mujer avanza (en la mano, como el
                    [atributo de una semidiosa, su alcuza),
abriendo con amor el aire, abriéndolo con delicadeza
                                        [exquisita,
como si caminara surcando un trigal en granazón [15],
sí, como si fuera surcando un mar de cruces, o un
                    [bosque de cruces, o una nebulosa de cruces,   145
de cercanas cruces,
de cruces lejanas.

Ella,
en este crepúsculo que cada vez se ensombrece más,
se inclina,   150
va curvada como un signo de interrogación,
con la espina dorsal arqueada
sobre el suelo.
¿Es que se asoma por el marco de su propio cuerpo
                                        [de madera,
como si se asomara por la ventanilla   155
de un tren,
al ver alejarse la estación anónima
en que se debía haber quedado?
¿Es que le pesan, es que le cuelgan del cerebro
sus recuerdos de tierra en putrefacción,   160

---

[15] *en granazón:* granado.

y se le tensan tirantes cables invisibles
desde sus tumbas diseminadas?
¿O es que como esos almendros
que en el verano estuvieron cargados de demasiada
                                        [fruta,
conserva aún en el invierno el tierno vicio,   165
guarda aún el dulce álabe
de la cargazón y de la compañía,
en sus tristes ramas desnudas, donde ya ni se posan
                                        [los pájaros?

8

MONSTRUOS [72]

Todos los días rezo esta oración
al levantarme:

Oh Dios,
no me atormentes más.
Dime qué significan   5
estos espantos que me rodean.
Cercado estoy de monstruos
que mudamente me preguntan,
igual, igual que yo les interrogo a ellos.
Que tal vez te preguntan,   10
lo mismo que yo en vano perturbo
el silencio de tu invariable noche
con mi desgarradora interrogación.

(72) En este poema, según Dámaso Alonso, «el espanto está en la
angustia del propio ser, en la angustia tormentosa de la humanidad, en el tormento de Dios..., pero a Dios lo que en realidad se le
pide es una explicación de todo lo atormentado: lo íntimo personal,
lo de los humanos, próximos y alejados; lo del mundo».

Bajo la penumbra de las estrellas
y bajo la terrible tiniebla de la luz solar, 15
me acechan ojos enemigos,
formas grotescas me vigilan,
colores hirientes lazos me están tendiendo:
¡son monstruos,
estoy cercado de monstruos! 20

No me devoran.
Devoran mi reposo anhelado,
me hacen ser una angustia que se desarrolla a sí misma,
me hacen hombre,
monstruo entre monstruos. 25

No, ninguno tan horrible
como este Dámaso frenético, [73]
como este amarillo ciempiés que hacia ti clama con todos
[sus tentáculos enloquecidos,
como esta bestia inmediata,
transfundida en una angustia fluyente; 30

(**73**) Desde el prólogo que escribió en 1919 para *Poemas puros,* el nombre del poeta aparece, con intensidad creciente, a lo largo de toda su obra (véanse el final de «A un río le llamaban Carlos» y los versos 8, 13, 14, 36, 37, 39, 63 y 66 de «Descubrimiento de la maravilla»). El propio poeta comentará: «Hay dos cosas en el Mundo: una, la que nace, crece, conoce, canta. Y otra, la que da el nacer, el crecer, la conocida, la cantada. La una es Dámaso (o Pedro, Juan, Julián, Luis...) La otra es exactamente el Mundo. // Yo me he nombrado Dámaso, todas esas veces; pero en mí había un sentido de la bajeza, amargamente podredumbre, nada de propia soberbia. Mas he mirado, mientras yo crecía y me dilataba; lo que he mirado y cantado han sido esas dos cosas: yo mismo, Dámaso, y eso otro, lo demás, el horrible, el admirable (horrible, para mí; admirable para quien no sea «yo») Mundo. Esto ha sido mi poesía».

no, ninguno tan monstruoso
como esta alimaña que brama hacia ti,
como esta desgarrada incógnita
que ahora te increpa con gemidos articulados,
que ahora te dice: 35
«Oh Dios,
no me atormentes más,
dime qué significan
estos monstruos que me rodean
y este espanto íntimo que hacia ti gime en la noche.»   40

(*Hijos de la ira*)

9

HOMBRE Y DIOS [74]

Hombre es amor. Hombre es un haz, un centro
donde se anuda el mundo. Si Hombre falla,
otra vez el vacío y la batalla
del primer caos y el Dios que grita «¡Entro!».

Hombre es amor, y Dios habita dentro   5
de ese pecho y, profundo, en él se acalla;
con esos ojos fisga, tras la valla,
su creación, atónitos de encuentro.

---

(74) En *Hombre y Dios* puede leerse también una amplia paráfrasis en verso libre, con el título de «Segundo comentario», que hizo
Dámaso de este poema. La idea del hombre como centro del
mundo, aunque expresada antes por diversos autores, procede en
este caso de Pico della Mirandola (el hombre es «quasi vinculo e
nodo del mondo»).

Amor-Hombre, total rijo sistema
yo (mi Universo). ¡Oh Dios, no me aniquiles   10
tú, flor inmensa que en mi insomnio creces!

Yo soy tu centro para ti, tu tema
de hondo rumiar, tu estancia y tus pensiles. [16]
Si me deshago, tú desapareces.

10

II. INCONTRASTABLE, DIVINA

Qué hermosa eres, libertad. No hay nada
que te contraste. ¿Qué? Dadme tormento.
Más brilla y en más puro firmamento
libertad en tormento acrisolada. [17]

¿Que no grite? ¿Mordaza hay preparada?   5
Venid: amordazad mi pensamiento.
Grito no es vibración de ondas al viento:
grito es conciencia de hombre sublevada.

Qué hermosa eres, libertad. Dios mismo
te vio lucir, ante el primer abismo,   10
sobre su pecho, solitaria estrella.

Una chispita del volcán ardiente
tomó en su mano. Y te prendió en mi frente,
libre llama de Dios, libertad bella.

---

[16] *pensil:* jardín delicioso.   [17] *acrisolada:* depurada, purificada.

11

A UN RÍO LE LLAMABAN CARLOS [75]

(Charles River, Cambridge, Massachusetts) [18]

Yo me senté en la orilla:
quería preguntarte, preguntarme tu secreto;
convencerme de que los ríos resbalan hacia un
[anhelo y viven;
y que cada uno nace y muere distinto (lo mismo que
[a ti te llaman Carlos).
Quería preguntarte, mi alma quería preguntarte   5
por qué anhelas, hacia qué resbalas, para qué vives.
Dímelo, río,
y dime, di, por qué te llaman Carlos.

---

[18] Se refiere al Charles River (Río Carlos), que pasa por Cambridge.

(75) Sobre este poema, escrito en Harvard en febrero de 1954, precisará el poeta: «Vivía yo en una casa de la universidad, Dunster House, muy cerca del río Charles. Este río es muy agradable en el verano. Todo lo contrario en el invierno. Paseaba yo con frecuencia cerca de él. Ahora con el frío, el nublado, la escasa luz, el río estaba muy triste y se me prolongaba con mis paseos el verle. Al poema que escribí le puse "A un río le llamaban Carlos". La tristeza del río era la mía, y el tiempo era mi tiempo». Contrástese esta resignada y serena meditación ante las injusticias existenciales con la crispación y el tono airado y tremendista de los poemas de *Hijos de la ira*. El vocabulario y la sintaxis, reiterativos y monótonos, la métrica más uniforme (a partir de la tercera estrofa predominan los versos alejandrinos) y el ritmo lento se ajustan armónicamente al discurrir pausado de las aguas del río y del pensamiento del poeta.

Ah, loco, yo, loco, quería saber qué eras, quién eras
género, especie) 10
qué eran, qué significaban «fluir», «fluido», «fluente»;
ué instante era tu instante;
uál de tus mil reflejos, tu reflejo absoluto;
o quería indagar el último recinto de tu vida:
a unicidad, esa alma de agua única, 15
or la que te conocen por Carlos.

Carlos es una tristeza, muy mansa y gris, que fluye
atre edificios nobles, a Minerva[19] sagrados,
entre hangares que anuncios y consignas coronan.
el río fluye y fluye, indiferente. 20
veces, suburbana, verde, una sonrisilla
e hierba se distiende, pegada a la ribera.
o me he sentado allí, sobre la hierba quemada
[del invierno, para pensar por qué los ríos
empre anhelan futuro, como tú lento y gris.
para preguntarte por qué te llaman Carlos. 25

Y tú fluías, fluías, sin cesar, indiferente,
no escuchabas a tu amante extático,
ue te miraba preguntándote,
mo miramos a nuestra primera enamorada para saber
[si le fluye un alma por los ojos,
si en su sima el mundo será todo luz blanca, 30
si acaso su sonreír es sólo eso: una boca amarga que
[besa.
sí te preguntaba: como le preguntamos a Dios
[en la sombra de los quince años,
atre fiebres oscuras y los días —qué verano— tan lentos.

---

[19] Minerva: diosa de la sabiduría. En este verso alude a los edificios de la
niversidad de Harvard.

Yo quería que me revelaras el secreto de la vida
y de tu vida, y por qué te llamaban Carlos.   3⁵

   Yo no sé por qué me he puesto tan triste, contemplando
el fluir de este río.
Un río es agua, lágrimas: mas no sé quién las llora.
El río Carlos es una tristeza gris, mas no sé quién la llora
Pero sé que la tristeza es gris y fluye.   4⁰
Porque sólo fluye en el mundo la tristeza.
Todo lo que fluye es lágrimas.
Todo lo que fluye es tristeza, y no sabemos de dónde vien·
                                          [la tristeza.
Como yo no sé quién te llora, río Carlos,
como yo no sé por qué eres una tristeza   4
ni por qué te llaman Carlos.

   Era bien de mañana cuando yo me he sentado a contem·
                    [plar el misterio fluyente de este río,
y he pasado muchas horas preguntándome, preguntán·
                                          [dote.
Preguntando a este río, gris lo mismo que un dios;
preguntándome, como se le pregunta a un dios triste:
¿qué buscan los ríos?, ¿qué es un río?
Dime, dime qué eres, qué buscas,
río, y por qué te llaman Carlos.

   Y ahora me fluye dentro una tristeza,
un río de tristeza gris,   5
con lentos puentes grises, como estructuras funerales grise
Tengo frío en el alma y en los pies.
Y el sol se pone.
Ha debido pasar mucho tiempo.
Ha debido pasar el tiempo lento, lento, minutos,
                                          [siglos, eras.   6

Ha debido pasar toda la pena del mundo, como
                        [un tiempo lentísimo.
Han debido pasar todas las lágrimas del mundo, como
                        [un río indiferente.
Ha debido pasar mucho tiempo, amigos míos, mucho
                        [tiempo
desde que yo me senté aquí en la orilla, a orillas
de esta tristeza, de este   65
río al que le llamaban Dámaso, digo, Carlos.

(Dunster House, febrero de 1954)

(Hombre y Dios)

12

DESCUBRIMIENTO DE LA MARAVILLA

I

Algo se alzaba tierno, jugoso, frente a mí.
Yo era (yo, conciencia). Pero aquello se alzaba
enfrente. Y era todo lo que no era yo: cosas.
Las cosas emanaban unos hilos sutiles:
luz, luz variada, luz, con unas variaciones   5
inexplicables, daba tiernísimos indicios
de variedad externa a mí. Ah, sorprendente:
yo, Dámaso, era único; lo no-Dámaso, vario.

Pero yo, ¿cómo era? Una unicidad lúcida
se derramaba en mí. Cuando digo se de-   10
rramaba, acaso admito... Claro está: un movimiento,
un cambio temporal. Yo vivía, variaba
a cada instante; y siendo sólo un único Dámaso,

—misterio— había infinitos Dámasos en hilera:
tantos como latidos dio un corazón.   15

                        Las cosas
emanaban sutiles hilos, dardos o tallos
(yo no sé): se juntaban hacia mí, se fundían
en mí (mejor: conmigo). Nunca tapiz más bello
se tejió para bodas de lo vario y lo uno.   20

   Tapiz, hilos: o dardos que acribillaban. Roto
mi alcázar (que sería de negrura, imagino),
muros se hundían: llamas. ¿Qué llamarada es ésta
multicolor?... O tallos, que crecían tenaces,
y en espacio-maraña de lianas, bejucos, [20]   25
cuajaban selva virgen.

                        Qué gozos, qué portentos:
yo ardía inextinguible, no en fuego, en luz. Yo, torre,
atalaya exquisita, torre de luz; yo, faro,
vitrina de diamantes; yo, porche de una siesta   30
tropical.

                ¡Dulce espejo, retina, mi inventora!
Algo exterior te azuza: saetas, hilos, tallos.
Atraes, de amor antena, centro de amor fluido.
Y al Dámaso más pozo, más larva en hondo luto   35
problemático, cambias en Dámaso-vidriera,
torre de luz, fanal, creándose, creándote,
luz, ¿en qué nervio íntimo?, inventor de los Dámasos,
inventor de universos, que grita: «Luz, yo vivo.
Un infinito cabe en la luz de un segundo: 40
no me habléis ya de muerte».

---

[20] *lianas* y *bejucos:* nombres de diversas plantas tropicales.

II

                    He mirado mis ojos.
He mirado mis ojos en un espejo: eran
oscuros y pequeños. Alguna vez lloraban:
por eso no eran ojos de cangrejo o de oruga;   45
ojos humanos: dos agujeritos negros
y tristes. Mas la luz, que ellos crean, sorbida,
los inunda, marea irreprimible, inmensa,
inmensándolos, ojos de un ser total, sin límite.

Y esto que entra en mis ojos, recreándose en ellos,   50
se une en un marco único. Los dos agujeritos
(no de oruga o de tigre, aunque tristes y fieros)
que en el espejo vi, son ya una gran vidriera
de mi tamaño de hombre.

                    Mis pies, mi vientre o manos 55
los miro casi externos a mí, no-yo, (tal, cosas).
Pero del pecho arriba me sube una dulzura:
es como si mi cuerpo se me rasgara todo,
acristalado: como si mi cabeza, cáscara
ya de luz, ya vitrina, toda se abriera al mundo,   60
absorbiendo, bebiéndolo. Bebiendo luz, las cosas,
las cosas con la luz, y yo con ellas, Dámaso
amalgamado en luz, absorbiendo, bebiendo
el mundo en luz y yo con él. ¡Óvalo ardiente
de mi vista, atalaya, fanal-Dámaso al mundo!   65

(*Gozos de la vista*)

13

NUESTRA HEREDAD

Juan de la Cruz prurito[21] de Dios siente,
furia estética a Góngora agiganta,
Lope chorrea vida y vida canta:
tres frenesís de nuestra sangre ardiente.

Quevedo prensa pensamiento hirviente;   5
Calderón en sistema lo atiranta;
León, herido, al cielo se levanta;
Juan Ruiz, ¡qué cráter de hombredad bullente!

Teresa es pueblo, y habla como un oro;
Garcilaso, un fluir, melancolía;   10
Cervantes, toda la Naturaleza.

Hermanos en mi lengua, qué tesoro
nuestra heredad —oh amor, oh poesía—,
esta lengua que hablamos —oh belleza—.

(*Tres sonetos sobre la lengua castellana*) [76]

14

A VICENTE [77]

Vicentico, Vicentico, [22]
ya te decía yo:

---

[21] *prurito:* deseo vehemente.   [22] Se refiere a Vicente Aleixandre.

(**76**) Estos «sonetos» reflejan la atención que Dámaso ha prestado a lo largo de su vida a la lengua castellana y a los escritores
medievales y del Siglo de Oro.
(**77**) El humor apenas hace acto de presencia en la poesía de este

la gran zorra de la vida
nos ha engañado a los dos.

Cuando los jueves te miro   5
retrepado en tu sillón,
pienso en Dámaso y Vicente
(y en Ramón, que nos dejó).

Ay, noches de la locura,
noches de «color salmón»,   10
juegos de vida y de muerte,
comisaría y alcohol.

Hoy todo «pompas prefúnebres»,
vanidad y similor. [23]
Huele a pluscuamperfecto.   15
(¿Pretérito? Digo yo...)

Cuando los jueves te miro
retrepado en tu sillón, [24]
tan estirado y tan grave,
me corre como un temblor: 20

---

[23] *similor:* cosas falsas, fingidas, que aparentan mejor calidad de la que tienen.   [24] Se refiere a las sesiones que se celebran en la Real Academia Española ese día de la semana.

autor. Señalemos, como una de las pocas excepciones, este poemita, escrito en 1919: «Yo soy un clown sentimental. / Mi novia es guapa. / Y llevo el alma en el ojal / de la solapa». Lo habitual es que, como ocurre aquí, o en el titulado «La invasión de las siglas» («USA, URSS. / USA, URSS, OAS, UNESCO: / ONU, ONU, ONU. / TWA, BEA, K.L.M., BOAC / ¡RENFE, RENFE, RENFE! /. [...] ¡S.O.S., S.O.S., S.O.S.! / Oh, Dios, dime, / ¿hasta que yo cese, / de esta balumba / que me oprime, / no descansaré? /¡Oh dulce tumba: / una cruz y un R.I.P.!»), los tonos humorísticos se subordinen a preocupaciones más trascendentes.

pronto hemos de estar más graves,
más estirados los dos.
(Allá, en lo negro absoluto,
ni una línea, ni una voz.)

Vicentico, mi Vicente,   25
hijoto, te dije yo
que esa zorra de la vida
nos la jugaba a los dos.

Abril de 1959

15

¿EXISTES? ¿NO EXISTES?

I

¿Estás? ¿No estás? Lo ignoro; sí, lo ignoro.
Que estés, yo lo deseo intensamente.
Yo lo pido, lo rezo. ¿A quién? No sé.
¿A quién? ¿A quién? Problema es infinito.

¿A tí? ¿Pues cómo, si no sé si existes?   5
Te estoy amando, sin poder saberlo.
Simple, te estoy rezando; y sólo flota
en mi mente un enorme «Nada» absurdo.

Si es que tú no eres, ¿qué podrás decirme?
¡Ah!, me toca ignorar, no hay día claro;   10
la pregunta se hereda, noche a noche:
mi sueño es desear, buscar sin nada.

Me lo rezo a mí mismo: busco, busco.
Vana ilusión buscar tu gran belleza.

Siempre necio creer en mi cerebro: 15
no me llega más dato que la duda.

¿Quizá tú eres visible? ¿O quizá sólo
serás visible, a inmensidad soberbia?
¿Serás quizá materia al infinito,
de cósmica sustancia difundida?   20

¿Hallaré tu existir si intento, atónito,
encontrarte a mi ver, o en lejanía?
La mayor amplitud, cual ser inmenso,
buscaré donde el mundo me responda.

II

¿Pedir sólo lo inmenso conocido?   25
¿Pedir o preguntar al Universo?
No al universo de la tierra nuestra,
bajo, insensible, monstruoso, duro;

sí al Universo enorme, ya sin límites,
con planetas, los astros, las galaxias: 30
tal un dios material, flotando luces
en billones de años, sin fronteras.

Allí hay humanidades infinitas;
las llamo tal, mas son de extrañas formas:
nada igual a los hombres de esta tierra,   35
que aquí lloramos nuestra vida inmunda.

¡Extremado Universo, inmenso, hermoso!
Con eterna amplitud, materias cósmicas,
avanzan infinitas las galaxias,
nebulosas: son gas, sólidas, líquidas.   40

III

Inmensidad, cierto es.
                Mas yo no quiero
inmensidad-materia; otra es la mía,
inmaterial que exista (¡ay, si no existe!),
eterna, de omnisciencia, omnipotente.

No material, ¿pues, qué? Te llamo espíritu   45
(porque en mi vida espíritu es lo sumo).
Yo ignoro si es que existes; y si espíritu.
Yo, sin saber, te adoro, te deseo.

Esto es máximo amor: mi amor te inunda;
el alma se me irradia en adorarte;   50
mi vida es tuya sólo (¿ya no dudo?).
Amor, no sé si existes. Tuyo, te amo.

(*Duda y amor sobre el Ser Supremo*)

EMILIO PRADOS

Nació en Málaga en 1899. Su enorme atracción por la
naturaleza y, en concreto, por el mar (uno de sus poemas
más interesantes se titula «El misterio del agua»), lo llevó a
cursar estudios de ciencias naturales. Adquirió una sólida
formación intelectual (la presencia de los presocráticos y de
Platón, lo mismo que la de los románticos alemanes y la de
Freud, es patente en su obra). Enfermo del pecho desde
niño, en 1920 tuvo que pasar una larga temporada en un
sanatorio de Suiza. Amplió estudios en las Universidades de
Friburgo y de Berlín, y vivió durante algún tiempo en la
Residencia de Estudiantes de Madrid. En la imprenta Sur
de Málaga, que le regaló su padre, publicó, con Manuel
Altolaguirre, la revista *Litoral* (1926-1929) y libros funda-
mentales de sus compañeros de generación.

Con la llegada de la república se radicalizaron sus ideas
sociales y políticas. Participó en la fundación del sindicato
de tipógrafos de Málaga y escribió poesía revolucionaria.
Aunque no militó en ningún partido, estuvo bastante cerca
de los intelectuales comunistas. Durante la guerra, que pasó
en Madrid, Valencia y Barcelona, desplegó una gran actividad. Visitó los frentes en campañas de propaganda, leyó
poemas por la radio, colaboró en *Hora de España* y participó
en la recopilación del *Romancero general de la guerra de España*.
Se exilió después en México, donde murió en 1962. Durante
los últimos años llevó una vida modesta y austera.

De las semblanzas que se le han dedicado, destaca esta de
Juan Rejano:

Unió siempre el poeta Emilio Prados, en difícil maridaje, la
lucidez y la gracia, la sobriedad y la riqueza, el rayo de lo
espontáneo y la virtud crítica de la laboriosidad. Fue
sentencioso y melancólico, como un campesino bético, y su
verso, perfecto como un trébol, trémulo de interior musicali
dad, aunque expresara ansias universales, escuchó y recogió
siempre el eco de la canción tradicional andaluza como un
tributo a la tierra de origen, a la sangre y al misterio más
recóndito que en ella se aposenta.

A pesar del innegable interés de su obra, Emilio Prados
ha gozado de menor popularidad que el resto de los poetas
del 27. C. Blanco Aguinaga y Antonio Carreira lo achacan a
las siguientes causas:

Porque su poesía de madurez, casi toda la escrita en México
resulta a menudo hermética y, además, apenas se ha difundi
do en España; porque su a veces magnífica poesía social y
política de los años treinta y de la guerra civil ha corrido la
suerte de casi toda la poesía política y social de aquellos
tiempos; porque durante su primera época (1923-1929)
cuando sus compañeros de generación —a quienes él editaba
en *Litoral*— se habían dado ya a conocer ampliamente, é
prefirió muy poco de lo que escribía.

OBRA POÉTICA

Hasta 1939 escribe: *Tiempo. Veinte poemas en verso* (1923
1925:1925), *Seis estampas para un rompecabezas* (1925), *Nadado
sin cielo (Ensayo de amor bajo el agua)* (1924-1926?), *Cancio
nes del farero* (1926), *Vuelta* (1924-1925:1927), *El misterio de
agua* (1926-1927:1953), *Memoria de poesía* (1926-1927:1953)
Cuerpo perseguido (1927-1928:1967), *No podréis,* escrito entre
1930 y 1932, pero del que sólo se conservan tres poemas; *L
voz cautiva* (1933-1934), *Andando, andando por el mundo* (1930
1935), *Calendario incompleto del pan y del pescado* (1933-1934)
Llanto de octubre (1934), *La tierra que no alienta* (1934-1936), *E*

llanto subterráneo (1936), *Llanto en la sangre* (1933-1936:1937, en donde se incluyó *Calendario incompleto* y *Llanto de octubre*), *Cancionero menor para los combatientes* (1936-1938:1938), *Destino fiel (Ejercicios de poesía en guerra)*, cuyo manuscrito obtuvo el Premio Nacional de Literatura en 1937.

Su producción del exilio se compone de: *Memoria del olvido* (1940), *Mínima muerte* (1939-1944:1944), *Jardín cerrado* (1940-1946:1946), *Antología* (1923-1953:1954), *Dormido en la yerba* (1953), *Río natural* (1950-1956:1957), *Circuncisión del sueño* (1955-1957:1957), *La sombra abierta* (1947-1955:1961), *La piedra escrita* (1958-1960:1961), *Transparencias* (1962), *Signos del ser* (1960-1961:1962), *Penumbras*, I (1939-1941), II (1947-1954) y III (1954-1955), *Cita sin límites* (1961-1962: 1963), *Últimos poemas* (1965).

En 1966 se publicó en Málaga, con introducción de José Luis Cano, su *Diario íntimo*.

EDICIONES

Poesías completas, edición de C. Blanco Aguinaga y Antonio Carreira, Madrid, Aguilar, 1975, 2 volúmenes. *La piedra escrita*, edición de J. Sanchis-Banús, Madrid, Castalia, 1979.

1

EL CORAZÓN MÁGICO
(Puerto de Málaga, 7 de enero)

NOCTURNO

Abrí la caja de los peces
y se cuajó el cielo
de luceros verdes...

¡Dadme mi doble aparejo,
con su compás de caña
y con su doble anzuelo!...

(Abrí la caja de los peces,
y se cuajó el cielo
de luceros verdes.)

¡Dejadme dormir!...
    ¡Silencio!...
¡Dejadme dormir abierto!

(*Tiempo*)

2

NIVEL DEL PUERTO

Palma, cristal y piedra.

El nácar del perfil
puro del gesto,
enérgico en el agua.
Extractada la brújula, 5
sostiene al equilibrio
vertical sobre el viento...

(El imán se detiene.)

Palma, cristal y piedra.

Por el muelle, despacio, 10
la memoria, indolente,
se apoya en la baranda
de un crepúsculo fácil.
El sueño se devana,
y se humedece el tiempo 15
al entregar su cinta...

(Se rinde el movimiento.)

Palma, cristal y piedra.

Por el muelle del día,
pierde pie la memoria... 20
La mirada, se vierte
líquida, en el olvido.

(El alma se separa
y la flor sube al cielo...)

¡Palma, cristal y piedra! 25

(*Vuelta*)

3

AUSENCIAS

1

¡A su alto vuelo atada
la estrella, en asterisco
de oro, viento arisco
señala!...

    Descentrada   5
y mal justificada
la noche, queda impuesta
al cielo que, respuesta
pide al agua ya impresa
del reflejo...   10
      —¿Corrige
el tiempo?...
      —¡Su voz, rige
toda la bella empresa!

2

¡Una nube sobre el cielo
conduce a la luz!...

           —¿Adónde?...

—¡Que nadie pregunte!

        (El tiempo,   5
va desgranando en amor
todo el corazón del sueño.)

(*El misterio del agua*)

4

CITA HACIA DENTRO

¿Tanta luz? ¿tanta muerte?
¿tanta rosa en el día?...
(Curva el sol sobre el tiempo
sus llamas en sortija.)

Encadenado el mundo   5
a su exacta medida,
tanto debe a su fuego
como a su sombra viva.

Tanta hermosura fuera,
de nuestro amor se olvida.   10
No me dará descanso
para alcanzar la dicha.

Con el sol sobre el cielo,
hoy nunca te vería,
que pesa más que el hombre   15
la luz que lo ilumina.

La noche, en cambio, tiene
al sol bajo sus aguas.
Sus páginas oscuras
viven deshabitadas.   20

¡Qué soledad nos brinda,
para el amor, su estancia!...
(Toda la sombra es mundo
y, el mundo, tu mirada...)

En el centro del mundo,   25
bajo el sueño —en sus alas—
te harás toda silencio,
apretada en mi alma.

La esfera de la noche   30
a un nuevo amor nos llama...
La rosa de lo eterno
a los dos nos amarra.

Deja el sol; deja el cuerpo,
ya vendrán otras albas...
¡Voy a coger el sueño!   35
¡Te espero en su terraza!

(*Memoria de poesía*)

5

Cerré mi puerta al mundo;
se me perdió la carne por el sueño...
Me quedé, interno, mágico, invisible,
desnudo como un ciego.

Lleno hasta el mismo borde de los ojos,   5
me iluminé por dentro.

Trémulo, transparente,
me quedé sobre el viento,
igual que un vaso limpio
de agua pura,   10
como un ángel de vidrio
en un espejo.

6

RESURRECCIÓN

Como ahora te vas durmiendo
despacio; perdiendo suelo
de la vida por tus ojos;
derramándote por ellos
sobre tu memoria; hundiéndote   5
casi ahogada bajo el sueño
por dentro de ti... Así un día
te irás durmiendo también
despacio, y hacia otro sueño
te saldrás: te irás subiendo,   10
perdiendo pie de tus ojos,
volando, alzándote de ellos
por fuera de ti, desnuda,
igual que un aura en el cielo.
¡Qué clara luz de tu carne   15
saldrá con tu sueño al viento!
La sombra quedará abajo,
presa dentro de tu cuerpo,
igual que al dormirte ahora
queda sobre ti...   20
                    ¡Qué espejo,
prendida tu alma en tu sangre,
dentro de ti irá encendiendo!
Fuera —cuando seas del aire...
¡Qué cristal de vida, eterno!   25

Desvanecida en mi hombro,
como ahora, te irás perdiendo
ya para siempre: ganándote
a ti misma en tu silencio.
Me irá pesando tu carne;   30

hundiéndoseme en el pecho
como una piedra en el agua...
Se irán llevando tu cuerpo
necesariamente a tierra:
lo irán metiendo en la sombra...   35
Pero tú por fuera —sueño
puro— volarás latiendo
sobre mis pulsos,
desnudo alzándome de ellos,
a unirme a ti, solo alma   40
ya de nuestros dos reflejos.
¡Qué flor de luz nuestro abrazo
brillando en el cielo abierto!
¡Qué doble espejo en el mundo
mi carne entre tus recuerdos!   45

7

POSESIÓN LUMINOSA

Igual que este viento, quiero
figura de mi calor
ser y, despacio, entrar
donde descanse tu cuerpo
del verano; irme acercando   5
hasta él sin que me vea;
llegar, como un pulso abierto
latiendo en el aire; ser
figura del pensamiento
mío de ti, en su presencia;   10
abierta carne de viento,
estancia de amor en alma.
Tú —blando marfil de sueño,
nieve de carne, quietud

de palma, luna en silencio—, 15
sentada, dormida en medio
de tu cuarto. Y yo ir entrando
igual que un agua serena,
inundarte todo el cuerpo
hasta cubrirte, y, entero, 20
quedarme ya así por dentro
como el aire en un farol,
viéndote temblar, luciendo,
brillar en medio de mí,
encendiéndote en mi cuerpo, 25
iluminando mi carne
toda ya carne de viento.

8

SUEÑO

Te llamé. Me llamaste.
Brotamos como ríos.
Alzáronse en el cielo
los nombres confundidos.

Te llamé. Me llamaste. 5
Brotamos como ríos.
Nuestros cuerpos quedaron
frente a frente, vacíos.

Te llamé. Me llamaste.
Brotamos como ríos. 10
Entre nuestros dos cuerpos,
¡qué inolvidable abismo!

(*Cuerpo perseguido*)

9

QUISIERA HUIR

Estoy cansado.
                    Un cuerpo padece mi agonía...
Un cuerpo o multitudes que mi piel no depone.
Un ser que vive y sueña la altitud de mis límites...
¡Quisiera huir: perderme lejos de su olvido!

Estoy cansado de ocultarme en las ramas;   5
de perseguir mi sombra por la arena;
de desnudarme entre las rocas,
de aguardar a las puertas de las fábricas
y tenderme en el suelo con los ojos cerrados:
estoy cansado de esta herida.   10

Un amigo me dice:
                    «Hay cuerpos que aún se ofrecen
como jugosas frutas sin sentido...»

Otro amigo me canta:
                    «¡Vuelan las aves, vuelan!...»

Yo quiero huir, perderme lejos,
allá en esas regiones en que unas anchas hojas   15
tiemblan sobre el estanque de los sueños que inundan.

(*Andando, andando por el mundo*)

10

CIUDAD SITIADA

ROMANCE DE LA DEFENSA DE MADRID

Entre cañones me miro,
entre cañones me muevo:
castillos de mi razón
y fronteras de mi sueño,
¿dónde comienza mi entraña   5
y dónde termina el viento?
No tengo pulso en mis venas,
sino zumbidos de trueno,
torbellinos que me arrastran
por las selvas de mis nervios;   10
multitudes que me empujan,
ojos que queman mi fuego,
bocanadas de victoria,
himnos de sangre y acero,
pájaros que me combaten   15
y alzan mi frente a su cielo
y ardiendo dejan las nubes
y tembloroso mi suelo.
¡Allá van! Pesadas moles
cruzan mis venas de hierro;   20
toda mi firmeza aguarda
parapetada en mis huesos.
Compañeros del presente,
fantasmas de mis recuerdos,
esperanzas de mis manos   25
y nostalgias de mis juegos:
¡Todos en pie, a defenderme,
que está mi vida en asedio;
que está la verdad sitiada

amenazada en mi pecho!   30
¡Pronto, en pie las barricadas,
que el corazón está ardiendo!
No han de llegar a apagarlo
negros disparos de hielo.
¡Pronto, de prisa, mi sangre,   35
arremolíname entero!
¡Levanta todas mis armas;
mira que aguarda en su centro,
temblando, un turbión de llamas
que ya no cabe en mi cerco!   40
¡Pronto, a las armas, mi sangre,
que ya me rebosa el fuego!
Quien se atreva a amenazarlo,
tizón se le hará su sueño.

¡Ay, ciudad, ciudad sitiada,   45
ciudad de mi propio pecho,
si te pisa el enemigo,
antes he de verme muerto!

Castillos de mi razón
y fronteras de mi sueño,   50
mi ciudad está sitiada:
entre cañones me muevo.
¿Dónde comienzas, Madrid,
o es, Madrid, que eres mi cuerpo?

(*Destino fiel*)

11

Cuando era primavera en España:
frente al mar los espejos
rompían sus barandillas

y el jazmín agrandaba
su diminuta estrella   5
hasta cumplir el límite
de su aroma en la noche...
¡Cuando era primavera!

Cuando era primavera en España:
junto a la orilla de los ríos   10
las grandes mariposas de la luna
fecundaban los cuerpos desnudos
de las muchachas,
y los nardos crecían silenciosos
dentro del corazón   15
hasta taparnos la garganta...
¡Cuando era primavera!

Cuando era primavera en España:
todas las playas convergían en un anillo
y el mar soñaba entonces,   20
como el ojo de un pez sobre la arena,
frente a un cielo más limpio
que la paz de una nave, sin viento, en su pupila.
¡Cuando era primavera!

Cuando era primavera en España: 25
los olivos temblaban
adormecidos bajo la sangre azul del día,
mientras que el sol rodaba
desde la piel tan limpia de los toros
al terrón en barbecho [1]   30
recién movido por la lengua caliente de la azada...
¡Cuando era primavera!

---

[1] *barbecho:* tierra labrantía que no se siembra durante uno o más años.

Cuando era primavera en España:
los cerezos en flor
se clavaban de un golpe contra el sueño   35
y los labios crecían,
como la espuma en celo de una aurora,
hasta dejarnos nuestro cuerpo a su espalda,
igual que el agua humilde
de un arroyo que empieza...   40
¡Cuando era primavera!

Cuando era primavera en España:
todos los hombres desnudaban su muerte
y se tendían juntos sobre la tierra
hasta olvidarse el tiempo   45
y el corazón tan débil por el que ardían...
¡Cuando era primavera!

Cuando era primavera en España:
yo buscaba en el cielo,
yo buscaba   50
las huellas tan antiguas
de mis primeras lágrimas,
y todas las estrellas levantaban mi cuerpo
siempre tendido en una misma arena,
al igual que el perfume tan lento,   55
nocturno, de las magnolias...
¡Cuando era primavera!
Pero, ¡ay!, tan sólo
cuando era primavera en España...
¡Solamente en España   60
antes, cuando era primavera!

(*Penumbras*, I)

12

TRES CANCIONES

I

Puente de mi soledad:
con las aguas de mi muerte
tus ojos se calmarán.

Tengo mi cuerpo tan lleno
de lo que falta a mi vida,   5
que hasta la muerte, vencida,
busca por él su consuelo.

Por eso, para morir,
tendré que echarme hacia dentro
las anclas de mi vivir.   10

Y llevo un mundo a mi lado
igual que un traje vacío
y otro mundo en mí guardado
que es por el mundo que vivo.

Por eso, para vivir,   15
tendré que echarme hacia dentro
las anclas de mi morir.

Puente de mi soledad:
por los ojos de mi muerte
tus aguas van hacia el mar,   20
al mar del que no se vuelve.

(*Mínima muerte*)

13

RINCÓN DE LA SANGRE

Tan chico el almoraduj[2]
y... ¡cómo huele!
Tan chico.

De noche, bajo el lucero,
tan chico el almoraduj   5
y ¡cómo huele!

Y... cuando en la tarde llueve,
¡cómo huele!

Y cuando levanta el sol
tan chico el almoraduj   10
¡cómo huele!

Y ahora que del sueño vivo
¡cómo huele,
tan chico, el almoraduj!
¡Cómo duele]...   15
Tan chico.

14

EL CUERPO EN EL ALBA

Ahora sí que ya os miro,
cielo, tierra, sol, piedra,
como si al contemplaros
viera mi propia carne.

---

[2] *almoraduj:* mejorana.

Ya sólo me faltábais en ella   5
para verme completo,
hombre entero en el mundo
y padre sin semilla
de la presencia hermosa del futuro.

Antes, el alma vi nacer   10
y acudí por salvarla,
fiel tutor perseguido y doloroso,
pero siempre seguro
de mi mano y su aviso.

Ayudé a la hermosura   15
y a su felicidad,
aunque nunca dudé que traicionaba
al maestro, el discípulo,
más, si aquél daba forma
en su libertad   20
al pensamiento de lo bello.

Y así vistió su ropa
mi hueso madurado,
tan lleno de dolor y de negrura
como noche nublada   25
sin perfume de flor,
sin lluvia y sin silencio...

Solo el cumplir mi paso,
aunque por suelo tan arisco,
me daba luz y fuerza en el vivir.   30

Mas hoy me abrís los brazos,
cielo, tierra, sol, piedra,
igual que presentí de niño
que iba a ser la verdad bajo lo eterno.

Hoy siento que mi lengua   35
confunde su saliva
con la gota más tierna del rocío
y prolonga sus tactos
fuera de mí, en la yerba
o en la obscura raíz secreta y húmeda.   40

Miro mi pensamiento
llegarme lento como un agua,
no sé desde qué lluvia o lago
o profundas arenas
de fuentes que palpitan   45
bajo mi corazón ya sostenido
por la roca del monte.

Hoy sí, mi piel existe,
mas no ya como límite
que antes me perseguía,   50
sino también como vosotros mismos,
cielo hermoso y azul,
tierra tendida...

Ya soy Todo: Unidad
de un cuerpo verdadero.   55
De este cuerpo que Dios llamó su cuerpo
y hoy empieza a sentirse
ya, sin muerte ni vida,
como rosa en presencia constante
de su verbo acabado y en olvido   60
de lo que antes pensó aun sin llamarlo
y temió ser: Demonio de la Nada.

(*Jardín cerrado*)

15

SANGRE DE ABEL

VII

... Un acorde de nubes
suspende sobre el cielo
al rumor intocado
de la voz que termina.

Todo el azul presenta
su belleza ante el fuego
que va a nacer...
         (¿Contemplo
a Dios?...)
        ¡Vuelvo a mi alma!

(*Río natural*)

5

16

HABLA LA MUERTE

III

(Y MEDITA LA MUERTE)

Así quiero llegar
a la sangre del hombre:
como aquel niño tierno
que acaricia la luna.

Todo mi cuerpo es fábula: 5
vida oculta entre flores...
¿Qué misteriosa fuerza
canta en su voz el hombre?

¡Perdida estoy en él!
¿Acaso un río sea 10
mi sangre y ya dormida
bajo el hombre, lo sueña?...

¿Yo misma entré en su cuerpo
a purgarle el pecado
de negar mi existencia 15
y en él vivo penando?

¡Inmóvil, su belleza,
también cautiva al cielo!:
¡Cautiva está la luna
en su interior espejo! 20

¿Acaso el hombre olvida
al cuerpo en que ha nacido
o es que comienza el hombre
a nacer de sí mismo?...

¡No tiene piel mi lengua! 25
¡Soy un jirón de viento!
¡Infinita es la historia
de la sangre que debo!...

Como la luna, vivo
de un hombre, por gozarlo... 30
¡Tal vez su voz me pueda
cantar entre sus brazos!

17

CANCIONES

I

Me asomé, lejos, a un abismo...
(Sobre el espejo que perdí he nacido.)

Clavé mis manos en mis ojos...
(Manando estoy en mí desde mi rostro.)

Tiré mi cuerpo, hueco, al aire... 5
(Abren su voz los ojos de mi sangre.)

Rodé en el llanto de una herida...
(Nazco en la misma luz que me ilumina.)

Se coaguló mi llanto en sombra...
(Carne es la luz y el nácar de mi boca.) 10

Dentro de mí se hundió mi lengua...
(Siembro en mi cielo el cuerpo de una estrella.)

Se pudrió el tiempo en que habitaba...
(Brota en mi espejo un cielo de dos caras.)

Huyó mi cuerpo por mi cuerpo... 15
(Bebo en el agua limpia de mi espejo.)

¡A mi existencia uno mi vida!
(Espejo sin cristal es mi alegría.)

(*Circuncisión del sueño*)

18

LIBRO PRIMERO

VII

Abierto estoy frente a mi historia.
Como se asoma un niño a un muro
que rasgó el tiempo, están mis ojos
por delante de mí mirando:
quieren verme y, por querer verme,   5
miran y miran ya tan cerca
—de fuera a dentro—, que han perdido
la relación que los llamaba
hacia mí, como de extraños límites.
No se admiran. No se deslumbran.   10
Nada ven. No están ciegos. Viven.
Se acercan más...
              Y de otro abismo
ajeno a mí —y en mí—, dos ojos
descargados de sombra suben
de dentro a fuera y van seguros   15
a su mitad —la mía—: ¡encajan!
¡Ya son los ojos que me miran!

Asomados al muro, y frente
a frente al tiempo: al mismo muro
—el muro huyó, pero mis ojos   20
a un lado y otro de él, mirando,
centran y ven—: pasa mi historia.

Aquí y allí pregunto: ¿eh?...
Y entre sus páginas, mis ojos
sangran —sin ver— en cuerpo ajeno.   25
Despacio y dolorosamente,
sin voluntad —de ella sacado,

constante impulso a nueva acción—,
colmado siempre de otras vidas
cierro mis ojos: cierro un libro.   30

(*Signos del ser*)

19

La persiana está rota y el sol mete
un gajo[3] de luz aquí en mi cuarto:
este largo renglón que entre dos sombras
paralelas se extiende horizontal
frente a mí en la pared, al pie del lecho.   5
No he descansado aún. La noche lleva
en su ola mansa enteros los despojos
de mi desalojada historia aún viva.
Prolongado mi insomnio, en su resaca,
que pronto acabará, sólo en la arena   10
de esta luz penetrada permanezco:
voy disolviendo aún mi retirada
para volverla a ver recién nacido.
Ya no puedo pensar. ¡Ya estoy sin mí!...
El renglón de la luz estrecha: ¡tiemblo!   15
¡No sé llegar! ¡Esas dos sombras!... ¿Viven?
¿Van a vivir conmigo?...
                          En un renglón
la luz comienza a dibujar un nombre...
No; la imagen de un nombre... No; su vida.
¡Una paloma en el alféizar!...
                          —¿Mío?...
Trato de comprender. La luz se acaba...
En su resaca voy desalojado.

(*Cita sin límites*)

---

[3] *gajo:* rama de árbol. Aquí: haz.

RAFAEL ALBERTI

Nace en el Puerto de Santa María (Cádiz) en 1902. En el colegio de los jesuitas, en el que ingresa en 1913, y del que habían sido alumnos Fernando Villalón y Juan Ramón Jiménez, advierte los primeros síntomas de discriminación social. «Allí sufrí, rabié, odié, amé, me divertí —confesará— y no aprendí nada durante cerca de cuatro años de externado.» En 1917 se traslada a Madrid con su familia. Abandona sus estudios y se convierte en asiduo del Museo del Prado. En *La arboleda perdida* recordará:

> Se inauguraban para mis ojos cándidos, no sin provocarme cierto vago rubor el primer día, los nácares esplendorosos de las carnes de Rubens, aquellas Gracias fuertes, Pomonas derramadas, Ninfas corridas por los bosques, Dianas ornamentadas de perros y olifantes, altas Venus de ceñidores desprendidos, desnudas diosas que pasarían a inundar, inquietándomelas, mis desveladas noches adolescentes.

En 1919 visita de nuevo su tan añorado Puerto:

> Lo que al regresar a Madrid sentí de nuevo por el Puerto fue la aguda nostalgia de sus blancos y azules, de mis arenas amarillas pobladas de castillos, de mi infancia feliz llena de transatlánticos y veleras al viento relampagueantes de la bahía.

Su vocación literaria se acentúa durante la temporada de reposo a que, en 1920 y 1921, lo obliga una incipiente tuberculosis. Los poemas que escribe en estos primeros años revelan las influencias del creacionismo, de Bécquer y de la lírica tradicional. En 1922 realiza, con discreto éxito, una exposición de sus cuadros en el Ateneo de Madrid. Inicia poco después sus relaciones amistosas con Lorca, Buñuel, Dalí y Moreno Villa. En el invierno de 1924 y 1925 pasa unos meses en Rute, pueblo de la sierra de Córdoba. En 1925 recibe, compartido con Gerardo Diego, el premio Nacional de Literatura por *Marinero en tierra*.

En 1927 sufre una profunda crisis espiritual. Tres años más tarde conoce a la escritora María Teresa León, que será a partir de entonces su compañera inseparable. En 1931 se afilia al Partido Comunista. Por esa época inicia su carrera de dramaturgo y estrena *El hombre deshabitado* y *Fermín Galán*. En 1933 realiza un viaje a la Unión Soviética y funda la revista *Octubre*, cuyo primer número aparecerá un año después.

Durante la guerra civil participa activamente en la lucha, del lado republicano. Dirige una revista de gran interés, *El mono azul*, y es secretario de la Alianza de Intelectuales Antifascistas. Al terminar la misma, se traslada a París. En 1940 se instala en Buenos Aires. Entre 1951 y 1957 realiza viajes por América del Sur y visita la Unión Soviética, los países socialistas y China. También vuelve en esas fechas a pintar.

En 1963 se establece en Roma. En 1965 recibe el Premio Lenin de la Paz. Vuelve a España en 1977. En 1983 se le concede el Premio Cervantes de Literatura. Ese mismo año es elegido diputado a Cortes del Partido Comunista. En la actualidad vive en Madrid.

OBRA POÉTICA

(La primera o las primeras fechas corresponden a los años de composición; la segunda a la de publicación): *Marinero en*

tierra (1924:1925), *La amante* (1925:1926), *El alba del alhelí*
(1925-1926:1927), *Cal y canto* (1926-1927:1929), *Sobre los*
ángeles (1927-1928:1929), *Sermones y moradas* (escrito entre
1929 y 1930 y recogido en 1935 en el volumen *Poesía 1924-*
1930), *Yo era un tonto y lo que he visto me ha hecho dos tontos*
(1929), *Con los zapatos puestos tengo que morir* (1 de enero de
1930), *Consignas* (1933), *Un fantasma recorre Europa* (1933),
Verte y no verte (1935), *13 bandas y 48 estrellas* (1935) y *De un*
momento a otro. (Poesía e historia) (1934-1938), que recoge la
mayor parte de los textos anteriores y los primeros poemas
de *Capital de la gloria*. Todos estos últimos libros se agrupa-
rán, al editarse sus *Poesías completas* (1961), en dos únicos
títulos: *El poeta en la calle* (1931-1935) y *De un momento a otro*
(1934-1939).

En el exilio publicó: *Vida bilingüe de un refugiado español en*
Francia (1939-1940:1942), *Entre el clavel y la espada* (1939-
1940:1941), *Pleamar* (1942-1944:1944), *A la pintura* (1945
aumentado posteriormente), *Buenos Aires en tinta china* (1951)
Retornos de lo vivo lejano (1948-1952:1952), *Ora marítima*
(1953), *Baladas y canciones del Paraná* (1953-1954:1954), primer libro de *Coplas de Juan Panadero* (1949: ampliado
después), *La primavera de los pueblos* (1955), *Sonríe China*
(1958), *Abierto a todas horas* (1960-1963:1964), *Los ocho nom-*
bres de Picasso (1966-1970:1970), *Roma, peligro para caminante*
(1964-1967:1968), *Canciones del alto valle del Aniene y otros*
versos y prosas (1967-1972:1972), *Picasso, el rayo que no cesa*
(1975).

Después de su regreso a España ha publicado: *Fustigada*
luz (1980), *Versos sueltos de cada día* (1982), *Los hijos del Drago*
y otros poemas (1986), *Golfo de sombras* (1986) y *Canciones para*
Altair (1988).

Alberti es también autor de dos interesantes volúmenes de
Memorias, titulados *La arboleda perdida* (1942 y 1987, respectivamente), y de *Imagen primera de...* (1945), en donde
recogió diversas semblanzas de escritores y artistas a los que

conoció y trató: Lorca, Juan Ramón Jiménez, Machado, Valle-Inclán, Unamuno, Picasso, Falla, Ortega y Gasset, etcétera.

Entre sus obras de teatro, destacan *El hombre deshabitado*, *Fermín Galán*, *El adefesio*, *La Gallarda*, *El trébol florido* y *Noche de guerra en el museo del Prado*.

EDICIONES

Obra completa. Poesía: vol. I (1920-1938). Vol. II (1939-1963). Vol. III (1964-1988). (Madrid, Aguilar, 1988). *Marinero en tierra, La amante* y *El alba del alhelí* (Madrid, Castalia, 1972). *Sobre los ángeles* y *Yo era un tonto y lo que he visto me ha hecho dos tontos* (Madrid, Cátedra, 1984). Existen también diversas recopilaciones de su obra: *El poeta en la calle* (Madrid, Aguilar, 1978), *Poemas del destierro y de la espera* (Madrid, Espasa-Calpe, 1976), *Todo el mar* (Círculo de Lectores, 1985).

1

A UN CAPITÁN DE NAVÍO [78]

Homme libre, toujours tu chériras la mer
CH. BAUDELAIRE [

Sobre tu nave —un plinto[1] verde de algas marinas,
de moluscos, de conchas, de esmeralda estelar—,
capitán de los vientos y de las golondrinas,
fuiste condecorado por un golpe de mar.

---

1 *plinto:* se refiere a la parte inferior de la nave.

(78) Se refiere a Juan Antonio Espinosa, hermano de uno de su
amigos de juventud. «No creo que fuera entonces [en 1924] ca
pitán, y menos de navío —comentará Alberti—. Pero yo le admi
raba mucho por el solo hecho de saberlo navegando en no sé qu
flotilla pesquera del Golfo de Vizcaya.» Dámaso Alonso precisará
«Conste que fue este Juan Antonio —y no un capitán de naví
indeterminado— el condecorado en el soneto de Alberti. Genial
mente condecorado: en esa condecoración estaba ya prefigurad
todo el arte de Alberti y de la generación de 1927».
(79) Se trata del primer verso del soneto de Baudelaire «L'hom
me et la mer», incluido en *Les fleurs du mal*. La actitud de Albert
frente al mar es, sin embargo, muy diferente a la del poeta francés
Mientras para éste, o para Rimbaud, fue un símbolo de libertad
un medio para escapar de una sociedad cuyos valores morale
despreciaban, para Alberti constituirá, desde la instalación de s
familia en Madrid, un motivo de evocación nostálgica.

Por ti los litorales de frentes serpentinas,   5
desenrollan al paso de tu arado un cantar:
—Marinero, hombre libre, que las mares declinas,
dinos los radiogramas[2] de tu estrella Polar.

Buen marinero, hijo de los llantos del Norte,
limón del mediodía, bandera de la corte   10
espumosa del agua, cazador de sirenas;

todos los litorales amarrados, del mundo,
pedimos que nos lleves en el surco profundo
de tu nave, a la mar, rotas nuestras cadenas.

2

El mar. La mar.
El mar. ¡Sólo la mar!

¿Por qué me trajiste, padre,
a la ciudad?

¿Por qué me desenterraste   5
del mar?

En sueños, la marejada
me tira del corazón.
Se lo quisiera llevar.

Padre, ¿por qué me trajiste   10
acá?

---

[2] *radiograma:* radiotelegrama.

3

Gimiendo por ver el mar,
un marinerito en tierra
iza al aire este lamento:

«¡Ay mi blusa marinera!
Siempre me la inflaba el viento   5
al divisar la escollera.»[3]

4

SALINERO

... Y ya estarán los esteros[4]
rezumando azul de mar.
¡Dejadme ser, salineros,[5]
granito del salinar![6]

¡Qué bien, a la madrugada,
correr en las vagonetas,
llenas de nieve salada,
hacia las blancas casetas!

Dejo de ser marinero,
madre, por ser salinero.   1

---

[3] *escollera:* obra hecha con piedras arrojadas al fondo del agua par
formar un dique de defensa contra el oleaje o para servir de cimiento a u
muelle. [4] *estero:* zona del litoral inundada durante la pleamar. [5] *salinero*
persona que fabrica, extrae o transporta sal y que comercia con ella.[6] *sali
nar:* lugar en donde se concentra la sal que se obtiene por evaporación de la
aguas del mar.

5

> *... la blusa azul, y la cinta*
> *milagrera sobre el pecho.*
> *J. R. J.*

—Madre, vísteme a la usanza
de las tierras marineras:

el pantalón de campana,[7]
la blusa azul ultramar
y la cinta milagrera.[8]   5

—¿Adónde vas, marinero,
por las calles de la tierra?

—¡Voy por las calles del mar!

6

Si Garcilaso volviera,[80]
yo sería su escudero;
que buen caballero era.

Mi traje de marinero
se trocaría en guerrera   5
ante el brillar de su acero;
que buen caballero era.

---

[7] *pantalón de campana:* es el pantalón cuyas cañas, muy anchas, semejan la forma de una campana.   [8] *cinta milagrera:* escapulario.

[80] Este poema, junto con la «Elegía a Garcilaso» (1929), de *Sermones y moradas,* fue incluido por Alberti como prólogo-homenaje en una edición que hizo en Buenos Aires, en 1946, de las *Poesías* de Garcilaso de la Vega.

¡Qué dulce oírle, guerrero,
al borde de su estribera![9]
En la mano, mi sombrero;   10
que buen caballero era.

7

A Rodolfo Halffter

Si mi voz muriera en tierra,
llevadla al nivel del mar
y dejadla en la ribera.

Llevadla al nivel del mar
y nombradla capitana   5
de un blanco bajel de guerra.

¡Oh mi voz condecorada
con la insignia marinera:
sobre el corazón un ancla,
y sobre el ancla una estrella,   10
y sobre la estrella el viento,
y sobre el viento la vela!

(*Marinero en tierra*)

8

ROA DE DUERO.

Otra vez el río, amante,
y otra puente sobre el río.

---

[9] *estribera:* estribo de la montura de la caballería.

Y otra puente con dos ojos
tan grandes como los míos.

Tan grandes como los míos,   5
mi amante.
¡Mis ojos, cuando te miro!

9

DE ARANDA DE DUERO
A PEÑARANDA DE DUERO.

¡Castellanos de Castilla,
nunca habéis visto la mar!

¡Alerta, que en estos ojos
del Sur y en este cantar
yo os traigo toda la mar!   5

¡Miradme, que pasa el mar!

10

DE SALAS DE LOS INFANTES
A QUINTANAR DE LA SIERRA

Al pasar por el Arlanza,
un navajazo de frío
le hirió la flor de la cara.

¡Mi sangre, el amante mío!
¡Se me olvidó mi bufanda!   5

(*La amante*)

11

EL PRISIONERO

1 ⁽⁸¹⁾

—Carcelera, toma la llave,
que salga el preso a la calle.

Que vean sus ojos los campos
y, tras los campos, los mares,
el sol, la luna y el aire.   5

Que vean a su dulce amiga,
delgada y descolorida,
sin voz, de tanto llamarle.

Que salga el preso a la calle.

12

JOSELITO EN SU GLORIA ⁽⁸²⁾

A Ignacio Sánchez Mejías

Llora, Giraldilla mora, ¹⁰
lágrimas en tu pañuelo.

---

¹⁰ *giraldilla mora:* torre de la Giralda, en Sevilla.

(81) Este poema pertenece a una serie de seis que se engloban bajo el título de «El Prisionero». La vecindad de la cárcel, durante su estancia en Rute, fue, según Alberti, el motivo que le llevó a escribirlos: «Una de las paredes de mi cuarto, aquella en que apoyaba la cabeza para dormir, correspondía a una celda de la cárcel. Gritos y voces comenzaron a entrárseme en el sueño.»
(82) José Gómez Ortega, «Joselito», nació en Gelves (Sevilla) en

Mira cómo sube al cielo
la gracia toreadora.

Niño de amaranto y oro,[11]   5
cómo llora tu cuadrilla
y cómo llora Sevilla
despidiéndote del toro.

Tu río, de tanta pena,
deshoja sus olivares   10
y riega los azahares
de su frente, por la arena.

—Dile adiós, torero mío,
dile adiós a mis veleros
y adiós a mis marineros,   15
que ya no quiero ser río.

Cuatro arcángeles bajaban
y, abriendo surcos de flores,
al rey de los matadores
en hombros se lo llevaban.   20

—Virgen de la Macarena,[12]
mírame tú, cómo vengo,

---

[11] *amaranto y oro:* se refiere al traje del torero, hecho de seda de color carmesí y bordado con oro.   [12] *Virgen de la Macarena:* la popular Virgen de la Esperanza, del barrio sevillano de la Macarena.

1895. Murió en la plaza de toros de Talavera de la Reina el 16 de mayo de 1920. Alberti escribió este poema en el transcurso del homenaje que, con motivo del séptimo aniversario de su muerte, organizó en Sevilla su cuñado Ignacio Sánchez Mejías. A Sánchez Mejías, que también moriría de una cornada, en 1934, le dedicará la elegía *Verte y no verte.*

tan sin sangre, que ya tengo
blanca mi color morena.

Mírame así, chorreado   25
de un borbotón de rubíes
que ciñe de carmesíes
rosas mi talle quebrado. [13]

Ciérrame con tus collares
lo cóncavo [14] de esta herida,   30
¡que se me escapa la vida
por entre los alamares! [15]

¡Virgen del Amor, clavada,
lo mismo que un toro, el seno! [16]
Pon a tu espadita [17] bueno   35
y dale otra vez su espada.

Que pueda, Virgen, que pueda
volver con sangre a Sevilla
y, al frente de mi cuadrilla,
lucirme por la Alameda. [18]   40

(*El alba del alhelí*)

---

[13] El sentido de estos versos sería: «Mírame cómo estoy, empapado de
múltiples gotas de sangre ("borbotón de rubíes") que ciñen, como un cin-
turón de rosas rojas, mi talle roto».   [14] *cóncavo:* profundo, hondo.   [15] *alamares:* adornos de pasamanería que lucen los toreros en el traje.   [16] *seno:*
pecho.   [17] *espadita:* Joselito alude a sí mismo. Metonímicamente, la espada,
instrumento con el que se mata al toro, sustituye al torero.   [18] *Alameda:* la
Alameda de Hércules, famoso paseo sevillano.

13

AMARANTA [83]

... calzó de viento...
GÓNGORA

Rubios, pulidos senos de Amaranta,
por una lengua de lebrel[19] limados.
Pórticos de limones desviados
por el canal que asciende a tu garganta.

Rojo, un puente de rizos se adelanta   5
e incendia tus marfiles ondulados.
Muerde, heridor, tus dientes desangrados,
y corvo, en vilo, al viento te levanta.

La soledad, dormida en la espesura,
calza su pie de céfiro[20] y desciende   10
del olmo alto al mar de la llanura.

Su cuerpo en sombra, oscuro, se le enciende,
y gladiadora, como un ascua impura,
entre Amaranta y su amador se tiende.

---

[19] *lebrel:* perro de talla alta, cabeza alargada y pecho estrecho y profundo.
[20] *céfiro:* cualquier viento suave y apacible. Aquí se refiere al pie alado de Amaranta.

---

(83) El nombre de Amaranta, que podría corresponder al de una mujer o constituir un símbolo de los ideales poéticos de Alberti en esa época, ya había aparecido en un poema de *Marinero en tierra:* «Todas mis novias, las de mar y tierra / —Amaranta, Coral y Serpentina, / Trébol del agua, Rosa y Leontina—, / verdes del sol, del aire, de la sierra.»

14

MADRIGAL AL BILLETE DEL TRANVÍA

Adonde el viento, impávido, subleva
torres de luz contra la sangre mía,
            tú, billete, flor nueva,
cortada en los balcones del tranvía.

Huyes, directa, rectamente liso,   5
en tu pétalo un nombre y un encuentro
            latentes, a ese centro
cerrado y por cortar del compromiso.

Y no arde en ti la rosa ni en ti priva
el finado clavel, sí la violeta   10
            contemporánea, viva,
del libro que viaja en la chaqueta.

(*Cal y canto*)

15

CITA TRISTE DE CHARLOT [84]

A Fernando Villalón

Mi corbata, mis guantes.
Mis guantes, mi corbata.

---

(84) En este poema, que leyó Alberti el 4 de mayo de 1929 en la sexta sesión del Cineclub Español, se recrean las características comunes de los personajes que este cómico americano había interpretado hasta entonces. El título podría evocar una escena de *La quimera del oro*, en la que Charlot espera inútilmente a la casquivana Georgina y a sus amigas, que le han prometido pasar

La mariposa ignora la muerte de los sastres,
la derrota del mar por los escaparates.
Mi edad, señores, 900.000 años.   5
¡Oh!

Era yo un niño cuando los peces no nadaban,
cuando las ocas no decían misa
ni el caracol embestía al gato.
Juguemos al ratón y al gato, señorita.   10

Lo más triste, caballero, un reloj:
las 11, las 12, la 1, las 2.

A las tres en punto morirá un transeúnte.
Tú, luna, no te asustes;
tú, luna, de los taxis retrasados,   15
luna de hollín de los bomberos.

La ciudad está ardiendo por el cielo,
un traje igual al mío se hastía por el campo.
Mi edad, de pronto, 25 años.

Es que nieva, que nieva,   20
y mi cuerpo se vuelve choza de madera.
Yo te invito al descanso, viento.
Muy tarde es ya para cenar estrellas.

Pero podemos bailar, árbol perdido.
Un vals para los lobos,   25
para el sueño de la gallina sin las uñas del zorro.

---

con él la noche de fin de año. Para Carlos Alberto Pérez: «La
melancolía y la tristeza dominan en la mayoría de los poemas de *Yo
era un tonto...* El absurdo de muchos versos, si bien desata la
carcajada, no alcanza a destruir la seriedad del conjunto. Alberti,
como todos los intelectuales de su época, ve claramente el fondo
trágico de las bufonadas del cine.»

Se me ha extraviado el bastón.
Es muy triste pensarlo solo por el mundo.
¡Mi bastón!

Mi sombrero, mis puños,   30
mis guantes, mis zapatos.

El hueso que más duele, amor mío, es el reloj:
las 11, las 12, la 1, las 2.

Las 3 en punto.
En la farmacia se evapora un cadáver desnudo.   35

(*Yo era un tonto y lo que he visto me ha hecho dos tontos*)

16

EL CUERPO DESHABITADO

1

Yo te arrojé de mi cuerpo,
yo, con un carbón ardiendo.

—Vete.

Madrugada.
La luz, muerta en las esquinas   5
y en las casas.
Los hombres y las mujeres
ya no estaban.

—Vete.

Quedó mi cuerpo vacío,   10
negro saco, a la ventana.

Se fue.

Se fue, doblando las calles.
Mi cuerpo anduvo, sin nadie.

17

LOS DOS ÁNGELES

Ángel de luz, ardiendo,
¡oh, ven!, y con tu espada
incendia los abismos donde yace
mi subterráneo ángel de las nieblas.

¡Oh espadazo en las sombras!   5
Chispas múltiples,
clavándose en mi cuerpo,
en mis alas sin plumas,
en lo que nadie ve,
vida.   10

Me estás quemando vivo.
Vuela ya de mí, oscuro
Luzbel de las canteras sin auroras,
de los pozos sin agua,
de las simas sin sueño,   15
ya carbón del espíritu,
sol, luna.

Me duelen los cabellos
y las ansias. ¡Oh, quémame!
¡Más, más, sí, sí, más! ¡Quémame!   20

¡Quémalo, ángel de luz, custodio mío,
tú que andabas llorando por las nubes,
tú, sin mí, tú, por mí,
ángel frío de polvo, ya sin gloria,
volcado en las tinieblas!   25

¡Quémalo, ángel de luz,
quémame y huye!

18

EL ALMA EN PENA

Ese alma en pena, sola,
ese alma en pena siempre perseguida
por un resplandor muerto.
Por un muerto.

Cerrojos, llaves, puertas   5
saltan a deshora
y cortinas heladas en la noche se alargan,
se estiran,
se incendian,
se prolongan.   10

Te conozco,
te recuerdo,
bujía inerte, lívido halo, nimbo difunto,
te conozco aunque ataques diluido en el viento.
Párpados desvelados   15
vienen a tierra.
Sísmicos[21] latigazos tumban sueños,
terremotos derriban las estrellas.

---

[21] *sísmico:* perteneciente o relativo al terremoto.

Catástrofes celestes tiran al mundo escombros,
alas rotas, laúdes, cuerdas de arpas,   20
restos de ángeles.

No hay entrada en el cielo para nadie.

En pena, siempre en pena,
alma perseguida.
A contraluz siempre,   25
nunca alcanzada, sola,
alma sola.

Aves contra barcos,
hombres contra rosas,
las perdidas batallas en los trigos,   30
la explosión de la sangre en las olas.
Y el fuego.
El fuego muerto,
el resplandor sin vida,
siempre vigilante en la sombra.   35

Alma en pena:
el resplandor sin vida,
tu derrota.

19
HUÉSPED DE LAS NIEBLAS [85]
TRES RECUERDOS DEL CIELO

Homenaje a Gustavo Adolfo Bécquer

PRÓLOGO

No habían cumplido años ni la rosa ni el arcángel.
Todo, anterior al balido y al llanto.

---

(85) Este lema, «huésped de las nieblas», encabeza además las
tres secciones de *Sobre los ángeles*. Procede de la rima LXXV de

Cuando la luz ignoraba todavía
si el mar nacería niño o niña.
Cuando el viento soñaba melenas que peinar,   5
y claveles el fuego que encender, y mejillas,
y el agua unos labios parados donde beber.
Todo, anterior al cuerpo, al nombre y al tiempo.

Entonces, yo recuerdo que, una vez, en el cielo...

PRIMER RECUERDO

...una azucena tronchada... [86]

G. A. BÉCQUER

Paseaba con un dejo de azucena que piensa,   10
casi de pájaro que sabe ha de nacer.
Mirándose sin verse a una luna que le hacía espejo el
[sueño

Bécquer (¿Será verdad que cuando toca el sueño...») y resume de
forma precisa la situación de hundimiento del yo lírico y la crisis
personal y estética que sufre Alberti. En un texto que escribe por
esas fechas, «Miedo y vigilia de Gustavo Adolfo Bécquer», presenta
al poeta romántico en una situación parecida a la suya: «Pero él no
era de mármol; él era un pobre ángel de carne y hueso perdido en
una fría alcoba, sobresaltado por el crujir de las maderas, por el
temblar de los muros, los cabezazos del viento y el fustigar de la
lluvia en los cristales. Y tenía miedo, solitario en la noche oscura de
su alma. Miedo de encontrarse a solas con sus dolores, acechado
por recuerdos que se le agigantaban, atenazándole por la garganta,
hasta hacerle arrancar los estertores más entrecortados.»

(**86**) Los tres epígrafes que aparecen en cada uno de los «recuerdos» corresponden a las Rimas XIX, X y XL de Bécquer,
respectivamente.

y a un silencio de nieve, que le elevaba los pies.
A un silencio asomada.
Era anterior al arpa, a la lluvia y a las palabras.   15
No sabía.
Blanca alumna del aire,
temblaba con las estrellas, con la flor y los árboles.
Su tallo, su verde talle.
Con las estrellas mías   20
que, ignorantes de todo,
por cavar dos lagunas en sus ojos
la ahogaron en dos mares.

Y recuerdo...

Nada más: muerta, alejarse.   25

SEGUNDO RECUERDO

> ... *rumor de besos y batir de alas...*

G. A. BÉCQUER

También antes,
mucho antes de la rebelión de las sombras,
de que al mundo cayeran plumas incendiadas
y un pájaro pudiera ser muerto por un lirio.
Antes, antes que tú me preguntaras   30
el número y el sitio de mi cuerpo.
Mucho antes del cuerpo.
En la época del alma.
Cuando tú abriste en la frente sin corona, del cielo,
la primera dinastía del sueño.   35
Cuando tú, al mirarme en la nada,
inventaste la primera palabra.

Entonces, nuestro encuentro.

TERCER RECUERDO

> *... detrás del abanico*
> *de plumas de oro...*

G. A. BÉCQUER

Aún los valses del cielo no habían desposado al jazmín
[y la nieve,
ni los aires pensado en la posible música de tus
[cabellos,   40
ni decretado el rey que la violeta se enterrara en un
[libro.
No.
Era la era en que la golondrina viajaba
sin nuestras iniciales en el pico.
En que las campanillas y las enredaderas   45
morían sin balcones que escalar y estrellas.
La era
en que al hombro de un ave no había flor que apoyara
[la cabeza.

Entonces, detrás de tu abanico, nuestra luna primera.

20

LOS ÁNGELES MUERTOS

Buscad, buscadlos:
en el insomnio de las cañerías olvidadas,
en los cauces interrumpidos por el silencio de las
[basuras.
No lejos de los charcos incapaces de guardar una nube,

unos ojos perdidos,   5
una sortija rota
o una estrella pisoteada.
Porque yo los he visto:
en esos escombros momentáneos que aparecen en las
                                                    [neblinas.
Porque yo los he tocado: 10
en el destierro de un ladrillo difunto,
venido a la nada desde una torre o un carro.
Nunca más allá de las chimeneas que se derrumban
ni de esas hojas tenaces que se estampan en los zapatos.
En todo esto.   15
Mas en esas astillas vagabundas que se consumen sin
                                                    [fuego,
en esas ausencias hundidas que sufren los muebles
                                                    [desvencijados,
no a mucha distancia de los nombres y signos que se
                                                    [enfrían en las paredes.

Buscad, buscadlos:
debajo de la gota de cera que sepulta la palabra de
                                                    [un libro   20
o la firma de uno de esos rincones de cartas
que trae rodando el polvo.
Cerca del casco perdido de una botella,
de una suela extraviada en la nieve,
de una navaja de afeitar abandonada al borde de un
                                                    [precipicio.   25

(*Sobre los ángeles*)

21

ESPANTAPÁJAROS

Ya en mi alma pesaban de tal modo los muertos futuros
que no podía andar ni un solo paso sin que las piedras
[revelaran sus entrañas.
¿Qué gritan y defienden esos trajes retorcidos por las
[exhalaciones?
Sangran ojos de mulos cruzados de escalofríos.
Se hace imposible el cielo entre tantas tumbas anegadas
[de setas corrompidas   5.

¿Adónde ir con las ansias de los que han de morirse?
La noche se desploma por un exceso de equipaje secreto.
Alabad a la chispa que electrocuta las huestes y los rebaños.
Un hombre y una vaca perdidos.

¿Qué nuevas desventuras esperan a las hojas para este
[otoño?   10
Mi alma no puede ya con tanto cargamento sin destino.
El sueño para preservarse de las lluvias intenta una
[alquería. 22
Anteanoche no aullaron ya las lobas.

¿Qué espero rodeado de muertos al filo de una
[madrugada indecisa?

(*Sermones y moradas*)

---

22 *alquería:* casa de labranza o granja lejos del poblado.

22

SIERVOS

Siervos,
viejos criados de mi infancia vinícola y pesquera
con grandes portalones de bodegas abiertos a la playa,
amigos,
perros fieles,   5
jardineros,
cocheros,
pobres arrumbadores,
desde este hoy en marcha hacia la hora de estrenar
           [vuestro pie la nueva era del mundo,
yo os envío un saludo   10
y os llamo camaradas.
Venid conmigo,
alzaos,
antiguos y primeros guardianes ya desaparecidos.
No es la voz de mi abuelo   15
ni ninguna otra voz de dominio y de mando.
¿La recordáis?
Decídmelo.
Mayor de edad,
crecida,   20
testigo treinta años de vuestra inalterada servidumbre,
es mi voz,
sí,
la mía,
la que os llama.   25
Venid.
Y no para pediros que deis alpiste o agua al canario,
al jilguero
o al periquito rey;
no para reprocharos que la jaca anda mal de una
                  [herradura   30

o que no acudís pronto a recogerme por la tarde al
[colegio.
Ya no.
Venid conmigo.

Abramos,
abrir todas las puertas que dan a los jardines,   35
a las habitaciones que vosotros barristeis mansamente,
a los toneles de vinos que pisasteis un día en los lagares,
las puertas a los huertos,
a las cuadras oscuras donde os esperan los caballos.
Abrid,   40
abrid,
sentaos,
descansad.
¡Buenos días!
Vuestros hijos,   45
su sangre,
han hecho al fin que suene esa hora en que el mundo
[va a cambiar de dueño.

32

DEFENSA DE MADRID

Madrid, corazón de España,
late con pulsos de fiebre.
Si ayer la sangre le hervía,
hoy con más calor le hierve.
Ya nunca podrá dormirse,   5
porque si Madrid se duerme,

querrá despertarse un día
y el alba no vendrá a verle.
No olvides, Madrid, la guerra;
jamás olvides que enfrente   10
los ojos del enemigo
te echan miradas de muerte.
Rondan por tu cielo halcones
que precipitarse quieren
sobre tus rojos tejados,   15
tus calles, tu brava gente.
Madrid: que nunca se diga,
nunca se publique o piense
que en el corazón de España
la sangre se volvió nieve.   20
Fuentes de valor y hombría
las guardas tú donde siempre.
Atroces ríos de asombro
han de correr de esas fuentes.
Que cada barrio a esa hora,   25
si esa mal hora viniere
—hora que no vendrá—, sea
más que la plaza más fuerte.
Los hombres, como castillos;
igual que almenas sus frentes,   30
grandes murallas sus brazos,
puertas que nadie penetre.
Quien al corazón de España
quiera asomarse, que llegue.
¡Pronto! Madrid está cerca.   35
Madrid sabe defenderse
con uñas, con pies, con codos,
con empujones, con dientes,
panza arriba, arisco, recto,
duro, al pie del agua verde   40
del Tajo, en Navalperal,

en Sigüenza,[23] en donde suenen
balas y balas que busquen
helar su sangre caliente.
Madrid, corazón de España,   45
que es de tierra, dentro tiene,
si se le escarba, un gran hoyo,
profundo, grande, imponente,
como un barranco que aguarda...
Sólo en él cabe la muerte.   50

24

A «NIEBLA», MI PERRO

«Niebla», tú no comprendes: lo cantan tus orejas,
el tabaco inocente, tonto, de tu mirada,
los largos resplandores que por el monte dejas,
al saltar, rayo tierno de brizna despeinada.

Mira esos perros turbios, huérfanos, reservados,   5
que de improviso surgen de las rotas neblinas,
arrastrar en sus tímidos pasos desorientados
todo el terror reciente de su casa en ruinas.

A pesar de esos coches fugaces, sin cortejo,
que transportan la muerte en un cajón desnudo;   10
de ese niño que observa lo mismo que un festejo
la batalla en el aire, que asesinarle pudo;

a pesar del mejor compañero perdido,
de mi más que tristísima familia que no entiende
lo que yo más quisiera que hubiera comprendido,   15
y a pesar del amigo que deserta y nos vende;

---

[23] *Navalperal* y *Sigüenza:* son pueblos de las provincias de Ávila y
Guadalajara, respectivamente.

«Niebla», mi camarada,
aunque tú no lo sabes, nos queda todavía,
en medio de esta heroica pena bombardeada,
la fe, que es alegría, alegría, alegría.   20

(*De un momento a otro*)

25

Se equivocó la paloma.
Se equivocaba.

Por ir al Norte, fue al Sur.
Creyó que el trigo era agua.
Se equivocaba.   5

Creyó que el mar era el cielo;
que la noche, la mañana.
Se equivocaba.

Que las estrellas, rocío;
que la calor, la nevada.   10
Se equivocaba.

Que tu falda era tu blusa;
que tu corazón, su casa.
Se equivocaba.

(Ella se durmió en la orilla.   15
Tú, en la cumbre de una rama.)

26

(*Muelle del Reloj* [24].)

A través de una niebla caporal [25] de tabaco
miro el río de Francia [26]
moviendo escombros tristes, arrastrando ruinas
por el pesado verde ricino de sus aguas.
Mis ventanas   5
ya no dan a los álamos y los ríos de España.

Quiero mojar la mano en tan espeso frío
y parar lo que pasa
por entre ciegas bocas de piedra, dividiendo
subterráneas corrientes de muertos y cloacas.   10
Mis ventanas
ya no dan a los álamos y los ríos de España.

Miro una lenta piel de toro desollado,
sola, descuartizada,
sosteniendo cadáveres de voces conocidas,   15
sombra abajo, hacia el mar, hacia una mar sin barcas.
Mis ventanas
ya no dan a los álamos y los ríos de España.

Desgraciada viajera fluvial que de mis ojos
desprendidos arrancas   20
eso que de sus cuencas desciende como río
cuando el llanto se olvida de rodar como lágrima.
Mis ventanas
ya no dan a los álamos y los ríos de España.

(*Entre el clavel y la espada*)

---

[24] «Muelle del reloj»: es el *Quai de l'Horloge*, en París, sobre el río
Sena.   [25] *caporal:* espesa. En Francia: cierta clase de tabaco fuerte.   [26] *río
de Francia:* el Sena.

27

A LA DIVINA PROPORCIÓN [87]

A ti, maravillosa disciplina,
media, extrema razón de la hermosura
que claramente acata la clausura
viva en la malla de tu ley divina.

A ti, cárcel feliz de la retina,   5
áurea sección, celeste cuadratura,
misteriosa fontana de mesura
que el Universo armónico origina.

A ti, mar de los sueños angulares,
flor de las cinco formas regulares,   10
dodecaedro azul, arco sonoro.

Luces por alas un compás ardiente.
Tu canto es una esfera trasparente.
A ti, divina proporción de oro.

28

ZURBARÁN [88]

Ni el humo, ni el vapor, ni la neblina.
Lejos de aquí ese aliento que destruye.

---

(87) Los sonetos de esta obra se mueven en el terreno de lo
abstracto y tienen una misma estructura. Al comienzo de los versos
1, 5, 9 y 14 se repite anafóricamente la expresión «a ti», que suple a
los verbos y sirve de puente para el diálogo con los términos
abstractos que se suceden, y que aparecen humanizados.

(88) Alberti recrea aquí los motivos más habituales de la pintura
de Zurbarán (1598-1662). Obsérvese la importancia que concede a

Una luz en los huesos determina
y con la sombra cómplice construye.
Pensativa sustancia la pintura,   5
paraliza de luz la arquitectura.

Meditación del sueño, memorable
visión real que en éxtasis domeña;
severo cielo, tierra razonable
de pan cortado, vino y estameña. [27]   10
El pincel, la paleta, todo es frente,
médula todo, pensativamente.

Piensa el tabique, piensa el pergamino
del volumen que alumbra la madera;
el pan se abstrae y se ensimisma el vino   15
sobre el mantel que enclaustra la arpillera. [28]
Y es el membrillo un pensamiento puro
que concentra el frutero en claroscuro.

Ora el plato, y la jarra, de sencilla,
humildemente perservera muda,   20
y el orden que descansa en la vajilla
se reposa en la luz que la desnuda.
Todo el callado refectorio reza
una oración que exalta la certeza.

---

[27] *estameña:* tejido basto de estambre, usado principalmente para hábitos.
[28] *arpillera:* tejido de estopa muy basta, con que se cubren varias cosas para protegerlas del polvo y del agua.

sus magistrales bodegones y el uso de la sexta rima, estrofa que tiene su origen en el barroco y que gozó de un discreto éxito en el Romanticismo y en el Modernismo, pero que apenas fue cultivada por los poetas del 27.

La nube es un soporte, es una baja   25
plataforma celeste suspendida,
donde un arcángel albañil trabaja,
roto el muro, en mostrar que hay otra vida.
Mas lo que muestra es siempre un andamiaje
para enganchar en pliegues el ropaje.   30

Rudo amante del lienzo, recia llama
que blanquecinamente tabletea,
telar del hilo de la flor en rama,
pincel que teje, aguja que tornea.
Nunca la línea revistió más peso   35
ni el alma paño vivo en carne y hueso.

Fe que da el barro, mística terrena
que el color de la arcilla sube al cielo;
mano real que al ser humano ordena
mirarse ante el divino, paralelo.   40
La gloria abierta, el monje se extasía
al ver volar la misma alfarería.

Pintor de Extremadura, en ti se extrema,
dura y fatal, la lidia por la forma.
El pan que cuece tu obrador se quema   45
en el frío troquel²⁹ que lo conforma.
Gire en tu eternidad la disciplina
de una circunferencia cristalina.

(*A la pintura*)

---

²⁹ *troquel:* molde.

29

RETORNOS DEL AMOR
EN LA NOCHE TRISTE

Ven, amor mío, ven, en esta noche
sola y triste de Italia. Son tus hombros
fuertes y bellos los que necesito.
Son tus preciosos brazos, la largura
maciza de tus muslos y ese arranque   5
de pierna, esa compacta
línea que te rodea y te suspende,
dichoso mar, abierta playa mía.
¿Cómo decirte, amor, en esta noche
solitaria de Génova, escuchando   10
el corazón azul del oleaje,
que eres tú la que vienes por la espuma?
Bésame, amor, en esta noche triste.
Te diré las palabras que mis labios,
de tanto amor, mi amor, no se atrevieron.   15
Amor mío, amor mío, es tu cabeza
de oro tendido junto a mí, su ardiente
bosque largo de otoño quien me escucha.
Óyeme, que te llamo. Vida mía,
sí, vida mía, vida mía sola.   20
¿De quién más, de quién más si solamente
puedo ser yo quien cante a tus oídos:
vida, vida, mi vida, vida mía?
¿Qué soy sin ti, mi amor? Dime qué fuera
sin ese fuerte y dulce muro blando   25
que me da luz cuando me da la sombra,
sueño, cuando se escapa de mis ojos.
Yo no puedo dormir. ¡Cuántas auroras,
oscuras, braceando en las tinieblas,
sin encontrarme, amor! ¡Cuántos amargos   30

golpes de sal, sin ti, contra mi boca!
¿Dónde estás? ¿Dónde estás? Dime, amor mío.
¿Me escuchas? ¿No me sientes
llegar como una lágrima llamándote,
por encima del mar, en esta noche? 35

(*Retornos de lo vivo lejano*)

30

POR ENCIMA DEL MAR,
DESDE LA ORILLA AMERICANA
DEL ATLÁNTICO

¡Si yo hubiera podido, oh Cádiz, a tu vera,
hoy, junto a ti, metido en tus raíces,
hablarte como entonces,
como cuando descalzo por tus verdes orillas
iba a tu mar robándole caracoles y algas! 5

Bien lo merecería, yo sé que tú lo sabes,
por haberte llevado tantos años conmigo,
por haberte cantado casi todos los días,
llamando siempre Cádiz a todo lo dichoso,
lo luminoso que me aconteciera. 10

Siénteme cerca, escúchame
igual que si mi nombre, si todo yo tangible,
proyectado en la·cal hirviente de tus muros,
sobre tus farallones[30] hundidos o en los huecos
de tus antiguas tumbas o en las olas te hablara. 15
Hoy tengo muchas cosas, muchas más que decirte.

---

[30] *farallón:* roca alta y tajada que sobresale en el mar o en la costa.

Yo sé que lo lejano,
sí, que lo más lejano, aunque se llame
Mar de Solís o Río de la Plata,[31]
no hace que los oídos   20
de tu siempre dispuesto corazón no me oigan.
Por encima del mar voy de nuevo a cantarte.

(*Ora marítima*)

31

CANCIÓN 8

Hoy las nubes me trajeron,
volando, el mapa de España.
¡Qué pequeño sobre el río,
y qué grande sobre el pasto
la sombra que proyectaba!   5

Se le llenó de caballos
la sombra que proyectaba.
Yo, a caballo, por su sombra
busqué mi pueblo y mi casa.

---

[31] *Río de la Plata:* estuario de América del Sur, formado por la desembocadura del Paraná y del Uruguay, que se abre entre Argentina (margen derecha) y Uruguay (margen izquierda). Se llama también mar de Solís en homenaje a su descubridor.

(**89**) Este tardío poema es uno de los muchos que los poetas del 27 dedicaron a García Lorca. Alberti evoca aquí la Residencia de Estudiantes, que estuvo primero en la calle de Fortuny y más tarde en los nuevos edificios de los altos del Hipódromo, en la calle del Pinar. A ella nos hemos referido en la Introducción.

Entré en el patio que un día 10
fuera una fuente con agua.
Aunque no estaba la fuente,
la fuente siempre sonaba.
Y el agua que no corría
volvió para darme agua. 15

(*Baladas y canciones del Paraná*)

32

Federico.
Voy por la calle del Pinar
para verte en la Residencia.
Llamo a la puerta de tu cuarto.
Tú no estás. 5

Federico.
Tú te reías como nadie.
Decías tú todas tus cosas
como ya nadie las dirá.
Voy a verte a la Residencia. 10
Tú no estás.

Federico.
Por estos montes del Aniene, [32]
tus olivos trepando van.
Llamo a sus ramas con el aire. 15
Tú sí estás.

(*Canciones del alto valle del Aniene*)

---

[32] *Aniene:* río de la Italia central, afluente del Tíber. Se le conoce también con el nombre de Teverone.

33

LO QUE DEJÉ POR TI

Ah! cchi nun vede sta parte de monn
Nun za nnemmanco pe cche ccosa è nnato

G. G. BELL

Dejé por ti mis bosques, mi perdida
arboleda, mis perros desvelados,
mis capitales años desterrados
hasta casi el invierno de la vida.

Dejé un temblor, dejé una sacudida,   5
un resplandor de fuegos no apagados,
dejé mi sombra en los desesperados
ojos sangrantes de la despedida.

Dejé palomas tristes junto a un río,
caballos sobre el sol de las arenas,   10
dejé de oler la mar, dejé de verte.

Dejé por ti todo lo que era mío.
Dame tú, Roma, a cambio de mis penas,
tanto como dejé para tenerte.

34

BASÍLICA DE SAN PEDRO

Di, Jesucristo, ¿por qué
me besan tanto los pies?

Soy San Pedro aquí sentado,
en bronce inmovilizado,

no puedo mirar de lado   5
ni pegar un puntapié,
pues tengo los pies gastados,
como ves.

Haz un milagro, Señor.
Déjame bajar al río,   10
volver a ser pescador,
que es lo mío.

(*Roma, peligro para caminantes*)

35

BAJÉ HASTA EL MAR...

BAJÉ hasta el mar, y el mar que yo quería
fue en vez del mar azul el de la pena,
triste la espuma, gélida la arena
de una playa que el viento deshacía.

Oh ansiado mar, oh mar que fue tan mía,
tan libre ayer, tan rota de cadena,
¿por qué, mar, hoy mi cárcel, mi condena,
la muerte a la que tanto yo temía?

Irme de ti no será traicionarte,
mar mío, pues no puedo ni mirarte
sin verme y sin sentirte un mar de llanto.

Adiós. Me voy. Perdona mi partida.
Vuelvo a la tierra en donde está la vida
de un marinero que perdió su canto.

(*Los hijos del Drago*)

LUIS CERNUDA

Nació en Sevilla en 1902. Hijo de un comandante de ingenieros, se educó en un ambiente de rígidos principios morales y religiosos. Fue un niño tímido, observador, solitario y meditabundo. Sus tempranas aficiones literarias y el descubrimiento de sus tendencias homosexuales contribuyeron a su aislamiento y marginación. En 1919 comenzó a estudiar Derecho en la Universidad de Sevilla (en el primer curso tuvo de profesor a Pedro Salinas). Un año después murió su padre.

En 1923 hace el servicio militar en Caballería y se decide su vocación poética. En 1925 publica sus primeros versos en *Revista de Occidente*. En 1926 se prepara para opositar a Secretario de Ayuntamiento. Dos años después muere su madre. Vende su casa y, después de un viaje a Málaga, en el que conoce a los poetas de la revista *Litoral,* se establece en Madrid. Pedro Salinas le consigue un puesto de lector de español en la Universidad de Toulouse, en donde permanecerá hasta el verano de 1929. En esta época toma contacto con el surrealismo.

Su espíritu de rebeldía y su oposición a las normas morales y sociales se agudizan en los años siguientes. Colabora con las Misiones pedagógicas y en la revista revolucionaria *Octubre,* aunque con lo que sueña es con una España tolerante, liberal, culta y amante de la tradición esmerada.

Durante la guerra apoya a la República (en sus poemas «1936» y «Amigos: Víctor Cortezo» recordará esta época de la vida española). Lee a Vigny y a Leopardi, buenos

rofesores de melancolía, mientras siente «en el pecho la
ngustia, la zozobra y el dolor de todo y por todo». En julio
e 1937 participa en el II Congreso de Intelectuales Antifas-
istas. En febrero de 1938 es invitado a dar unas conferen-
ias en Inglaterra. Nunca más volverá a España. En la
écada de los años cuarenta enseña Lengua y Literatura
spañolas en Glasgow (1939-1943), Cambridge (1943-1945)
 Londres (1945-1947). Los años de Escocia, sobre todo, le
arecieron aborrecibles, pero fueron de gran fertilidad lite-
aria. En 1947 se traslada a Estados Unidos para dar clase
n Mount Holyoke College. En 1952 pasa a México, de
uya universidad autónoma será profesor temporalmente. El
ontacto con este país reafirma su concepción mítica del sur
omo metáfora del paraíso. En 1960 regresa a Estados
Jnidos. Solía pasar los veranos en México, en donde muere
n 1963.

A su carácter huraño y retraído y a sus dificultades para
elacionarse con los demás se han referido numerosas perso-
as que lo trataron. «Difícil de conocer —precisará Sali-
as—. Delicado, pudorosísimo, guardándose su intimidad
ara él solo, y para las abejas de su poesía que van y vienen
rajinando allí dentro —sin querer más jardín— haciendo su
iel. La afición suya, el aliño de su persona, el traje de buen
orte, el pelo bien planchado, esos nudos de corbata perfec-
os, no es más que deseo de ocultarse, muralla de tímido,
urladero del toro malo de la atención pública.»

El descubrimiento de Cernuda en España fue tardío. Sin
mbargo, a partir del final de la década de los sesenta,
jercerá una gran influencia en los poetas españoles más
óvenes.

BRA POÉTICA

Antes de 1936 publicó: *Perfil del aire* (1927), que obtuvo
ríticas negativas, *Donde habite el olvido* (1932-33, publicado

en 1934) y *El joven marino* (1936). En 1936 reunió en un volumen, con el título de *La realidad y el deseo,* todo lo publicado hasta entonces (*Perfil del aire* apareció con notables modificaciones y con el título de *Primeras poesías*) y diversos libros que permanecían inéditos, aunque había dado a conocer algunas muestras de los mismos en diversas revistas y en una antología titulada *La invitación a la poesía* (1933). Los títulos de esos libros son: *Égloga, elegía, oda* (1927-1928), *Un río, un amor* (1929), *Los placeres prohibidos* (1931) e *Invocaciones a las gracias del mundo* (1934-1935), en donde incluyó *El joven marino.*

El resto de su producción irá incorporándose también a *La realidad y el deseo.* En la segunda edición (1940) incluyó *Las nubes* (1937-1940). En la tercera (1958), *Como quien espera el alba* (1941-1944, y publicado independientemente en 1947), *Vivir sin estar viviendo* (1944-1949) y *Con las horas contadas* (1950-1956), en donde figuran los *Poemas para un cuerpo,* editados en 1957. *Desolación de la Quimera,* su última obra (1962), pasará, póstumamente, a la cuarta edición de *La realidad y el deseo* (1964).

Cernuda es autor, además, de dos libros en prosa: *Ocnos,* que comenzó en 1940 (la primera edición es de 1942) y terminó en 1963, y *Variaciones sobre tema mexicano* (1952).

Escribió también numerosos ensayos sobre literatura y una obra de teatro, *La familia interrumpida,* escrita al final de la década de los años treinta y publicada en 1985.

EDICIONES

Poesía completa, Barcelona, Barral, 1974. *Prosa completa* Barcelona, Barral, 1975. *La realidad y el deseo* (se reproduce la edición de 1936), Madrid, Castalia, 1985.

1

XXIII [90]

Escondido en los muros
Este jardín me brinda
Sus ramas y sus aguas
De secreta delicia.

Qué silencio. ¿Es así   5
El mundo? Cruza el cielo
Desfilando paisajes,
Risueño hacia lo lejos.

Tierra indolente. En vano
Resplandece el destino.   10
Junto a las aguas quietas
Sueño y pienso que vivo.

Mas el tiempo ya tasa
El poder de esta hora;

(90) En este texto, lo mismo que en «Jardín antiguo», de *Las nubes*, y en el «Jardín antiguo», de *Ocnos,* ya se apunta el tema central de la obra de Cernuda: el conflicto entre realidad y deseo, entre apariencia y verdad. Obsérvese que el «escondido» del primer verso modifica a «jardín», aunque podría referirse al autor. El sujeto de «cruza» (v. 6) es cielo, pero podría ser también el «silencio» del verso anterior. Esta ambigüedad concuerda perfectamente con el carácter esfumado del poema.

Madura su medida   15
Escapa entre sus rosas.

Y el aire fresco vuelve
Con la noche cercana,
Su tersura olvidando
Las ramas y las aguas.   20

(*Primeras poesías*)

2

COMO EL VIENTO

Como el viento a lo largo de la noche,
Amor en pena o cuerpo solitario,
Toca en vano a los vidrios,
Sollozando abandona las esquinas;

O como a veces marcha en la tormenta,   5
Gritando locamente,
Con angustia de insomnio,
Mientras gira la lluvia delicada;

Sí, como el viento al que un alba le revela
Su tristeza errabunda por la tierra,   10
Su tristeza sin llanto,
Su fuga sin objeto;

Como él mismo extranjero,
Como el viento huyo lejos.
Y sin embargo vine como luz.   15

3

DESDICHA [91]

Un día comprendió cómo sus brazos eran
Solamente de nubes; [92]
Imposible con nubes estrechar hasta el fondo
Un cuerpo, una fortuna.

La fortuna es redonda y cuenta lentamente   5
Estrellas del estío.
Hacen falta unos brazos seguros como el viento,
Y como el mar un beso.

~~~~~~

(91) A través de estos poemas puede seguirse el desarrollo del
pensamiento central de Cernuda. Aquí, su insatisfacción vital es
una consecuencia de la desproporción entre lo ilimitado de sus
deseos y los medios de que dispone para materializarlos. En «No
decía palabras» [6] sus aspiraciones, netamente románticas, toman
la forma de una pregunta sin posible respuesta. La vida y el
mundo, por consiguiente, no podrán constituir una posesión gozosa
o un triunfo jubiloso: «Tu destino será escuchar lo que digan /
las sombras inclinadas sobre la cuna», dirá en «De qué país». El
poeta habrá de vivir entre «los fantasmas del deseo» (título de una
de sus poesías), entre «sombras frágiles, blancas». Pero, como
puede verse en *Donde habite el olvido* [10], lo que sustenta la vida
y le da su razón de ser es ese alzar las manos («ardientes de deseo,
tendidas hacia el aire»), es el desear anhelante, aunque nunca pueda
apresar una verdad.

(92) «Las nubes» constituye una de las imágenes predilectas de
Cernuda. Suele servirle para indicar vaguedad, lejanía e imposibilidad de materializar sus deseos (en «Drama o puerta cerrada» dirá:
«La juventud sin escolta de nubes»). En el libro al que da título se
convierte en símbolo de su dolor sosegado y de su fascinación y
añoranza de mundos perfectos e ideales.

Pero él con sus labios,
Con sus labios no sabe sino decir palabras;   10
Palabras hacia el techo,
Palabras hacia el suelo,
Y sus brazos son nubes que transforman la vida
En aire navegable.

4

¿SON TODOS FELICES?

El honor de vivir con honor gloriosamente,
El patriotismo hacia la patria sin nombre,
El sacrificio, el deber de labios amarillos,
No valen un hierro devorando
Poco a poco algún cuerpo triste a causa de ellos mismos.   5

Abajo pues la virtud, el orden, la miseria;
Abajo todo, todo, excepto la derrota,
Derrota hasta los dientes, hasta ese espacio helado
De una cabeza abierta en dos a través de soledades,
Sabiendo nada más que vivir es estar a solas con la
                                                    [muerte.   10

Ni siquiera esperar ese pájaro con brazos de mujer,
Con voz de hombre oscurecida deliciosamente,
Porque un pájaro, aunque sea enamorado,
No merece aguardarle, como cualquier monarca
Aguarda que las torres maduren hasta frutos podridos.   15

Gritemos sólo,
Gritemos a un ala enteramente,
Para hundir tantos cielos,
Tocando entonces soledades con mano disecada.

(*Un río, un amor*)

5

DIRÉ CÓMO NACISTEIS

Diré cómo nacisteis, placeres prohibidos,
Como nace un deseo sobre torres de espanto,
Amenazadores barrotes, hiel descolorida,
Noche petrificada a fuerza de puños,
Ante todos, incluso el más rebelde,   5
Apto solamente en la vida sin muros.

Corazas infranqueables, lanzas o puñales,
Todo es bueno si deforma un cuerpo;
Tu deseo es beber esas hojas lascivas
O dormir en ese agua acariciadora.   10
No importa;
Ya declaran tu espíritu impuro.

No importa la pureza, los dones que un destino
Levantó hacia las aves con manos imperecederas;
No importa la juventud, sueño más que hombre,   15
La sonrisa tan noble, playa de seda bajo la tempestad
De un régimen caído.

Placeres prohibidos, planetas terrenales,
Miembros de mármol con sabor de estío,
Jugo de esponjas abandonadas por el mar,   20
Flores de hierro, resonantes como el pecho de un
                                        [hombre.

Soledades altivas, coronas derribadas,
Libertades memorables, manto de juventudes;
Quien insulta esos frutos, tinieblas en la lengua,
Es vil como un rey, como sombra de rey   25
Arrastrándose a los pies de la tierra
Para conseguir un trozo de vida.

No sabía los límites impuestos,
Límites de metal o papel,
Ya que el azar le hizo abrir los ojos bajo una luz tan alta,   30
Adonde no llegan realidades vacías,
Leyes hediondas, códigos, ratas de paisajes derruidos.

Extender entonces la mano
Es hallar una montaña que prohíbe,
Un bosque impenetrable que niega,   35
Un mar que traga adolescentes rebeldes.

Pero si la ira, el ultraje, el oprobio y la muerte,
Ávidos dientes sin carne todavía,
Amenazan abriendo sus torrentes,
De otro lado vosotros, placeres prohibidos,   40
Bronce de orgullo, blasfemia que nada precipita,
Tendéis en una mano el misterio,
Sabor que ninguna amargura corrompe,
Cielos, cielos relampagueantes que aniquilan.

Abajo, estatuas anónimas,   45
Sombras de sombras, miseria, preceptos de niebla;
Una chispa de aquellos placeres
Brilla en la hora vengativa.
Su fulgor puede destruir vuestro mundo.

6

NO DECÍA PALABRAS

No decía palabras,
Acercaba tan sólo un cuerpo interrogante,
Porque ignoraba que el deseo es una pregunta
Cuya respuesta no existe,

Una hoja cuya rama no existe, 5
Un mundo cuyo cielo no existe.

La angustia se abre paso entre los huesos,
Remonta por las venas
Hasta abrirse en la piel,
Surtidores de sueño 10
Hechos carne en interrogación vuelta a las nubes.

Un roce al paso,
Una mirada fugaz entre las sombras,
Bastan para que el cuerpo se abra en dos,
Ávido de recibir en sí mismo 15
Otro cuerpo que sueñe;
Mitad y mitad, sueño y sueño, carne y carne,
Iguales en figura, iguales en amor, iguales en deseo.

Aunque sólo sea una esperanza,
Porque el deseo es una pregunta cuya respuesta nadie
[sabe. 20

7

SI EL HOMBRE PUDIERA DECIR

Si el hombre pudiera decir lo que ama,
Si el hombre pudiera levantar su amor por el cielo
Como una nube en la luz;
Si como muros que se derrumban,
Para saludar la verdad erguida en medio, 5
Pudiera derrumbar su cuerpo, dejando sólo la verdad
[de su amor,
La verdad de sí mismo,
Que no se llama gloria, fortuna o ambición,

Sino amor o deseo,
Yo sería aquel que imaginaba;   10
Aquel que con su lengua, sus ojos y sus manos
Proclama ante los hombres la verdad ignorada,
La verdad de su amor verdadero.

Libertad no conozco sino la libertad de estar preso en
                                                    [alguien
Cuyo nombre no puedo oír sin escalofrío;   15
Alguien por quien me olvido de esta existencia mezquina,
Por quien el día y la noche son para mí lo que quiera,
Y mi cuerpo y espíritu flotan en su cuerpo y espíritu
Como leños perdidos que el mar anega o levanta
Libremente, con la libertad del amor,   20
La única libertad que me exalta,
La única libertad por que muero.

Tú justificas mi existencia:
Si no te conozco, no he vivido;
Si muero sin conocerte, no muero, porque no he vivido.   25

(*Los placeres prohibidos*)

8

I [93]

Donde habite el olvido,
En los vastos jardines sin aurora;

---

(93) En esta obra *(Donde habite el olvido)* se refiere a la relación
amorosa que mantuvo en 1933 con un joven de distinto ámbito
social. Dicha relación originó también «Aprendiendo olvido», una
de las prosas líricas de *Ocnos*.

Donde yo sólo sea
Memoria de una piedra sepultada entre ortigas
Sobre la cual el viento escapa a sus insomnios.   5

Donde mi nombre deje
Al cuerpo que designa en brazos de los siglos,
Donde el deseo no exista.

En esa gran región donde el amor, ángel terrible,
No esconda como acero   10
En mi pecho su ala,
Sonriendo lleno de gracia aérea mientras crece el
                                                   [tormento.

Allá donde termine este afán que exige un dueño a
                                                   [imagen suya,
Sometiendo a otra vida su vida,
Sin más horizonte que otros ojos frente a frente.   15

Donde penas y dichas no sean más que nombres,
Cielo y tierra nativos en torno de un recuerdo;
Donde al fin quede libre sin saberlo yo mismo,
Disuelto en niebla, ausencia,
Ausencia leve como carne de niño.   20

Allá, allá lejos;
Donde habite el olvido.

9

VII

Adolescente fui en días idénticos a nubes,
Cosa grácil, visible por penumbra y reflejo,

Y extraño es, si ese recuerdo busco,
Que tanto, tanto duela sobre el cuerpo de hoy.

Perder placer es triste   5
Como la dulce lámpara sobre el lento nocturno;
Aquél fui, aquél fui, aquél he sido;
Era la ignorancia mi sombra.

Ni gozo ni pena; fui niño
Prisionero entre muros cambiantes;   10
Historias como cuerpos, cristales como cielos,
Sueño luego, un sueño más alto que la vida.

Cuando la muerte quiera
Una verdad quitar de entre mis manos,
Las hallará vacías, como en la adolescencia   15
Ardientes de deseo, tendidas hacia el aire.

10

XII

No es el amor quien muere,
Somos nosotros mismos.

Inocencia primera
Abolida en deseo,
Olvido de sí mismo en otro olvido,   5
Ramas entrelazadas,
¿Por qué vivir si desaparecéis un día?

Sólo vive quien mira
Siempre ante sí los ojos de su aurora,
Sólo vive quien besa   10
Aquel cuerpo de ángel que el amor levantara.

Fantasmas de la pena,
A lo lejos, los otros,
Los que ese amor perdieron,
Como un recuerdo en sueños,   15
Recorriendo las tumbas
Otro vacío estrechan.

Por allá van y gimen,
Muertos en pie, vidas tras de la piedra,
Golpeando impotencia,   20
Arañando la sombra
Con inútil ternura.

No, no es el amor quien muere.

(*Donde habite el olvido*)

11

SOLILOQUIO DEL FARERO [94]

Cómo llenarte, soledad,
Sino contigo misma.

De niño, entre las pobres guaridas de la tierra,
Quieto en ángulo oscuro,
Buscaba en ti, encendida guirnalda,   5

(94) En *Invocaciones*, Cernuda suele recurrir a la creación de una
segunda persona, que actúa como interlocutora de la primera. Esos
interlocutores suscitan el diálogo, la confrontación, la autoproyec-
ción. Aquí hace uso del monólogo dramático, que reaparecerá en
su obra posterior, y que cuadra a la perfección con su deseo de
contar una experiencia que se amplía a la de otros personajes.

Mis auroras futuras y furtivos nocturnos,
Y en ti los vislumbraba,
Naturales y exactos, también libres y fieles,
A semejanza mía,
A semejanza tuya, eterna soledad.   10

Me perdí luego por la tierra injusta
Como quien busca amigos o ignorados amantes;
Diverso con el mundo,
Fui luz serena y anhelo desbocado,
Y en la lluvia sombría o en el sol evidente   15
Quería una verdad que a ti te traicionase,
Olvidando en mi afán
Cómo las alas fugitivas su propia nube crean.

Y al velarse a mis ojos
Con nubes sobre nubes de otoño desbordado   20
La luz de aquellos días en ti misma entrevistos,
Te negué por bien poco;
Por menudos amores ni ciertos ni fingidos,
Por quietas amistades de sillón y de gesto,
Por un nombre de reducida cola en un mundo
                                        [fantasma, 25
Por los viejos placeres prohibidos,
Como los permitidos nauseabundos,
Útiles solamente para el elegante salón susurrado,
En bocas de mentira y palabras de hielo.

Por ti me encuentro ahora el eco de la antigua persona 30
Que yo fui,
Que yo mismo manché con aquellas juveniles traiciones;
Por ti me encuentro ahora, constelados hallazgos,
Limpios de otro deseo,
El sol, mi dios, la noche rumorosa,   35
La lluvia, intimidad de siempre,

El bosque y su alentar pagano,
El mar, el mar como su nombre hermoso;
Y sobre todos ellos,
Cuerpo oscuro y esbelto,   40
Te encuentro a ti, tú, soledad tan mía,
Y tú me das fuerza y debilidad
Como al ave cansada los brazos de la piedra.

Acodado al balcón miro insaciable el oleaje,
Oigo sus oscuras imprecaciones,   45
Contemplo sus blancas caricias;
Y erguido desde cuna vigilante
Soy en la noche un diamante que gira advirtiendo
                                            [a los hombres,
Por quienes vivo, aun cuando no los vea;
Y así, lejos de ellos,   50
Ya olvidados sus nombres, los amo en muchedumbres,
Roncas y violentas como el mar, mi morada,
Puras ante la espera de una revolución ardiente
O rendidas y dóciles, como el mar sabe serlo
Cuando toca la hora de reposo que su fuerza conquista.   55

Tú, verdad solitaria,
Transparente pasión, mi soledad de siempre,
Eres inmenso abrazo;
El sol, el mar,
La oscuridad, la estepa,   60
El hombre y su deseo,
La airada muchedumbre,
¿Qué son sino tú misma?

Por ti, mi soledad, los busqué un día;
En ti, mi soledad, los amo ahora.   65

(*Invocaciones*)

12

LAMENTO Y ESPERANZA [95]

Soñábamos algunos cuando niños, caídos
En una vasta hora de ocio solitario
Bajo la lámpara, ante las estampas de un libro,
Con la revolución. Y vimos su ala fúlgida [1]
Plegar como una mies los cuerpos poderosos.   5

Jóvenes luego, el sueño quedó lejos
De un mundo donde desorden e injusticia,
Hinchendo oscuramente las ávidas ciudades,
Se alzaban hasta el aire absorto de los campos.
Y en la revolución pensábamos: un mar   10
Cuya ira azul tragase tanta fría miseria.

El hombre es una nube de la que el sueño es viento.
¿Quién podrá al pensamiento separarlo del sueño?
Sabedlo bien vosotros, los que envidiéis mañana
En la calma este soplo de muerte que nos lleva   15
Pisando entre ruinas un fango con rocío de sangre.

---

[1] *fúlgida*: brillante, resplandeciente.

(95) En algunos poemas de *Las nubes* son interesantes las modificaciones que introdujo Cernuda. En éste, que se publicó en las
revistas *El mono azul* y *Hora de España* durante la guerra, mantuvo
intactas las primeras estrofas, en las que se presenta el sueño
revolucionario en diferentes etapas de la vida, reavivado entonces
por la guerra. Pero el verso «Le alentó únicamente la gran Rusia
dolorida» se convierte en «Le alienta únicamente su propia gran
historia dolorida». Su visión fatalista, distanciada y premonitoria
también se subraya ahora (en la redacción inicial los versos finales
decían: «... así ese inmenso pueblo, lloraba agonizante, presa ya de
la muerte, / Y miradlo hoy abierto, rosa eterna en la nieve»).

Un continente de mercaderes y de histriones,
Al acecho de este loco país, está esperando
Que vencido se hunda, solo ante su destino,
Para arrancar jirones de su esplendor antiguo.   20
Le alienta únicamente su propia gran historia dolorida.

Si con dolor el alma se ha templado, es invencible;
Pero, como el amor, debe el dolor ser mudo:
No lo digáis, sufridlo en esperanza. Así este pueblo iluso
Agonizará antes, presa ya de la muerte.   25
Y vedle luego abierto, rosa eterna en los mares.

13

LA VISITA DE DIOS

Pasada se halla ahora la mitad de mi vida.
El cuerpo sigue en pie y las voces aún giran
Y resuenan con encanto marchito en mis oídos,
Mas los días esbeltos ya se marcharon lejos;
Sólo recuerdos pálidos de su amor me han dejado.   5
Como el labrador al ver su trabajo perdido
Vuelve al cielo los ojos esperando la lluvia,
También quiero esperar en esta hora confusa
Unas lágrimas divinas que aviven mi cosecha.

Pero hondamente fijo queda el desaliento,   10
Como huésped oscuro de mis sueños.
¿Puedo esperar acaso? Todo se ha dado al hombre
Tal distracción efímera de la existencia;
A nada puede unir este ansia suya que reclama
Una pausa de amor entre la fuga de las cosas.   15
Vano sería dolerse del trabajo, la casa, los amigos
                                              [perdidos
En aquel gran negocio demoníaco de la guerra.

Estoy en la ciudad alzada para su orgullo por el rico,
Adonde la miseria oculta canta por las esquinas
O expone dibujos que me arrasan de lágrimas los ojos. 20
Y mordiendo mis puños con tristeza impotente
Aún cuento mentalmente mis monedas escasas,
Porque un trozo de pan aquí y unos vestidos
Suponen un esfuerzo mayor para lograrlos
Que el de los viejos héroes cuando vencían 25
Monstruos, rompiendo encantos con su lanza.

La revolución renace siempre, como un fénix
Llameante en el pecho de los desdichados.
Esto lo sabe el charlatán bajo los árboles
De las plazas, y su baba argentina, su cascabel sonoro, 30
Silbando entre las hojas, encanta al pueblo
Robusto y engañado con maligna elocuencia,
Y canciones de sangre acunan su miseria.

Por mi dolor comprendo que otros inmensos sufren
Hombres callados a quienes falta el ocio 35
Para arrojar al cielo su tormento. Mas no puedo
Copiar su enérgico silencio, que me alivia
Este consuelo de la voz, sin tierra y sin amigo,
En la profunda soledad de quien no tiene
Ya nada entre sus brazos, sino el aire en torno, 40
Lo mismo que un navío al alejarse sobre el mar.

¿Adónde han ido las viejas compañeras del hombre?
Mis zurcidoras de proyectos, mis tejedoras de esperanzas
Han muerto. Sus agujas y madejas reposan
Con polvo en un rincón, sin la melodía del trabajo. 45
Como una sombra aislada al filo de los días,
Voy repitiendo gestos y palabras mientras lejos escucho
El inmenso bostezo de los siglos pasados.

El tiempo, ese blanco desierto ilimitado,
Esa nada creadora, amenaza a los hombres   50
Y con luz inmortal se abre ante los deseos juveniles.
Unos quieren asir locamente su mágico reflejo,
Mas otros le conjuran con un hijo
Ofrecido en los brazos como víctima,
Porque de nueva vida se mantiene su vida   55
Como el agua del agua llorada por los hombres.

Pero a ti, Dios, ¿con qué te aplacaremos?
Mi sed eras tú, tú fuiste mi amor perdido,
Mi casa rota, mi vida trabajada, y la casa y la vida
De tantos hombres como yo a la deriva   60
En el naufragio de un país. Levantados de naipes,
Uno tras otro iban cayendo mis pobres paraísos.
¿Movió tu mano el aire que fuera derribándolos
Y tras ellos, en el profundo abatimiento, en el hondo
                                                [vacío,
Se alza al fin ante mí la nube que oculta tu presencia?   65

No golpees airado mi cuerpo con tu rayo;
Si el amor no eres tú, ¿quién lo será en tu mundo?
Compadécete al fin, escucha este murmullo
Que ascendiendo llega como una ola
Al pie de tu divina indiferencia.   70
Mira las tristes piedras que llevamos
Ya sobre nuestros hombros para enterrar tus dones:
La hermosura, la verdad, la justicia, cuyo afán imposible
Tú sólo eras capaz de infundir en nosotros.
Si ellas murieran hoy, de la memoria tú te borrarías   75
Como un sueño remoto de los hombres que fueron.

(*Las nubes*)

14

PRIMAVERA VIEJA

Ahora, al poniente morado de la tarde,
En flor ya los magnolios mojados de rocío,
Pasar aquellas calles, mientras crece
La luna por el aire, será soñar despierto.

El cielo con su queja harán más vasto   5
Bandos de golondrinas: el agua en una fuente
Librará puramente la honda voz de la tierra;
Luego el cielo y la tierra quedarán silenciosos.

En el rincón de algún compás, a solas
Con la frente en la mano, un fantasma   10
Que vuelve, llorarías pensando
Cuán bella fue la vida y cuán inútil.

15

AMANDO EN EL TIEMPO

El tiempo, insinuándose en tu cuerpo,
Como nube de polvo en fuente pura,
Aquella gracia antigua desordena
Y clava en mí una pena silenciosa.

Otros antes que yo vieron un día,   5
Y otros luego verán, cómo decae
La amada forma esbelta, recordando
De cuánta gloria es cifra un cuerpo hermoso.

Pero la vida solos la aprendemos,
Y placer y dolor se ofrecen siempre   10

Tal mundo virgen para cada hombre;
Así mi pena inculta es nueva ahora.

Nueva como lo fuese al primer hombre,
Que cayó con su amor del paraíso,
Cuando viera, su cielo ya vencido   15
Por sombras, decaer el cuerpo amado.

(*Como quien espera el alba*)

16

SER DE SANSUEÑA [96]

Acaso allí estará, cuatro costados
Bañados en los mares, al centro la meseta
Ardiente y andrajosa. Es ella, la madrastra
Original de tantos, como tú, dolidos
De ella y por ella dolientes.   5

Es la tierra imposible, que a su imagen te hizo
Para de sí arrojarte. En ella el hombre

---

(96) El nombre de Sansueña, referido a una parte de Iberia
(quizá a España misma) aparece en el v. 24 de la «Profecía del
Tajo», de fray Luis de León. Cernuda lo empleó por vez primera, y
con valores positivos, en un relato escrito en 1929, *El indolente,* y
publicado en 1947: «Sansueña es un pueblo ribereño en el mar del
sur transparente y profundo.» En «Resaca en Sansueña», de *Las
nubes,* ya aparece como un vago símbolo de su patria. La identificación con una España del interior es ya absoluta en este poema
(«Ser de Sansueña»). Como ocurre en otras ocasiones, Cernuda nos
da aquí la visión negativa de un país, al que en «A Larra con unas
violetas» calificará de «nuestra gran madrastra», que le obliga a un
exilio permanente y a vivir descentrado.

Que otra cosa no pudo, por error naciendo,
Sucumbe de verdad, y como en pago
Ocasional de otros errores inmortales.   10

Inalterable, en violento claroscuro,
Mírala, piénsala. Árida tierra, cielo fértil,
Con nieves y resoles, riadas y sequías;
Almendros y chumberas, espartos y naranjos
Crecen en ella, ya desierto, ya oasis.   15

Junto a la iglesia está la casa llana,
Al lado del palacio está la timba,
El alarido ronco junto a la voz serena,
El amor junto al odio, y la caricia junto
A la puñalada. Allí es extremo todo.   20

La nobleza plebeya, el populacho noble,
La pueblan; dando terratenientes y toreros,
Curas y caballistas, vagos y visionarios,
Guapos y guerrilleros. Tú compatriota,
Bien que ello te repugne, de su fauna.   25

Las cosas tienen precio. Lo es del poderío
La corrupción, del amor la no correspondencia;
Y ser de aquella tierra lo pagas con no serlo
De ninguna; deambular, vacuo y nulo,
Por el mundo, que a Sansueña y sus hijos desconoce. 30

Si en otro tiempo hubiera sido nuestra,
Cuando gentes extrañas la temían y odiaban,
Y mucho era ser de ella; cuando toda
Su sinrazón congénita, ya locura hoy,
Como admirable paradoja se imponía.   35

Vivieron muerte, sí, pero con gloria
Monstruosa. Hoy la vida morimos

En ajeno rincón. Y mientras tanto
Los gusanos, de ella y su ruina irreparable,
Crecen, prosperan.   40

Vivir para ver esto.
Vivir para ser esto.

(*Vivir sin estar viviendo*)

17

BIRDS IN THE NIGHT [2] [(97)]

El gobierno francés, ¿o fue el gobierno inglés?, puso
[una lápida
En esa casa de 8 Great College Street, Camden Town,
[Londres,
Adonde en una habitación Rimbaud y Verlaine, rara
[pareja,
Vivieron, bebieron, trabajaron, fornicaron,

---

[2] «Pájaros en la noche».

(97) Los poetas franceses Verlaine y Rimbaud se conocieron en
1871. Poco después iniciaron una apasionada relación amorosa. En
septiembre de 1872 llegaron a Londres, en donde vivieron, durante
largas temporadas, hasta julio del año siguiente. Más tarde se
trasladaron a Bélgica. Rimbaud le amenazó con abandonarlo y
Verlaine disparó sobre él, hiriéndole levemente. Fue el final de sus
relaciones. Cernuda se aprovecha de ellos para una reflexión
sarcástica sobre la hipocresía social ante determinadas conductas
rebeldes y heterodoxas y para referirse al conflicto, que había
planteado en poemas anteriores (en el citado «A Larra con unas
violetas», por ejemplo), entre el escritor y la sociedad.

Durante algunas breves semanas tormentosas.   5
Al acto inaugural asistieron sin duda embajador y alcalde,
Todos aquellos que fueran enemigos de Verlaine y
                              [Rimbaud cuando vivían.

La casa es triste y pobre, como el barrio,
Con la tristeza sórdida que va con lo que es pobre,
No la tristeza funeral de lo que es rico sin espíritu.   10
Cuando la tarde cae, como en el tiempo de ellos,
Sobre su acera, húmedo y gris el aire, un organillo
Suena, y los vecinos, de vuelta del trabajo,
Bailan unos, los jóvenes, los otros van a la taberna.

Corta fue la amistad singular de Verlaine el borracho   15
Y de Rimbaud el golfo, querellándose largamente.
Mas podemos pensar que acaso un buen instante
Hubo para los dos, al menos si recordaba cada uno
Que dejaron atrás la madre inaguantable y la aburrida
                              [esposa.
Pero la libertad no es de este mundo, y los libertos,   20
En ruptura con todo, tuvieron que pagarla a precio alto.

Sí, estuvieron ahí, la lápida lo dice, tras el muro,
Presos de su destino: la amistad imposible, la amargura
De la separación, el escándalo luego; y para éste
El proceso, la cárcel por dos años, gracias a sus
                              [costumbres 25
Que sociedad y ley condenan, hoy al menos; para aquél
                              [a solas
Errar desde un rincón a otro de la tierra,
Huyendo a nuestro mundo y su progreso renombrado.

El silencio del uno y la locuacidad banal del otro
Se compensaron. Rimbaud rechazó la mano que
                              [oprimía 30

Su vida: Verlaine la besa, aceptando su castigo.
Uno arrastra en el cinto el oro que ha ganado; el otro
Lo malgasta en ajenjo y mujerzuelas. Pero ambos
En entredicho siempre de las autoridades, de la gente
Que con trabajo ajeno se enriquece y triunfa.   35

Entonces hasta la negra prostituta tenía derecho de
                                         [insultarles;
Hoy, como el tiempo ha pasado, como pasa en el mundo,
Vida al margen de todo, sodomía, borrachera, versos
                                         [escarnecidos,
Ya no importan en ellos, y Francia usa de ambos
                              [nombres y ambas obras
Para mayor gloria de Francia y su arte lógico.   40
Sus actos y sus pasos se investigan, dando al público
Detalles íntimos de sus vidas. Nadie se asusta ahora,
                                         [ni protesta.

«¿Verlaine? Vaya, amigo mío, un sátiro, un verdadero
                                         [sátiro
Cuando de la mujer se trata; bien normal era el hombre,
Igual que usted y que yo. ¿Rimbaud? Católico sincero,
                        [como está demostrado.»   45
Y se recitan trozos del «Barco Ebrio» y del soneto a
                              [las «Vocales». ³
Mas de Verlaine no se recita nada, porque no está de
                                         [moda
Como el otro, del que se lanzan textos falsos en edición
                                         [de lujo;
Poetas mozos de todos los países hablan mucho de él en
                                         [sus provincias.

---

³ Se trata de dos famosos poemas de Rimbaud.

¿Oyen los muertos lo que los vivos dicen luego de ellos?   50
Ojalá nada oigan: ha de ser un alivio ese silencio
                                              [interminable
Para aquellos que vivieron por la palabra y murieron
                                              [por ella,
Como Rimbaud y Verlaine. Pero el silencio allá no evita
Acá la farsa elogiosa repugnante. Alguna vez deseó uno
Que la humanidad tuviese una sola cabeza, para así
                                              [cortársela.   55
Tal vez exageraba: si fuera sólo una cucaracha, y aplastarla.

18

PEREGRINO

¿Volver? Vuelva el que tenga,
Tras largos años, tras un largo viaje,
Cansancio del camino y la codicia
De su tierra, su casa, sus amigos,
Del amor que al regreso fiel le espere.   5

Mas, ¿tú? ¿Volver? Regresar no piensas,
Sino seguir libre adelante,
Disponible por siempre, mozo o viejo,
Sin hijo que te busque, como a Ulises,
Sin Ítaca que aguarde y sin Penélope.   10

Sigue, sigue adelante y no regreses,
Fiel hasta el fin del camino y tu vida,
No eches de menos un destino más fácil,
Tus pies sobre la tierra antes no hollada,
Tus ojos frente a lo antes nunca visto.   15

19

EPÍLOGO[98]

Poemas para un Cuerpo)

Playa de la Roqueta:
Sobre la piedra, contra la nube,
Entre los aires estás, conmigo
Que invisible respiro amor en torno tuyo.
Mas no eres tú, sino tu imagen.   5

Tu imagen de hace años,
Hermosa como siempre, sobre el papel, hablándome,
Aunque tan lejos yo, de ti tan lejos hoy
En tiempo y en espacio.
Pero en olvido no, porque al mirarla,   10
Al contemplar tu imagen de aquel tiempo,
Dentro de mí la hallo y lo revivo.

Tu gracia y tu sonrisa,
Compañeras en días a la distancia, vuelven

(98) En *Poemas para un cuerpo*, editados en 1957 e incluidos
después en *Con las horas contadas*, había recreado Cernuda su
relación amorosa (quizá la más importante de su vida) con un
joven al que conoció en México en 1951. En *Historial de un libro*
comentará: «Dados los años que ya tenía yo, no dejo de comprender
que mi situación de viejo enamorado conllevaba algún ridículo.
Pero también sabía, si necesitara excusas para conmigo, cómo hay
momentos en la vida que requieren de nosotros la entrega al
destino, total y sin reservas, el salto al vacío, confiando en lo
imposible para no rompernos la cabeza. Creo que ninguna otra vez
estuve, si no tan enamorado, tan bien enamorado.» «Epílogo»,
escrito en San Francisco (California) en septiembre de 1961,
constituye una conclusión meditativa acerca de dicha experiencia y
del fenómeno amoroso en general.

Poderosas a mí, ahora que estoy,   15
Como otras tantas veces
Antes de conocerte, solo.

Un plazo fijo tuvo
Nuestro conocimiento y trato, como todo
En la vida, y un día, uno cualquiera,   20
Sin causa ni pretexto aparente,
Nos dejamos de ver. ¿Lo presentiste?
Yo sí, que siempre estuve presintiéndolo.

La tentación me ronda
De pensar, ¿para qué todo aquello: 25
El tormento de amar, antiguo como el mundo,
Que unos pocos instantes rescatar consiguen?
Trabajos del amor perdidos.

No. No reniegues de aquello,
Al amor no perjures.   30
Todo estuvo pagado, sí, todo bien pagado,
Pero valió la pena,
La pena del trabajo
De amor, que a pensar ibas hoy perdido.

En la hora de la muerte   35
(Si puede el hombre para ella
Hacer presagios, cálculos),
Tu imagen a mi lado
Acaso me sonría como hoy me ha sonreído,
Iluminando este existir oscuro y apartado   40
Con el amor, única luz del mundo.

(*Desolación de la Quimera*)

20

LA SOLEDAD

La soledad está en todo para ti, y todo para ti está en la soledad. Isla feliz adonde tantas veces te acogiste, compenetrado mejor con la vida y con sus designios, trayendo allá, como quien trae del mercado unas flores cuyos pétalos luego abrirán en plenitud recatada, la turbulencia que poco a poco ha de sedimentar las imágenes, las ideas.

Hay quienes en medio de la vida la perciben apresuradamente, y son los improvisadores; pero hay también quienes necesitan distanciarse de ella para verla más y mejor, y son los contempladores. El presente es demasiado brusco, no pocas veces lleno de incongruencia irónica, y conviene distanciarse de él para comprender su sorpresa y su reiteración.

Entre los otros y tú, entre el amor y tú, entre la vida y tú, está la soledad. Mas es soledad, que de todo te separa, no te apena. ¿Por qué habría de apenarte? Cuenta hecha con todo, con la tierra, con la tradición, con los hombres, a ninguno debes tanto como a la soledad. Poco o mucho, lo que tú seas, a ella se lo debes.

De niño, cuando a la noche veías el cielo, cuyas estrellas semejaban miradas amigas llenando la oscuridad de misteriosa simpatía, la vastedad de los espacios no te arredraba, sino al contrario, te suspendía en embeleso confiado. Allá entre las constelaciones brillaba la tuya, clara como el agua, luciente como el carbón que es el diamante: la constelación de la soledad, invisible para tantos, evidente y benéfica para algunos, entre los cuales has tenido la suerte de contarte.

Ocnos)

MANUEL ALTOLAGUIRRE

Manuel Altolaguirre, el más joven de los poetas del 27 nació en Málaga en 1905. Aunque estudió Derecho, fue sobre todo, tipógrafo y editor. «He tenido que trabajar en lo que no me agrada: mecanografía, Derecho, periodismo idiomas..., y en lo que me gusta, siendo artesano de n pequeña imprenta», confesaba en 1933. Fundó en 1923, e colaboración con otros dos poetas, José María Souvirón José María Hinojosa, la revista poética *Ambos*. Después, e 1926, dirigió, con Emilio Prados, *Litoral*, y más tarde *Poesí* (1930) y *Héroe* (1931). Hombre bondadoso, de simpatí desbordante y de probada generosidad («¡Y sus verso ¡Cuántos le debemos a Manolo, cuántos habrá dejado d escribir él, por imprimir los nuestros!», reconocerá Pedr Salinas), dio a conocer, en diversas colecciones de poesí («Litoral», «La Tentativa Poética», «Héroe», «Suplemento de 1616», «El Ciervo Herido» y «Aires de mi España» gran parte de la obra de sus compañeros de generación. E 1932 se casó con la poetisa Concha Méndez, de la que s separará en 1944, y publicó una *Antología de la poes romántica española*. Entre 1933 y 1935 vivió en Londres, e donde fundó la revista hispano-inglesa *1616*. En 1935 regres a España y editó otra revista, *Caballo verde para la poesí* dirigida por Pablo Neruda. Durante la guerra apoyó a l República. En 1939 abandonó España. Vivió hasta 1943 e Cuba y, a partir de este año, en México. En este último pa se dedicó a actividades cinematográficas (fue el guionista c una película de Luis Buñuel, *Subida al cielo*). En 195 durante una estancia en España para presentar una de sus producciones en el Festival de Cine de San Sebastián, murió en Burgos, en un accidente de circulación.

OBRA POÉTICA

Hasta 1936 publicó los siguientes libros: *Las islas invitadas y otros poemas* (1926), *Ejemplo* (1927), *Poema del agua* (1927), *Poesía* (1930-1931), *Soledades juntas* (1931), en el que recogió, junto a poemas inéditos, parte de lo ya publicado; *La lenta libertad* (1936) y *Las islas invitadas* (1936), en donde mezcló poemas de los libros anteriores con otros originales.

Durante la guerra escribió una serie de textos de carácter circunstancial que aparecieron en diversas revistas del momento *(El mono azul, Hora de España* y *Granada de las Letras y de las Armas).*

A la etapa del exilio pertenecen: *Nube temporal* (1939), en el que abundan las referencias a la guerra; *Poemas de la islas invitadas* (1944), *Nuevos poemas de las islas invitadas* (1946), *Fin de un amor* (1949), con huellas de la crisis sentimental que siguió a la ruptura con su mujer, y *Poemas en América* (1955), con textos de su etapa española y de la del exilio. Con el título de *Últimos poemas* se recogieron, en la edición de sus *Poesías completas* (México, 1960), los poemas que dejó inéditos a su muerte.

Altolaguirre es también autor de unas Memorias, *El caballo griego,* publicadas en 1986, de una serie de escritos en prosa y de diversas obras de teatro.

EDICIONES

Poesías completas, edición de Margarita Smerdou y Mila-gros Arizmendi, Madrid, Cátedra, 1982. *Las islas invitadas,* ed. de Margarita Smerdou (Madrid, Castalia, 1973).

1

PLAYA[99]

A Federico García Lorca

Las barcas de dos en dos,
como sandalias al viento
puestas a secar al sol.

Yo y mi sombra, ángulo recto.
Yo y mi sombra, libro abierto. 5

Sobre la arena tendido
como despojo del mar
se encuentra un niño dormido.

Yo y mi sombra, ángulo recto.
Yo y mi sombra, libro abierto. 10

Y más allá, pescadores
tirando de las maromas[1]
amarillas y salobres.[2]

---

[1] *maroma*: cuerda gruesa de esparto, cáñamo u otras fibras vegetales o
sintéticas. [2] *salobre*: que tiene sabor de alguna sal.

(99) En este texto y en algunos de los que siguen, como en otros
de Lorca y Alberti de esa época, es fácil advertir ecos de la poesía
tradicional.

Yo y mi sombra, ángulo recto.
Yo y mi sombra, libro abierto.   15

(*Las islas invitadas y otros poemas*)

2

CERRÉ CON LLAVE [100]

Cerré con llave el rostro,
cofre de lo indecible,
permaneciendo inmóvil,
indiferente al aire.
Y quedé reclinado,   5
hermético, interior,
de tactos, luz y música,
olvidado y ausente.

3

RECUERDO DE UN OLVIDO [101]

Se agrandaban las puertas. Yo gigante,
con el recuerdo de mi olvido dentro,

(100) «Cerré con llave el rostro»: es una de las expresiones más significativas de la radical y dolorosa soledad de Altolaguirre. Obsérvese el parecido con este otro poema de E. Prados: «Cerré mi puerta al mundo; / se me perdió la carne por el sueño... / Me quedé interno, mágico, invisible, / desnudo como un ciego. / Lleno hasta el mismo borde de los ojos / me iluminé por dentro.»

(101) Este poema, uno de los más interesantes de toda su producción, fue inspirado por la muerte de su madre. En «Antes»,

atravesaba las estancias,
golpeando las paredes sordas.

¡Qué collar interior en mi garganta   5
de palabras en germen, de lamentos
que no podían salir, que se estorbaban
en su gran muchedumbre!

¡Cuánto tiempo de olvido incomprensible!
Siempre ella en su ventana.   10
Su ventana entre dos nubes
—una y ella— siempre.

Y yo distante, agigantado, loco,
con el recuerdo de mi olvido dentro,
pesándome en el alma su naufragio,   15
agarrándose, hundiéndome,
en un espeso mar de cielos grises.

(*Ejemplo*)

4

TUS PALABRAS

Apoyada en mi hombro,
eres mi ala derecha.

---

de *Soledades juntas,* que está dedicado a ella, vuelve a recordarla
«Hubiera preferido / ser huérfano en la muerte, / que me faltaras tu
/ allá, en lo misterioso, / no aquí, en lo conocido. // Haberme
muerto antes / para sentir tu ausencia / en los aires difíciles.» En la
nota previa a sus poemas en la *Antología* de G. Diego (1932)
comentará: «La fecha más importante de mi vida: el 8 de septiembre de 1926 [el día en que murió].» En realidad, el recuerdo de su
madre, asociado a diversas reflexiones sobre la muerte, recorre toda
su poesía.

Como si desplegaras
tus suaves plumas negras,
tus palabras a un cielo   5
blanquísimo me elevan.

Exaltación. Silencio.
Sentado estoy a mi mesa,
sangrándome la espalda,
doliéndome tu ausencia.   10

5

ERA MI DOLOR TAN ALTO

Era mi dolor tan alto,
que la puerta de mi casa
de donde salí llorando
me llegaba a la cintura.

¡Qué pequeños resultaban   5
los hombres que iban conmigo!
Crecí como una alta llama
de tela blanca y cabellos.

Si derribaran mi frente
los toros bravos saldrían,   10
luto en desorden, dementes,
contra los cuerpos humanos.

Era mi dolor tan alto,
que miraba al otro mundo
por encima del ocaso.   15

6

NOCHE

El alma [102] es igual que el aire,
con la luz se hace invisible,
perdiendo su honda negrura.

Sólo en las profundas noches
son visibles alma y aire.   5
Sólo en las noches profundas.

Que se ennegrezca tu alma
pues quieren verla mis ojos.
Oscurece tu alma pura.

Déjame que sea tu noche,   10
que enturbie tu transparencia.
¡Déjame ver tu hermosura!

(*Poesía*)

7

LAS CARICIAS [103]

¡Qué música del tacto
las caricias contigo!

(102) «Alma» e «Isla» son dos palabras habituales en toda la
producción de Altolaguirre. La primera (hasta llegó a crear
neologismos como «mi mano almada») es una consecuencia de la
profunda espiritualidad que la traspasa. La segunda (la última
imprenta que tuvo en México hasta se llamó «Isla») se convierte en
uno de los símbolos de su soledad y aislamiento.
(103) Las elipsis verbales, los paralelismos, las anáforas y las
repeticiones de versos son frecuentes en los poemas de Altolaguirre.

¡Qué acordes tan profundos!
¡Qué escalas de ternuras,
de durezas, de goces! 5
Nuestro amor silencioso
y oscuro nos eleva
a las eternas noches
que separan altísimas
los astros más distantes. 10
¡Qué música del tacto
las caricias contigo!

(*Soledades juntas*)

8

NUNCA MÁS

Las ausencias,
los grandes huecos,
el enorme vacío dibujado
por los recuerdos insistentes,
todo está aquí 5
como cenizas de un gran fuego.
Y dudo de mi vida,
temo ser un rescoldo,
entre tantas miserias
que ni siquiera existen. 10
Mi soledad,
en esta luz de espanto,

Obsérvese, además, en este poema, la estructura circular, empleada
también por Lorca en «La casada infiel», de *Romancero gitano*, y por
otros poetas del 27.

es un nuevo fantasma
sin materia;
es un simple contorno   15
sin un mínimo alambre
o esqueleto.
Todo es gris.
Nada existe.
Las míseras ruinas   20
de una triste memoria
que se pierde,
están ante mi vida sin futuro.
Dice una voz remota
que borra el panorama   25
con su niebla:
«Nunca más. Nunca más.»

(*Las islas invitadas*)

9

ES LA TIERRA DE NADIE

No es color turbio, ni perdida forma,
ni luz difusa, débil, la que parte
la inmensidad del campo, su hermosura.
No es un otoño entre el calor y el frío,
no se ve ni se siente, no se sueña   5
la fatídica franja divisoria.
Pero allí está, como un reptil, inmóvil:
es la tierra de nadie, de mi España.

(*Nube temporal*)

10

HACIA AYER

Mi corazón dio golpes en la oscura
puerta interior, y se me fue la vida
hacia dentro, hacia ayer, hasta sentirse
encerrada de nuevo en la semilla
del Sembrador de sueños.   5

No vi su rostro ni conozco el prado
en donde es flor el mundo en que vivimos,
entre otros astros, flores desprendidas
de las frondas del tiempo: sueño, nada.

Día llegará en que Dios, para su gloria,   10
me hará volver —¡que breve es el camino!—
y entonces sí será verdad mi canto.

11

LA NUBE

Oh libertad errante, soñadora,
desnuda de verdor, libre de venas,
arboleda del mar, errante nube;
si en lluvia el desengaño te convierte,
la forma de mi copa podrá darte   5
una pequeña sensación de cielo.

Vuelve a la tierra, oh mar, vuelve a la vida,
a las cadenas de los largos ríos,
a las prisiones de los hondos lagos;
vuelve afilada a penetrar mil veces   10
angostos laberintos vegetales.

¡Oh libertad, tus puertas son heridas!
No las quieras abrir, sigue encerrada
en la sedienta piel o te sostenga
el inclinado cauce del torrente.   15

Todo sueño que es nube se deshace.
Vuelva a brillar el sol, pues la blancura
de esa ilusión de libertad celeste
es tan sólo una sombra hecha jirones.

No sueñe más el agua, y tenga vida   20
en la savia o la sangre, tenga sólo
en mí su libertad, libre en mis lágrimas.

(*Poemas de Las islas invitadas*)

12

MIS PRISIONES

Sentirse solo en medio de la vida
casi es reinar, pero sentirse solo
en medio del olvido, en el oscuro
campo de un corazón, es estar preso,
sin que siquiera una avecilla trine   5
para darme noticias de la aurora.
Y el estar preso en varios corazones,
sin alcanzar conciencia de cuál sea
la verdadera cárcel de mi alma,
ser el centro de opuestas voluntades,   10
si no es morir, es envidiar la muerte.

(*Fin de un amor*)

13

VIVIR SOÑANDO

Parece que mi destino
es el de vivir soñando.
A vida que es toda sueño
la muerte no le hará daño.

14

SIN LIBERTAD

Ya que no puedo ser libre
agrandaré mis prisiones.

Cambiaré los tristes muros
por alegres horizontes.
No pisaré ningún suelo   5
sino abismos de la noche.
Techos que a mí me cobijen
cielos serán los mejores.

Ya que no puedo ser libre
agrandaré mis prisiones.   10

(*Últimos poemas*)

Documentos y juicios críticos

Entre los rasgos que más contribuyeron a que pudiera relacionarse a los poetas aquí incluidos destacan las intensas relaciones que mantuvieron. Como se recordará, algún crítico los ha calificado de «Generación de la amistad».

Jorge Guillén: Aquella generación

Mi nostalgia de aquellos días se complace en rememorar los coloquios entre aquellos amigos. Éramos amigos, y con una comunidad de afanes y gustos que me ha hecho conocer por vía directa la unidad llamada «generación». Pedro Salinas y yo, Gerardo Diego, Federico García Lorca, Dámaso Alonso, Vicente Aleixandre, Rafael Alberti. Y Pepe Bergamín, y Melchor Fernández Almagro... Menciono a los sentados tantas veces alrededor de mesas más amistosas aún que intelectuales. Mediada la comida, ya era Federico el centro de la habitación, y no de la escena, porque nada artificioso se interponía entre aquellos comensales, que alternaban o superponían su tiroteo verbal. Allí no había comparsas. Melchor, tan circunspecto cuando escribe, tan nervioso y pigmentado cuando habla; Bergamín, para quien no ir ensartando sutilezas —y sin parar— sería vicio contra natura; Alberti, el más joven y ya dueño de una perfecta maestría; Vicente Aleixandre, correctísimo, que aporta un sol rubicundo y lo regala, siempre generoso; Dámaso, formidable esdrújulo, ¡DÁMASO!, no hijo de la ira, que en la hora alegre es el más alegre. ¡Cómo se divertían juntos Dámaso y Federico! Nadie se engañe con la seriedad de Gerardo, fervoroso y caprichoso, tierno y de repente Equis y Zeda (fábula de). ¡Qué jocundidad añadía la recitación de Federico a los versos del Gerardo más formal!

> Por eso, Clementina,
> por eso yo te espero
> el veintitrés de enero
> sobre mi hamaca gris...

Y Salinas, nada don Pedro, con su humor madrileñísimo, humano como ninguno; a todos entiende y con todos se las entiende muy bien.

Otros nombres relevantes habría que subrayar —de Juan Larrea a Pedro Garfias— si esta enumeración, limitada a ciertos momentos gratísimos de mesa y sobremesa, se convirtiese en manual de Historia. No sería posible dejar fuera del cuadro a tres ausentes de algunas de aquellas reuniones en Madrid: Luis Cernuda, Emilio Prados, Manuel Altolaguirre. ¡Exquisitos andaluces! (era durante la hegemonía del Sur). Luis Cernuda, con voz tan personal desde su primera obra; Emilio Prados, en carne viva, en alma viva a flor de piel, dentro de su soledad no falsificada. Y ese fantástico Manolito, que parece soñar cuanto más vive y se desvive; y ninguno con más biografía que él. ¡Cuántos poetas! Los unen afinadades no del todo electivas. Pero ¡qué diferentes! Helos juntos —con ocasión de la comida en que se festeja a Luis Cernuda— el 20 de abril de 1936. Quien ofrece el homenaje es Federico; no podía ser otro el rector de aquellos ágapes de amistad y poesía: «Entre todas las voces de la actual poesía española, llama y muerte en Aleixandre, ala inmensa en Alberti, lirio tierno en Moreno Villa, torrente andino en Pablo Neruda, voz doméstica entrañable en Salinas, agua oscura de gruta en Guillén, ternura y llanto en Altolaguirre, por citar poetas distintos, la voz de Luis Cernuda erguida suena original sin alambradas ni fosos para defender su turbadora belleza.» A todos aquellos escritores se les veía amigados en unidad de generación, antípoda de escuela: no había programa común. Algunos firmamos la invitación a celebrar un centenario, el de Góngora. Pero nada más remoto de un manifiesto. Y los «ismos» eran anteriores o de uso particular —el ultraísmo, el creacionismo— o laterales y extranjeros: el superrealismo. En cuanto a la poesía pura... ¿Quién de nosotros habría osado sin rubor ridículo presumir de puro? No ninguna línea de partido literario. La generación —si creemos a nuestra experiencia y no porque nos lo propongan las teorías— se anuda en comunidad vital, y no se la sistematiza desde dentro. (Esto acaecerá más tarde sobre las pizarras pedagógicas.)

(En F. García Lorca, *Obras completas*, Madrid, Aguilar, 1955, p. XXIX-XXXII.)

Algunos de los más importantes poetas españoles de estos dos últimos siglos (Bécquer, Juan Ramón Jiménez, los Machado) fueron andaluces. También la mayor parte de los de la Generación del 27 procedían del sur. Otros, como Jorge Guillén y Salinas, aunque castellanos, vivieron en Sevilla. G. Diego, que dedicó diversos poemas a aquellas tierras, reconocerá: «Sé muy bien que no es posible competir con los andaluces de verdad. El jándalo [el hombre de Santander que se instala en el sur] no pasa de ser un andaluz adoptivo o afectivo, no auténtico, y, por consiguiente, su gracia poética no aspira sino a un pálido reflejo de la de los verdaderos poetas de Andalucía». En el siguiente texto J. Bergamín reflexiona acerca de tan curioso fenómeno.

José Bergamín: «Musaraña y duende de Andalucía»

En toda España tienen los andaluces fama de exagerados y hasta de mentirosos. En su amabilidad social, de zalameros. Superficialmente es así o puede parecerlo. Pero si ahondamos un poquito en la interpretación de esta apariencia —como en todo el mundo aparencial andaluz, al parecer tan leve en la tristeza como en la alegría—, advertiremos que la Andalucía profunda expresa en esos modos característicos de su ser lo más poderoso de sí misma, su ímpetu creador, imaginativo, que transforma las realidades aparentes en hondas simas como abismos, de dolor o goce, de alegría o pena.

El andaluz no exagera, no miente, no halaga a los demás con su delicada y finísima cortesía, tan excepcional en España, sino que, al percibirlo todo mágicamente, lo transfigura. Hace siempre poesía, aun sin saberlo. Vive en constante estado metafórico, como si dijera e hiciese siempre una cosa por otra. Pero, entiéndase bien, esto no es un juego tramposo, sino, por el contrario, el más puro, inexorable intento de veracidad que pueda darse. Una veracidad de poesía a cuyo contacto percibimos, inmediatamente, como exageración o mentira, como halagadora seducción formal, la comunicación espiritual que tan vivamente establece. Por esto resulta a primera vista paradójico en el andaluz (su poesía, su pintura, su música, lo expresan significativamente de este modo) esa exageración aparente que se apresa para expresarse en un limpio estilo tan dominado, tan contenido, tan exacto, como el ímpetu poderoso del toro en la rectitud de su embestida. Todo gran artista andaluz tiene estilo torero. Y esto puede ejemplarizarse fácilmente desde Séneca, primitivo iniciador universal de ese estilo (que es estilo de toro bravo) hasta Falla, Picasso, Antonio Machado, Juan Ramón Jiménez, García Lorca, Alberti, Cernuda.

(En *De una España peregrina,* Madrid, Al-Borak, 1972, pp. 166-167).

3.   *A lo largo de este siglo se han desarrollado numerosas polémicas en torno a la finalidad del arte. Mientras Juan Ramón Jiménez dirigió toda su obra a la «inmensa minoría», un poeta de posguerra, Blas de Otero, manifestó su deseo de llegar a todos los estamentos sociales. En los del 27, las actitudes fueron también extremadamente variadas. Este texto de Salinas constituye una matizada reflexión sobre tan controvertido asunto.*

Pedro Salinas: «El artista de minoría o entre la espada y la pared»

Mucha gente hay, ingenuos y superficiales, que, embrollado el juicio por esas denuncias contra el artista de minoría, creen a pie juntillas que cualquier escritor por su libérrimo albedrío puede optar entre ser un artista para todos o serlo para pocos. Se supone que el mozo enfrentado con su porvenir de creador se detiene cogitativamente ante las dos formaciones, literatura primaria y literatura de minoría, hasta que de pronto, alcanzado por el soplo divino, se alista en el ejército de los escritores universales, o encantado por el murmullo seductor de las sirenas de minoría se embarca con rumbo a la isla fatal [...]. El escritor honrado (queda aparte, claro, el buscón literario que se despepita picarescamente para darle por el gusto al público más sencillo y busca a las gentes las cosquillas dondequiera que las tenga con tal de sacarse unas pesetas más) al poner la pluma en el papel no está calculando cantidades de público, no piensa en sus lectores aritméticamente. Sin duda, detrás del acto de escribir tiene que sentirse como indispensable la presencia invisible del prójimo, de otras almas presentes y futuras; porque sólo cuando lo escrito se reviva en ellas, alcanzará la evidencia de lo que ya es, de lo que existe por sí.

La faena del poeta es hacer comunicable a otros la experiencia de vida que constituye el poema. Ni piensa en docenas, ni se imagina millones. El poema es una soledad; abierta sí a todos en cuanto que es comunicable y convivible, pero cerrada en su origen, la intuición inicial del poema, donde un hombre solo, y en su resultado, las palabras inalterables, la forma única, distinta de todo lo demás, que toma para vivir. Su peculiaridad consiste en su hallarse en esa zona fronteriza entre insobornable soledad e inmensa compañía, entre el individuo que sintió a solas en el seno de su alma la voz del ángel, y el poeta que la convierte en una realidad participable a un número indefinido de gentes.

(«Defensa de la minoría literaria», en *El defensor*, Madrid, Alianza, 1983, p. 215).

El interés por la poesía tradicional fue común a todos los poetas del 27. De las muchas formas estróficas que revitalizaron, ocupa un lugar de honor el romance. Recuérdense, entre otros muchos ejemplos que podrían ponerse, el Romancero de la novia, *de Gerardo Diego, el* Romancero gitano, *de García Lorca, y la atención que se le prestó durante los años de la guerra.*

Pedro Salinas: «El Romancismo y el siglo XX»

El siglo XX es un extraordinario siglo romancista por razones que pondremos numeradas, para mayor claridad: 1. Por el gran número de poetas que usan el romance. 2. Por la calidad de estos poetas: ya que ninguno de los buenos falta en la lista de romancistas. 3. Por el valor de la poesía que produjeron empleando esa forma; no es que la usaran para temas menores, es que les sirvió para lo mejor de su obra en repetidos casos.

Lo que esto significa en la historia general de nuestras letras no se nos debe ocultar. Para mí, confirma esa curiosa actitud española de tradicionalismo, de conservación del pasado, pero vivida de tal modo que sirve con perfecta eficacia de expresión al presente. El siglo XX trae mutaciones profundas a la creación literaria; suenan palabras gruesas, revolución, rebeldía, ruptura con la tradición. Envuelven mucha verdad. En esa borrasca histórica de los espíritus se repudia a viejos pilotos, se desgarran cartas de marear; pero los españoles del 98 y sus hijos no se deshacen del romance, como si fuese obra muerta; lo sienten sólido, siempre firme y ofrecido a todos los rumbos nuevos, y en sus flancos seculares, con sus velas enteras, se salvan y lo salvan, como si el romance estuviese desde hace siglos brindándose atrayente y misterioso al poeta que lo mira desde la ribera, diciéndole que hay un modo de cantar, una canción que sólo se revela «a quien conmigo va». Esta atadura tan hispánica, de lo tradicional y lo innovador, la anuda el romance del siglo XX con sin igual firmeza.

Y cumple, como debe cumplir toda generación de hombres u obras, su papel: conservar y añadir. Lo que añade el romance novecentista a sus antepasados ya lo hemos visto: es cosa de precio sin igual, es el lirismo [...]

Por eso el romance asciende en nuestro siglo, se alza de nivel. El lirismo es un nivel del lenguaje; en él la palabra vive en tensión más fuerte, más vibrante que en lo narrativo. El *romancismo* novecentista se gana esas alturas de lo lírico, con lo que hasta ahora había tenido, aunque hermosos, pocos y breves contactos. Lo gana por esa vena innata de lirismo que en sí lleva el romance, la que sintieron misteriosamente, desde el siglo XV hasta Espronceda, varios poetas, sin laborearla hasta lo último. Correspondía al siglo XX ahondar sin tregua en los filones líricos del romance, y lograr, con sus afanes, lo más precioso de la vieja mina.

(En *Ensayos de literatura hispánica*, Madrid, Aguilar, 1958, pp. 357-358).

5.   *Tradición y vanguardia son los dos polos, como hemos visto en la Introducción, entre los que se movieron los poetas del 27. A su interés por los escritores clásicos españoles se refiere el siguiente texto de Dámaso Alonso.*

Dámaso Alonso: «Góngora entre sus dos centenarios»

Todos los poetas del grupo, en nuestras reuniones en cafés o en casa de algún amigo, hablábamos de Góngora, discutíamos pasajes. Queríamos también preparar la defensa contra feroces enemigos: estábamos indignados porque la Academia no había querido celebrar el centenario del poeta —eso era, por lo menos, el rumor que había llegado a nosotros—: alguien había dicho en ella que Góngora era un poeta lascivo... Los supuestos enemigos se redujeron a bien poco: un seudoerudito conocido por su genio atrabiliario publicó unos cuantos artículos contra Góngora y contra nosotros.

Queríamos organizar actos para la celebración del centenario. Escribimos cartas —firmadas por todos nosotros— a varios de los maestros literarios de entonces. Las contestaciones a esas cartas fueron casi todas negativas. Quisimos hacer una biblioteca del centenario en la que se publicaran las obras de Góngora y otras en su honor. Yo preparé la edición de las *Soledades*, y mi libro tuvo un éxito mundial (con muchas reseñas en España, Europa y América); Gerardo Diego reunió su preciosa *Antología poética en honor de Góngora*, que es un excelente índice del influjo del poeta a través de siglos de poesía española; Cossío publicó una pulcra edición de los romances; Salinas, Guillén y Alfonso Reyes se comprometieron a editar los sonetos, las octavas y las letrillas del poeta, pero no lo hicieron [...]

El centenario de Góngora, en 1927, fue una explosión de entusiasmo juvenil. Los jóvenes de entonces nos sentíamos cerca de algunos de los problemas estéticos que habían ocupado a Góngora. Estaba en el ambiente europeo la cuestión de la pureza literaria: se trataba de eliminar del poema toda ganga, todo elemento no poético. Nos preocupaba también la imagen: en la imagen íbamos detrás del movimiento ultraísta —en el que alguno, Gerardo Diego, había participado ya—. Ese movimiento había sido estridentista. Y ahora, en los años inmediatamente anteriores a 1927, nada de estridentismo: se trataba de trabajar perfectamente, en pureza y fervor de eliminar del poema elementos reales y dejar todos los metafóricos, pero de tal modo que éstos satisficieran a la inteligencia con el sello de lo logrado.

* * *

¡Cuán lejos ya los entusiasmos de 1927! Salíamos los jóvenes de entonces a luchar contra una injusticia, a vitalizar todo un vasto sector olvidado o escarnecido de la literatura de nuestra lengua. Creo que mi generación cumplió una misión generosa de justicia. Participamos ampliamente en un movimiento —anterior ya a nosotros, pero que nosotros fomentamos grandemente—: el gusto por la poesía popular y por las canciones populares. A un mismo tiempo, traíamos hasta el público el entusiasmo por Gil Vicente, tan entrañado en la popularidad medieval y rehabilitábamos la memoria de un don Luis de Góngora, cima de artificiosa aristocracia. La juventud actual quizá no lo pueda comprender, porque todo esto hoy parece fácil: entonces era remar contra corriente.

(En *Cuatro poetas españoles*, Madrid, Gredos, 1962, pp. 62-69).

6.   *Gran parte de la poesía de los años veinte y treinta se halla traspasada de irracionalismo. Es éste uno de los rasgos que más la separan de toda la literatura española anterior. Carlos Bousoño resume aquí la importancia que el mundo del subconsciente ha tenido en la literatura europea desde el pasado siglo.*

Carlos Bousoño: «El Irracionalismo»

Aunque en abreviatura, necesitamos analizar por separado, en conexión con Aleixandre, cada uno de los ingredientes fundamentales que constituyen lo que llamamos poesía del siglo XX. Nuestro primer encuentro será con el irracionalismo. El irracionalismo poético es sólo un aspecto del irracionalismo general de que se tiñe la cultura a partir del Romanticismo. Si se me da licencia para simplificar la cuestión, yo diría que el irracionalismo del siglo XIX lleva un signo inverso al irracionalismo del siglo XX. En el siglo XIX se refería más a la actitud del poeta que a la materia verbal que éste manejaba; al contrario de lo que ocurre en el siglo XX. En una fórmula apretada, que, como todas las fórmulas apretadas, requeriría para ser del todo diáfana abundantes comentarios que acaso fuesen impertinentes en un prólogo de las dimensiones que aquí se me conceden, yo diría esto: en el Romanticismo el poeta se enfrentaba irracionalmente (espontaneidad, improvisación, digresiones —*El diablo mundo*—, etc.) con la materia verbal heredada de la tradición, que era, claro está, de índole racional. En tanto que en nuestro tiempo es, hablando en términos generales, racional la actitud del poeta e irracionales los materiales expresivos. De manera creciente desde 1900, aproximadamente, o un poco antes, hasta 1936, más o menos, y con posterioridad a esta última fecha de manera francamente decreciente, las palabras pueden usarse en sentido lógico, pero se usan, con frecuencia característica, ilógicamente, esto es, según sus asociaciones subconscientes.

De todo ello se desprende la paradoja en que han caído numerosos críticos de la poesía del novecientos: que a una lírica tan acentuadamente irracionalista como la propia de nuestro siglo se le haya calificado de intelectual, sin tomar precaución alguna al utilizar ese vocablo. No se daban cuenta acaso tales críticos de que si era muchas veces intelectual la actitud del poeta frente al poema (organización de los materiales, sentido de la composición, eliminación de excrecencias, etc.), no era en modo alguno lo más profundo y sustancial, a saber: el tipo de significación asentado en las palabras mismas. En numerosos casos límite se utiliza el léxico únicamente en cuanto es capaz de asociaciones irracionales, o en otros casos menos agudos se usa el vocabulario poético poniendo a la vista del lector los dos tipos de significación que las palabras pueden tener: la puramente conceptual, por un lado, y por otro, la extraconceptual en asociación irreflexiva. (Cierto que en ningún instante se deja de emplear también lo que llamaríamos «método tradicional».) En varios trabajos míos he intentado examinar este problema a través de la metáfora del presente siglo. Y allí remito la atención del lector a quien interese el problema.

Si deseamos ahora marcar los hitos del proceso irracionalizador, según sube éste en importancia a lo largo del primer tercio del siglo, dispondríamos de un esquema de tres nombres, cada uno de los cuales representa un avance en el uso español de la significación irracional del léxico poético: Antonio Machado-Lorca-Aleixandre. Junto a cada uno de estos poetas podrían figurar otros con igual sentido, pero menos decisivamente jalonadores, creo yo, de un relativo punto extremo dentro de lo que llamaríamos «gráfico de la fiebre ilogicista»; así, al lado de Machado podría estar Juan Ramón Jiménez; al lado de Lorca, Alberti, Altolaguirre, Guillén y Salinas; al lado de Aleixandre, Cernuda. Pero, en todo caso, resultaría que

nuestro autor se halla en el ápice de la curva, en su punto más
elevado, tras el que comienza el descenso, incluso en el interior de
su propia obra.

> («Sentido de la poesía de Vicente Aleixandre», en V.
> Aleixandre, *Obras completas,* Madrid, Aguilar, 1968, pp. 11-
> 13).

7.   *Jorge Guillén fue el poeta del 27 que mostró menor interés por las modas
     vanguardistas. Sin embargo, en fecha tardía nos dejó unas precisas y
     desapasionadas puntualizaciones acerca de la trascendencia del surrealismo
     para sus compañeros de generación.*

Jorge Guillén: «El estímulo superrealista»

Entre diversas incitaciones convergentes, el superrealismo se les
resolvió en una invitación al riesgo —al gallardo riesgo— de la
libertad imaginativa. El antirrealismo de los años 20 condenaba la
descripción. Ya el primer manifiesto es tajante en este punto.
Descripción equivale a catálogo, a tarjeta postal, a tópico. Breton
da como ejemplo un cuarto descrito por Dostoyevski en *Crimen y
castigo.* Concluye Breton: «Je n'entre pas dans sa chambre» (A
pesar de todo, ese cuarto ¿no es también una visión, y allí no rodea
a los objetos materiales, ya significativos, un aura espiritual?) Sea
como fuere, Breton no puso los pies en esa casa, y con sus adeptos se
fue tras aire más libre. Los jóvenes de entonces se echaban, en
efecto, al campo, y a campo traviesa desbandaban su imaginación.
Así también los españoles. (Pero no atendieron al superrealista
cuando señalaba en el horizonte la locura, la «gnosis», los poderes
ocultos del mago.) Por una o por otra senda, aquel cultivo de la
imagen, profunda hasta sus raíces irracionales, iba más allá del
juego arbitrario y podía revelar al hombre, libre en su *vraie vie*
—como quería Rimbaud—. Los ojos de hoy, miopes acaso, perciben mal aquellos poemas y los creen ejercicios formales. Si el lector
se acerca, descubre lo que son: irrupciones de vitalidad. De ahí la
eficacia superrealista, su valor de estímulo. Y como todo en nuestro
siglo se propaga con alcance internacional y tiende a la sencillez de
los carteles, el superrealismo cobró fuerza imperativa, y alguien

ajeno a ese influjo pareció —sobre todo *a posteriori*, ante el crítico— no cumplir con su deber: el incontaminado era culpable. Pero la vida, más compleja que la abstracción, no se desarrolla simplemente. En aquellos años, tan jugosos de experiencia literaria, los españoles sensibles al incentivo superrealista *compusieron* sin vacilación prudente obras donde intervenían, como es natural, subconciencia y conciencia. A la intuición acompaña la razón en la gran poesía. El brote irracional no constituye por sí solo el poema, y muy pocas veces campa por sus respetos. Aquel estilo se redujo, pues, a una transición parcial. Breton habría excomulgado, en fin de cuentas, a los tránsfugas, nunca «regulares», nunca atraídos por la idea-límite de aquella teoría. Precisamente porque no llegaron *au terme extrême de l'aspiration surréaliste, à sa plus forte «idée limite»* lograron su propia madurez y compusieron sus propios poemas originales Federico García Lorca, Vicente Aleixandre, Emilio Prados, Luis Cernuda, Rafael Alberti, Manuel Altolaguirre. Cierto, ninguno de ellos ignoró aquel superrealismo casi inevitable. Superrealismo: nombre teórico del muy concreto André Breton. ¡Aquella *nuit des éclairs*! Noche excepcional. ¿Y la luz de la conciencia poética? Pero esto es otra historia.

(En *Homenaje universitario a Dámaso Alonso*, Madrid, Gredos, 1970, p. 205-206).

Luis Buñuel fue, junto con Salvador Dalí, autor de las dos películas más importantes del surrealismo: Un chien andalou (Un perro andaluz) y L'âge d'or (La edad de oro). Aquí se refiere a la génesis de la primera de las citadas.

Luis Buñuel: *Un chien andalou* (1929)

Esta película nació de la confluencia de dos sueños. Dalí me invitó a pasar unos días en su casa y, al llegar a Figueras, yo le conté un sueño que había tenido poco antes, en el que una nube desflecada cortaba la luna y una cuchilla de afeitar hendía un ojo. Él, a su vez, me dijo que la noche anterior había visto en sueños una mano llena de hormigas. Y añadió: «¿Y si, partiendo de esto, hiciéramos una película?»

En un principio me quedé indeciso; pero pronto pusimos manos a la obra, en Figueras.

Escribimos el guión en menos de una semana, siguiendo una regla muy simple, adoptada de común acuerdo: no aceptar idea ni imagen alguna que pudiera dar lugar a una explicación racional, psicológica o cultural. Abrir todas las puertas a lo irracional. No admitir más que las imágenes que nos impresionaran, sin tratar de averiguar por qué [...].

El surrealismo fue, ante todo, una especie de llamada que oyeron aquí y allí, en los Estados Unidos, en Alemania, en España o en Yugoslavia, ciertas personas que utilizaban ya una forma de expresión instintiva e irracional, incluso antes de conocerse unos a otros. Las poesías que yo había publicado en España antes de oír hablar de surrealismo dan testimonio de esta llamada que nos dirigía a todos hacia París. Así también, Dalí y yo, cuando trabajábamos en el guión de *Un chien andalou*, practicábamos una especie de escritura automática, éramos surrealistas sin etiqueta.

(En *Mi último suspiro*, Madrid, Plaza y Janés, 1982, p. 102-104).

9. *El poeta chileno Pablo Neruda dirigió en 1935 una revista,* Caballo verde para la poesía, *cuyo primer número se abría con un editorial: «Sobre una poesía sin pureza». En él se abogaba por la necesidad de que el artista se comprometiera política o socialmente con el mundo en que vivía..*

«Sobre una poesía sin pureza»

Es muy conveniente, en ciertas horas del día o de la noche, observar profundamente los objetos en descanso: las ruedas que han recorrido largas, polvorientas distancias, soportando grandes cargas vegetales o minerales; los sacos de las carbonerías, los barriles, las cestas, los mangos y asas· de los instrumentos del carpintero. De ellos se desprende el contacto del hombre y de la tierra como una lección para el torturado poeta lírico. Las superficies usadas, el gasto que las manos han infligido a las cosas, la atmósfera a menudo trágica y siempre patética de estos objetos, infunde una especie de atracción no despreciable hacia la realidad del mundo.

La confusa impureza de los seres humanos se percibe en ellos, la agrupación, uso y desuso de los materiales, las huellas del pie y los dedos, la constancia de una atmósfera humana inundando las cosas desde lo interno y lo externo.

Así sea la poesía que buscamos, gastada como por un ácido por los deberes de la mano, penetrada por el sudor y el humo, oliente a orina y a azucena, salpicada por las diversas profesiones que se ejercen dentro y fuera de la ley.

Una poesía impura como un traje, como un cuerpo, con manchas de nutrición, y actitudes vergonzosas, con arrugas, observaciones, sueños, vigilia, profecías, declaraciones de amor y de odio, bestias, sacudidas, idilios, creencias políticas, negaciones, dudas, afirmaciones, impuestos.

La sagrada ley del madrigal y los decretos del tacto, olfato, gusto, vista, oído, el deseo de justicia, el deseo sexual, el ruido del océano, sin excluir deliberadamente nada, sin aceptar deliberadamente nada, la entrada en la profundidad de las cosas en un acto de arrebatado amor, y el producto poesía manchado de palomas digitales, con huellas de dientes y hielo, roído tal vez levemente por el sudor y el uso. Hasta alcanzar esa dulce superficie del instrumento tocado sin descanso, esa suavidad durísima de la madera manejada, del orgulloso hierro. La flor, el trigo, el agua tienen también esa consistencia especial, ese recuerdo de un magnífico tacto.

Y no olvidemos nunca la melancolía, el gastado sentimentalismo, perfectos frutos impuros de maravillosa calidad olvidada, dejados atrás por el frenético libresco: la luz de la luna, el cisne en el anochecer, «corazón mío», son sin duda lo poético elemental e imprescindible. Quien huye del mal gusto cae en el hielo.

(En *Caballo verde para la poesía*, Madrid, octubre de 1935).

El crítico José María Castellet resume a continuación los cambios que se produjeron en la poesía española a partir de 1936 como consecuencia del estallido de la guerra.

José María Castellet

Durante nuestra guerra, los mejores poetas no pudieron, ni quisieron sustraerse a sus obligaciones patrióticas. Imbuidos de sus obligaciones del momento, incluso los más reacios descubrieron, de pronto, las grandes posibilidades de una poesía realista. Y así, lo que muchos poetas europeos descubrirían en el transcurso de la segunda guerra mundial los mejores poetas españoles lo habían experimentado ya en la carne viva de su poesía. Y del mismo modo que había de suceder en la Europa en guerra, a los ojos de nuestros poetas y a los de sus lectores apareció, de pronto, toda la tradición simbolista como un vulnerable residuo teórico y un amable ejercicio de lectura, a la vez que en sus conciencias aparecía la imagen de un nuevo humanismo que pedía, para ser expresado, una poética que tuviera en cuenta, no sólo los valores formales del poema, sino que admitiese la posibilidad de que la experiencia que da tema al poema fuese de otra naturaleza que la experiencia poética misma.

(En *Veinte años de poesía española contemporánea*, Barcelona, Seix-Barral, 1962, p. 57).

11. *Durante los años cuarenta se desarrollaron en la poesía española diversas modalidades estilísticas y temáticas. Dámaso Alonso resume aquí las dos más significativas.*

Dámaso Alonso: Poesía arraigada y poesía desarraigada

El panorama poético español actual nos ofrece unas cuantas imágenes del mundo, muy armónicas o bien centradas, o vinculadas a un ancla, a un fijo amarre: todo lo llamaré poesía arraigada. Es bien curioso que en nuestros tristísimos años hayan venido a coincidir, en España, unas cuantas voces poéticas todas con fe en algo, con una alegría, ya jubilosa, ya melancólica, con una luminosa y reglada creencia en la organización de la realidad contingente. Digo «hayan venido a coincidir», porque esas voces no pueden ser más distintas; y también lo son los tiempos y las procedencias.

Jorge Guillén contempla el mundo como un paraíso siempre

virginal, siempre recién creado, y, lleno de júbilo, prorrumpe en su cántico. Leopoldo Panero, unos quince años más joven, ve la realidad centrada, arborizada desde su tronco familiar y rural, desde su tierra astorgana, su Castrillo de las Piedras: también él, así, está en el centro de una creación perfecta en otro sentido, es decir, amada (porque el amor perfecciona), y se siente gozoso, o por lo menos resignado. Lo que para Jorge Guillén es una meditación del «yo» y el «no yo», una metafísica de la «cosa en sí», es una resultante histórica y providencial en Panero. El mundo se define y se aclara lo mismo desde una filosofía que desde una historia; lo mismo por su contenido de pensamiento que por el tironazo de la querencia humana. O por una fe religiosa: José María Valverde, quince años más joven que Panero, se siente «hombre de Dios» entre las manos omnipotentes: el universo se le centra en su fe, y en ella se explica con la precisión más luminosa. Todo es fe lo que liga, a través de estos tres poetas, a tres generaciones en un curso de treinta años: fe metafísica, fe histórica, fe teológica.

II

Para otros, el mundo nos es un caos y una angustia, y la poesía una frenética búsqueda de ordenación y de ancla. Sí, otros estamos muy lejos de toda armonía y toda serenidad. Hemos vuelto los ojos en torno, y nos hemos sentido como una monstruosa, una indescifrable apariencia, rodeada, sitiada por otras apariencias, tan incomprensibles, tan feroces, quizá tan desgraciadas como nosotros mismos: «monstruo entre monstruos», o nos hemos visto cadáveres entre otros millones de cadáveres vivientes, pudriéndonos todos, inmenso montón, para mantillo de no sabemos qué extrañas flores, o hemos contemplado el fin de este mundo, planeta ya desierto en el que el odio y la injusticia, monstruosas raíces invasoras, habrán ahogado, habrán extinguido todo amor, es decir, toda vida. Y hemos gemido largamente en la noche. Y no sabíamos hacia dónde vocear.

Yo gemía así. Y el contraste con toda poesía arraigada es violentísimo. Pero yo no estaba solo. ¿Cómo, si la mía no era sino una partícula de la doble angustia en que todos participábamos, la permanente y esencial en todo hombre, y la peculiar de estos tristes años de derrumbamiento, de catastrófico apocalipsis? Sí; el fenómeno se ha producido en todas partes, allí donde un hombre se sienta solidario del desnorte, de la desolación universal.

Mi voz era sólo una entre muchas de fuera y dentro de España, coincidentes todas en un inmenso desconsuelo, en una búsqueda frenética: de centro o de amarre. ¡Cuántos poetas españoles han sentido esta llamada!

(En *Poetas españoles contemporáneos*, Madrid, Gredos, 1969, pp. 345-349).

Orientaciones para el estudio de la generación del 27

I. Pedro Salinas

La mayor parte de la crítica ha establecido una división tripartita en la producción de Salinas. A una primera etapa corresponderían sus libros *Presagios, Seguro azar* y *Fábula y signo.* A una segunda, *La voz a ti debida, Razón de amor* y *Largo lamento.* A la tercera, *El contemplado, Todo más claro* y *Confianza.*

Debe tenerse en cuenta, sin embargo, que a lo largo de toda su obra pueden señalarse, además del carácter intelectual que presenta toda ella, algunos puntos en común.

El más importante es, quizá, el permanente diálogo que entabla el poeta: con el mundo que le rodea y consigo mismo (en la primera etapa), con la amada (en la segunda) y con el tú esencial, simbolizado por el mar (en la tercera). Se trata de un diálogo creador, mediante el cual los interlocutores profundizan en sí mismos y en sus contrarios y, como consecuencia, se enriquecen mutuamente.

También, aunque algunos críticos lo hayan negado, Salinas parte siempre de la realidad y del mundo en que vive. Como escribe J. Guillén: «La índole espiritual tan evidente de toda la obra no implica ningún ensimismamiento, ni siquiera dentro del ámbito clausurado que se traza a veces el amor —Salinas está siempre en relaciones de amor o de amistad con las cosas y las gentes, siempre dispuesto a descubrir en ellas su valor, su trascendencia, su sentido. Este sentido vital se entiende y se siente sólo bien asentado y encajado en una materia concreta.»

Téngase presente, además, que el poeta, movido por un impulso romántico, nunca se conforma con la cara externa que esa realidad le ofrece, sino que intenta acceder a lo más profundo de la misma, a su esencia, a lo que permanece invariable y eterno por detrás de los accidentes que presenta. La aventura poética consistirá en contemplar, conocer y comprender. La inteligencia, que le sirve para penetrar en el universo y para elevar a categoría la visión de las cosas, tiene un apoyo en el sentimiento y en la percepción sensorial.

Según confesará, su poesía es obra de «caridad y de claridad». Por medio de la caridad, se acerca afectiva y cordialmente al mundo. La claridad le exige un riguroso proceso de profundización en lo que se le ofrece. La poesía se convierte, por tanto, en una forma de acceder a la esencia de la realidad y en una vía de conocimiento del mundo y del hombre. Él mismo confesará: «La poesía es una aventura hacia lo absoluto. Se llega más o menos cerca, se recorre más o menos camino: eso es todo.»

Esta actitud justifica que se sienta con derecho e, incluso, obligado, como se advierte en sus últimos libros, a proyectar luz sobre el mundo.

1. *Primeros libros*

Aunque Salinas fue, como hemos visto en la *Introducción,* el poeta del 27 que, junto con Guillén y G. Diego, se mostró más al margen de las corrientes irracionalistas de la poesía de los años veinte, sí pueden encontrarse en sus primeros libros (*Presagios, Seguro azar* y *Fábula y signo*) huellas de los movimientos de vanguardia. Las del futurismo, en la frecuencia con que se sirve de elementos procedentes del mundo moderno (los automóviles, el cine, el teléfono, la máquina de escribir, las bombillas, los radiadores). Las del creacionismo, en la yuxtaposición ilógica de imágenes o de cualidades que se atribuyen a un mismo objeto. Los frecuentes alardes y juegos conceptistas e ingeniosos tienen también un sabor muy de época. A veces, como es habitual en otros poetas del 27, lo tradicional y el amor por lo moderno confluyen en un mismo poema.

Sin embargo, junto a ese homenaje a la modernidad y a las sutilezas sentimentales e intelectuales, no faltan en estos primeros libros los valores afectivos, el acercamiento a lo humano y la aparición de actitudes y preocupaciones (el amor y la contemplación gozosa del mundo, por ejemplo) que desarrollará más tarde.

Obsérvese, por ejemplo, cómo desde muy pronto se entrega al juego, lírico e intelectual, de recrear la realidad dentro de sí mismo [1 y 5]. En «La vocación» [3], uno de los poemas fundamentales para entender esta primera época, Salinas, después de mirar, cierra los ojos para volver a ver con el pensamiento, para penetrar en lo más profundo de lo observado y comprender mejor. Con ello propone ya la necesidad de un trabajo doloroso y esforzado que permita otorgar a las cosas lo que les falta. Adviértase también que Salinas no sólo adjudica un alma a los seres humanos sino también a las cosas. De esta forma, al humanizarlas, puede establecer una comunicación directa con ellas (véase el diálogo amoroso que entabla con una bombilla en «35 bujías»: [4]).

También se va intensificando progresivamente el empleo de la segunda persona del singular. Sin embargo, aunque se

muestra cada vez más tendido orientado hacia el *tú*, existe
una diferencia con los libros de la siguiente etapa. En estos
primeros, a pesar de que algunos poemas tengan un marcado carácter amoroso, el tú es un pronombre que podríamos
llamar indiferenciado, mientras que en *La voz a ti debida* y
Razón de amor, es exclusivamente el de la amada.

— Coméntense los números 2 y 6.

Desde un punto de vista estilístico, Salinas, como será
proverbial en el resto de su obra, subordina el vocabulario y
los recursos expresivos a los conceptos y a lo que quiere
comunicar. Con un desprecio manifiesto por la hojarasca
retórica, por lo superfluo y recargado, se inclina por un
lenguaje familiar y cotidiano, por imágenes sencillas, por
efectos rítmicos poco marcados, que recuerdan los de la
poesía tradicional, y por una sintaxis rápida, conseguida
muchas veces por los frecuentes encabalgamientos. Indiferente también a los rigores de una métrica clásica, se sive de
versos fluctuantes, sin rima o asonantados.

2. *Poesía amorosa*

Una segunda etapa está constituida por tres libros de
contenido netamente amoroso: *La voz a ti debida*, *Razón de
amor* y *Largo lamento*, títulos tomados, respectivamente, de la
Tercera égloga de Garcilaso, de un poema medieval y de la
Rima XV de Bécquer.

La voz a ti debida puede considerarse como un único poema
en el que se suceden las variaciones sobre un mismo tema
(aquí consideramos como poemas independientes las partes
en que se divide). A lo largo del mismo, Salinas nos relata
una historia personal y vivida, desde el surgimiento de la
pasión hasta el momento en que, después de habernos

mostrado la unión plena y absoluta con la amada, se nos coloca en el umbral de la separación. Debe tenerse en cuenta, sin embargo, que este proceso amoroso no se nos da de forma cronológica y ordenada. El poeta no nos transmite un diario íntimo de sus horas felices y atormentadas, sino que lo que pudiera constituir el principio y el final se entrelazan de continuo.

Pero, además, al compás de los acontecimientos, Salinas reflexiona una y otra vez sobre esa experiencia vivida y teoriza acerca del amor como fuente de conocimiento, como vehículo de comunicación y como factor que da sentido y plenitud al universo y a la vida humana.

Puede partirse para el comentario de esta obra del poema con que se abre el libro [7] y utilizar algunos de los que siguen para ampliar lo que en él se desarrolla. Dicho poema comienza y termina con los que serán protagonistas del diálogo amoroso: el tú (la amada) y el yo (el poeta). Ya aquí pueden advertirse algunos rasgos que serán habituales en los textos siguientes: ella, autosuficiente, perfecta y completa, será la que dará sentido al entorno vital en que ambos se mueven y al discurrir del tiempo (como puede verse, con mayor precisión, en «Mañana»: [8]), y la que hará que, como indica el título de la obra, el amante obtenga sus señas de identidad. Como el resto de la creación, *él* ha sido descubierto por la amada, ha surgido de su llamada, de su elección. *Ella* dará sentido a su vida, que era sombra antes del encuentro y que volverá a serlo después de la ruptura (en el poema «Cuando tú me elegiste»: [12] se condensa en gran medida esta preocupación central de Salinas). Puede sorprender que en los versos finales, quizá de forma retórica, se insinúe que el único error de ella fue el de encapricharse por el poeta y de dotarlo de entidad.

Una vez iniciada la relación entre ambos, el amado, desprovisto de límites y dotado de las dimensiones máximas, se ve obligado, en justa reciprocidad por lo que ha recibido, a elevarse hasta la perfección, pero también a bucear en el interior de la amada y extraer lo mejor que hay en ella, su mejor tú («Perdóname»: 11). Todo esto llevará a la absoluta unión, a la fusión, en grado máximo, de ambos, como ejemplifica admirablemente «¡Qué alegría, vivir...» [10] (obsérvese que en la parte final de este poema hasta se nos dice que ese amor intenso conduce a una salvación existencial).

Ambos, amada y amante, aparecerán a lo largo del libro en el anonimato, desprovistos de nombres propios, de rasgos externos reconocibles. Lo personal es un lastre para lo que se propone el poeta, ya que todo lo que tiene nombre está delimitado, acabado, previamente hecho, algo incompatible con la metamorfosis que sufre él y con la que exige también de la amada. Por eso le pedirá que se despoje de todas las señas de identidad impuestas desde antes de nacer, de todo lo que la ata a un pasado y a unas circunstancias concretas. Los pronombres constituirán, por tanto, la forma idónea para reflejar la identidad de los amantes («Para vivir no quiero»: [9]).

Pero también en *La voz a ti debida* se produce, desde el mismo centro de intensidad del hallazgo gozoso, la amenaza de ruptura [13] o se reflejan las dificultades de acceder plenamente a la comunicación absoluta con la amada. El yo lírico, debido a ella y mantenido en alto por ella, se silencia progresivamente, va perdiendo intensidad. La despedida, el fin inevitable al que parece conducir toda relación amorosa, se producirá en *Razón de amor* [14 y 15]. Más intenso será aún el dolor en *Largo lamento,* cuyo título ya resume el sentimiento del amado ante la conciencia de un imposible reencuentro. El impulso romántico, de elevación hacia lo alto, ya cesa del todo en este libro. La imposibilidad de huir hacia el mundo del mito o de la idea lleva al poeta a aferrarse y a permanecer arraigado en la realidad.

Sin embargo, nada de esto podrá destruir el bien y todo lo positivo que de esa unión se ha recibido [16]. Aunque quede la nostalgia y la melancolía, la amada lo acompañará como una sombra. Salinas se reafirma en su mensaje inicial: «nunca puede apagarse un espíritu encendido por el amor». Como a Garcilaso de la Vega, nadie podrá quitarle el dolorido sentir.

Alguna vez se ha afirmado que en el proceso de desrealización, característico de toda la obra de Salinas, el «tú» femenino carece de base real y constituye un simple «fenómeno de conciencia». En 1941, Leo Spitzer escribía: «Cosa curiosa: hasta la mujer amada es negada por nuestro poeta; no conozco poesía de amor donde la pareja amorosa se reduzca hasta tal punto al yo del poeta, donde la mujer amada sólo viva en función del espíritu del hombre y no sea más que un fenómeno de conciencia de éste.»

Sin embargo, son pocos los críticos que están de acuerdo con esta teoría. Para Jorge Guillén: «lo que importa aquí es que *en el poema* el poeta imagina una mujer real. No es una entelequia, una ficción fantástica. *Es una mujer de carne y hueso en el poema:* única lectura posible». También Ricardo Gullón, aunque con postura intermedia, consideran que Salinas no la inventa, pero «por lo menos la transforma, le infunde distinto ser y la convierte en un concepto que desde entonces se impondrá a través de un repertorio de signos y cualidades seguramente imperceptibles en su realidad primera».

Pueden contrastarse también las teorías amorosas de Salinas con las que por estas fechas desarrollan Aleixandre y Cernuda.

Digamos por último que estas obras, en las que siguen dominando los juegos conceptistas, la sencillez de estilo y métrica y el arte en la distribución de las frases y las palabras en los versos, pueden inscribirse, pese a su marcado carácter intelectual, en el proceso neorromántico que sufre la poesía española al comienzo de la década de los años treinta.

3. Últimas obras

Tras el diálogo amoroso que ha entablado en los libros precedentes, Salinas vuelve ahora a reencontrarse con el mundo circundante. Las experiencias dolorosas que ha vivido (la guerra española y el exilio en Estados Unidos) lo llevan, como a otros poetas del 27, a solidarizarse con las angustias de los demás hombres y a denunciar muchos de los horrores del mundo contemporáneo. Hay en los libros que ahora escribe más de descubrimiento de un mundo nuevo que de añoranza del pasado. Sin embargo, aunque la nostalgia esté ausente de la mayor parte de los poemas que los componen, su recuerdo de España es tan intenso como el de otros exiliados. En el prólogo de *Todo más claro* precisa: «Para decir por si interesa que [los poemas] se escribieron en años que van de 1937 a 1947; lejos de mi país, cada vez más mío en mi querer y en mi sueño, viviendo en las hospitalarias tierras de los Estados Unidos, abrazado a mi idioma como a incomparable bien.»

En *El contemplado,* que consta de un tema y catorce variaciones, Salinas entabla un diálogo con el mar de Puerto Rico y con lo que lo rodea y envuelve (nubes, aire, luz, sonido, playas, islas, espuma).

En el poema inicial («Tema»: 17) se produce una primera aproximación a las cosas mediante la mirada. Pero sólo se llegará a una comunicación íntima y decisiva con ese mundo caótico que se le presenta cuando encuentre un nombre para designarlo, cuando ese todo inmenso que ven los ojos se llame «Contemplado». Nombrar es, pues, poseer el objeto nombrado, aproximarlo posesivamente.

Una vez hallado el nombre, en las catorce variaciones que siguen, el poeta puede entregarse, con admiración, sorpresa y júbilo, con ojos recién estrenados, a disfrutar y a reflexionar acerca de esa naturaleza sin par que se extiende ante él. Si en las doce primeras está solo, en las dos últimas («Presagio» [18] y «Salvación por la luz») los protagonistas poemáticos son todos los seres humanos: aquellos —muertos ya— cuyas miradas quedaron eternizadas en el mar, y los que todavía no han nacido. Si ya desde el principio, tras la asociación mar-paraíso, intuíamos que, como en todo paraíso, había en el mar sugerencias de *eternidad*, tras la lectura del fragmento último sabemos que el mar es lo «humanamente eterno», puesto que el hombre lo ha hecho, generación tras generación, dejando en él sus miradas. El poeta siente que esa comunicación y ese enlace constituyen una fuente de alegre fe en la vida:

> Soy un momento
> de esa larga mirada que te ojea.

Con *El contemplado*, su poesía adquiere, además de una dimensión metafísica y ética, una dimensión mística. La relación entre el hombre-poeta y el mundo natural es elevada, como en muchos poemas de *La voz a ti debida*, hasta los confines de lo misterioso.

En cuanto a la métrica, sigue empleando los versos asonantados o libres, distribuidos en grupos estróficos o seguidos.

En sus siguientes libros, *Todo más claro* y *Confianza*, aunque no falta la mirada trascendentalizadora, se acerca más a la realidad. En el primero, cuyo título alude a la capacidad de la poesía para esclarecer el mundo, muestra su preocupación y su angustia ante una civilización progresivamente deshumanizada y ante unos avances técnicos, como la bomba atómica, que pueden conseguir que el hombre vuelva «del ser al no ser».

Los tonos que emplea van de lo serio y trágico hasta lo humorístico y satírico. En los poemas que dedica a la ciudad de Nueva York, nos presenta una serie de objetos que lo mismo pueden provocar la aniquilación de la humanidad («Hombre en la orilla») que su enajenación (coméntese «Nocturno de avisos» [19]). No se olvide que muchos de esos objetos habían sido cantados con admiración por el poeta en su etapa ultraísta.

Hay que precisar también que en otras ocasiones, como ocurre en el poema «Palo santo», Salinas muestra su respeto y su complacencia ante los objetos que el hombre ha hecho con amor, o defiende la pervivencia del arte frente a la caducidad de lo cotidiano.

En *Confianza,* se lanza a la búsqueda de unos valores que no estén sujetos a la erosión del tiempo. Después de dedicar una nueva mirada a la naturaleza y a los seres humanos, entona, de forma serena, un último sí ante el mundo. La contemplación gozosa de la realidad que, junto al amor, constituye el eje de su obra, llega a su culminación aquí. A pesar de todo lo negativo, de los baches de desaliento que haya conocido, su actitud es de esperanza y de afirmación.

Debe comentarse el poema con que se cierra el libro [20], que supone un resumen de esta postura vital, y establecer una relación con la actitud que mantiene por esos años el Guillén de *Cántico.*

II. Jorge Guillén

1. *Cántico*

El tema que destaca a lo largo de *Cántico*, la única obra
que escribió Guillén antes de 1950, es el de la afirmación del
ser y del vivir. El subtítulo de la misma, «Fe de vida»,
resume en gran medida las preocupaciones del poeta. No
debe sorprender, por tanto, su consideración de que el
mundo «está bien hecho» y que muestre reiteradamente su
entusiasmo y su júbilo por vivir en plenitud con todo lo
creado.

> «Más allá» y «Beato sillón» [2 y 10] pueden servir para
> un comentario de esta idea central.

El poeta parte siempre de la realidad. «¡Realidad, realidad, no me abandones / para soñar mejor el hondo sueño!»,
exclamará en un poema. En ella, no sólo acepta su propia
limitación, sino que, para ser el que es, la necesita. Como
consecuencia, exige que las cosas y las personas entre las que
se mueve, y que al mismo tiempo lo centran, aparezcan con
sus propios y bien definidos perfiles. De ahí también el que
evite los momentos crepusculares. Para José Manuel Blecua:
«La esencia del ser —lo que sea: jarra, adoquín, agua,
hombre— parece consistir en Guillén en el ejercicio del ser
para ser, en la actuación obstinada de la esencia para
convertirse en presencia.» En sus poemas, los contornos
siempre se dibujan nítidamente y la luz se convierte en una
palabra fundamental.

Señálense los que se refieren al amanecer, al brotar de las cosas a la luz, o los que tratan de la vaguedad disolviéndose en forma.

Cántico se sitúa así en el polo opuesto del conflicto que el hombre, desde el romanticismo, había mantenido con el entorno, y que, como se verá más adelante, pervive en la obra de Cernuda. Aunque pueda encontrarse algún punto en común entre ambos, también es notable la diferencia entre la actitud de Guillén y la visión del mundo que por esos años nos ofrece Vicente Aleixandre.

Téngase en cuenta, sin embargo, que la realidad nunca es captada aquí con técnicas tradicionales. La común experiencia humana, las sensaciones primarias y elementales, son reducidas a lo esencial, depuradas de la escoria formal y anecdótica. También el poeta se eleva con frecuencia a una abstracción sistematizadora, de carácter totalizador, pero en la que subyace la materia viva de donde parte. Amado Alonso precisará: Guillén «no quiere encubrir [la realidad]; [sino] descubrir, desvestir el objeto de sus propiedades transitorias —existenciales, diría un fenomenólogo— para sorprender su secreto sentido, su alma escondida: su estructura, su esencia».

Obsérvese también que el poeta, movido por el deseo de rehuir cualquier expresión tumultuaria y exagerada del sentimiento, da paso al gozo y al asombro frente a la realidad de forma siempre contenida y refrenada. Esto explica la claridad y exactitud del lenguaje, que nunca es ambiguo ni sugerente, y la sabia colocación de sustantivos, imágenes y metáforas, con el fin de lograr un equilibrio armónico entre emoción e inteligencia.

Hay que advertir, sin embargo, que, para algunos críticos, Guillén es un poeta esencialista: ve la imperfección del mundo e inventa, reactivamente, una perfección que no existe y que proyecta sobre la realidad objetiva.

Todos estos puntos deben analizarse y discutirse a través de los poemas que de esta obra hemos seleccionado.

El tiempo y la muerte. El SER, la palabra, quizá, más representativa del libro, se desenvuelve, según hemos visto, en un lugar y en un tiempo precisos, porque nada existe fuera de la temporalidad. Y, por tanto, el poeta no puede soslayar dos temas centrales de la poesía de todas las épocas: el tiempo y la muerte. Como él mismo afirma: «Estar constituye la consumación del "ser". Realidad "aquí y ahora", porque nada es sin temporalidad.»

Sin embargo, el TIEMPO en Guillén no lleva aparejadas la melancolía y la angustia, habituales en otros poetas. Se trata de un tiempo más original: de un presente total en el que subyacen el pasado y el futuro. Su misión es la de revivir una y otra vez las maravillas que envuelven al poeta: la luz, el mediodía, la conversación con los amigos, el amor, que es una de las experiencias más eficaces de dominio sobre el tiempo. Toda la creación, dirá, se «ahínca en el Sagrado Presente perdurable».

Este presente, diariamente eterno y nuevo, presta a la poesía de *Cántico* su raíz jubilosa. El tiempo es siempre presente o es eternidad contemplada a través de múltiples motivos. La perfección del momento invita a eternizarlo, a forzarlo de nuevo.

El recuerdo, si alguna vez se produce, tampoco está teñido de melancolía, sino de gozo: «De pronto, la tarde / Vibró como aquellas, / De entonces, ¿te acuerdas? / Íntimas y grandes», dirá en un poema.

Deben comentarse detenidamente los poemas «Más allá:
I» [2], «Anillo» [8] y, sobre todo, «Las doce en el reloj»
[15], que constituye la objetivación más lograda de la
exaltación del presente y de su triunfo sobre la condición
dinámica del tiempo.

Las alusiones a la MUERTE son en *Cántico* escasas (
demasiado indirectas. Tampoco las angustias metafísicas (
existenciales, o cualquier visión de la cara absurda de
mundo, encuentran hueco en él. Nada, ni el hecho inso
layable de la muerte, puede enturbiar ni negar los valore:
positivos que encierra la vida. «La vida quiere siempre má:
vida» y «Vivir no es un ir muriendo», afirmará el poeta. La
muerte es sólo una ley más que no destruye la armonía y
continuidad de lo creado y nunca puede admitirse como
obstáculo para el goce concreto.

Es necesario aceptar la muerte, que no es más que e
precio de la vida y su obligado final, con dignidad, como
demostración de que merecimos la vida. Esto puede justifi
car el que algún crítico haya hablado de un existencialismo
jubiloso al referirse a esta obra.

El poema «Muerte a lo lejos» [13], que debe analizarse,
puede considerarse como la máxima contribución de
Guillén a esta preocupación universal.

Los últimos «Cánticos». Parecería lógico que los acontecimientos históricos y culturales que se producen a partir de
1936 (la guerra española, la segunda guerra mundial, las
nuevas corrientes filosóficas de los años cuarenta) se refleja-
ran en los poemas que añade a las dos últimas ediciones de
Cántico. Y, efectivamente, algún cambio puede rastrearse,

como puede verse en «Vida urbana» [6]. Guillén no es ajeno
ahora al dolor, al mal, al desorden y a la intrusión cada vez
más intensa de elementos destructivos en la perfección del
mundo que ha cantado. Pero no por ello renuncia a su
postura gozosa y optimista. El mundo, a pesar de todo, sigue
teniendo sentido y su misión es cantar el goce de vivir.

Hasta el fin luchará el poeta contra todo lo que pretenda
destruir o negar su afirmación central de vida. *Cántico* se
convierte así en el libro más jubiloso de la poesía española
de todos los tiempos. Como ha puntualizado Dámaso Alonso, «parece un libro de poemas; pero es, ante todo, un grito
gozoso y maravillado, una interjección única, ampliada,
intensificada». El siguiente fragmento del largo poema «El
concierto», del *Cántico* de 1950, puede servir para resumir la
actitud que el poeta mantiene hasta el último momento:

> Me perteneces, música,
> Dechado sobrehumano
> Que un hombre entrega al hombre.
> No hay discordia posible.
> El acaso jamás en este círculo
> Puede irrumpir, crujir:
> Orbe en manos y mente
> De hacedor que del todo lo realza.
> ¡Oh música,
> Suprema realidad!

Téngase presente, por último, que, por la visión del
mundo que en ella se nos da, por su lenguaje y estilo, *Cántico*
es una obra que no se parece a ningún otro libro de los
poetas del 27 ni de la literatura española.

2. *Clamor*

En su siguiente libro, *Clamor*, muchos de los temas (el ser,
el tiempo, el amor) y de las fórmulas estilísticas de *Cántico* se

prolongan o sufren una importante evolución, pero también aparecen otras preocupaciones diferentes.

Adviértase también que mientras en *Cántico* no era indispensable, para penetrar en los poemas, el conocimiento de la realidad concreta en que se inspiraba Guillén, en los que escribe a partir de ahora se hace necesario muchas veces conocer la anécdota a la que aparecen vinculados. El mismo poeta precisará: «*Clamor* lleva un subtítulo: *Tiempo de Historia*, porque permanece inmerso en el fluir histórico de nuestra época, no como *Cántico,* más atento a la vida elemental y general. Sátira y elegía, desde muy cortos epigramas hasta poemas relativamente extensos —con más narración y descripción que en los poemas del primer ciclo— y otras composiciones de índole muy varia forman las tres partes de *Clamor*».

El poeta despierta a la Historia, apenas intuida como tal hasta ahora, y protesta contra todo lo negativo, caótico y destructivo (la crueldad, el dolor, la guerra, la amenaza atómica) que ha ido introduciéndose en la perfección del cosmos. Las amenazas del mal, siempre contrarrestadas en *Cántico,* aparecen ahora en su plenitud. Un tono melancólico desconocido traspasa muchos de los poemas y el temor de no ser se revela con mayor nitidez. En *Que van a dar en la mar,* tiempo y muerte son dos temas dominantes.

Compárese «Ars vivendi» [20], que refleja la experiencia del poeta maduro frente a la certeza de su fin inevitable, con «Muerte a lo lejos», de *Cántico.*

El azar, que apenas aparecía en la obra anterior, y que para Guillén supone una discordancia que irrumpe en el orbe armonioso y hace sentir al hombre su condición falible e insegura, adquiere un puesto relevante ahora en *Clamor.*

Sin embargo, al final, se alza siempre la negación de que todos esos elementos puedan destruir la voluntad de vida de los seres humanos. Guillén se encara, sin desesperación, con la vejez, en la certeza de que la muerte será su fin, pero no el fin de la vida misma ni la negación de lo ya vivido. «En la poesía de Guillén —escribe acertadamente Ignacio Prat—, al desequilibrio (sea exterior o interior) sucede la lucha por restaurar el equilibrio. Guillén toma partido, junto con las excepciones, en favor del verdadero Orden, del verdadero lenguaje.»

«El descaminado» [17] puede servir para analizar esa doble actitud del poeta.

Tanto en este libro, como en los siguientes, muestra Guillén su preocupación por España («¿Dos Españas? En efecto, / una asesinó a la otra. / Y el país quedó perfecto», afirmará en una ocasión). Pero también hacen acto de presencia otros acontecimientos históricos, como la segunda guerra mundial, la guerra del Vietnam, la situación de los negros en Estados Unidos o la violencia imperialista. Tampoco faltan las notas satíricas y humorísticas sobre la sociedad de consumo.

Los poemas «Despertar español» [18], «Afirmación humana» [19] y «Los intranquilos» [16], deben tomarse como ejemplos, respectivamente, de estas tres inquietudes a que hemos aludido.

Obsérvese también cómo la lengua poética se enriquece en esta obra con elementos coloquiales, irónicos y burlescos, que no figuraban en *Cántico*.

3.   Homenaje

En su tercer libro, *Homenaje,* aunque no faltan, como en *Clamor,* las notas elegíacas y dolientes, la sátira política y la crítica mordaz, el tono pesimista se atenúa.

Puede decirse, incluso, que, en muchos sentidos, presenta más afinidades con *Cántico.* En el poema «Resumen», puntualizará: «Me moriré, lo sé, Quevedo insoportable, / no me tiendas eléctrico tu cable. / Amé, gocé, sufrí, compuse. Más no pido. / En suma: que me quiten lo vivido». Si *Cántico* era la más bella exaltación de la realidad natural, *Homenaje* es también la más bella exaltación española de un mundo histórico, pasado o presente. Guillén habla de las lecturas, ciudades, mitos y acontecimientos que le han emocionado o interesado y, como indica el subtítulo, «Reunión de vidas», de la amistad con sus compañeros de generación y con otros nuevos. Él mismo precisará:

> Un cántico se remonta hacia el júbilo. El homenaje implica más sereno temple. Los elogiados se designan con nombres individuales. (El contrapunto de sombra queda anónimo.) Subtítulo: *Reunión de vidas,* contraste y complemento de *Fe de vida.* El autor da el brazo a toda suerte de amigos, muertos y vivos, de leyenda o de la realidad, páginas o personas. ¿Nuestras lecturas no enriquecen nuestro más hondo vivir? A menudo confluyen un recuerdo de libro y una experiencia personal: cultura que se vive.

Los poemas «Al margen de Jovellanos» [21], «Esperanza» [22] y «Esa boca» [23] resumen algunas de las características de este libro.

El carácter unitario que siempre advirtió Guillén en estas tres obras (*Cántico, Clamor* y *Homenaje*) lo llevó a agruparlas

bajo el título genérico de *Aire nuestro* (1968). A ellas añadió
el poema «Respiro» [1], que da la clave del conjunto.
Téngase en cuenta también, sobre este punto, «Obra completa» [23]. «O sea —puntualiza Guillén—: aire en nuestros
pulmones. No "aire mío". Aire que en el pecho vivifica a los
humanos: cruce que relaciona al hombre con el mundo. El
título señala esa intersección capital.»

También la crítica ha subrayado la estrecha relación que
guarda toda la producción de este poeta. «Esta obra de
cincuenta años de poesía —escribe Emilia de Zuleta—
sostiene un cántico sin desmayos. Ni el escándalo del caos, ni
el desorden, ni los disturbios alteran el «contacto acertado»,
la relación vital con todo lo existente. Aun cuando los años
perturben a veces la alegría, aun cuando llegue a conocer los
abismos del tedio y de la nada, la realidad lo sostiene y lo
encumbra».

4. *Últimas obras*

Sus siguientes libros, *Y otros poemas* y *Final,* no aportan
grandes novedades y pueden considerarse como una variación o una continuación de los tres anteriores. Señalemos,
sin embargo, que en ellos cobran mayor relieve los comentarios de sus lecturas y de su propia obra y los poemas de corte
satírico y aforístico, como puede verse en 25, 26 y 27. Estos
versos de *Final* nos traen, una vez más, al Guillén de
siempre:

> Va insinuándose brisa levemente.
> Al pulmón me ha llegado tal frescura
> Con gracia de principio que la mente
> Goza en el cuerpo de la vida pura.

III. Gerardo Diego

Lo más destacado de la vasta producción de Gerardo Diego es, sin duda, que las diversas modalidades estilísticas que en ella se observan no corresponden a diferentes fases de su trayectoria literaria, sino que coexisten casi siempre. Él mismo confesará: «En mi obra las tendencias están constantemente moviéndose atrás, delante, trabándose unas a otras. Esto es, tal vez, lo que me caracteriza.»

Frente a otros poetas del 27, cuya obra presenta etapas diferenciadas, lo vanguardista y lo clásico, lo viejo y lo nuevo, el humor sutil y bullicioso y los tonos graves y severos, lo popular y el estudiado academicismo, las formas métricas clásicas (soneto, romance), junto a las más libres e innovadoras, aparecen, ya sea por separado o fundidas en un mismo poema, desde sus primeros libros. *Manual de espumas*, *Soria*, *Fábula de Equis y Zeda*, *Poemas adrede* y *Alondra de verdad*, que fueron compuestos por las mismas fechas, y en los que alternan el más audaz experimentalismo con el fuerte contenido humano, parecen escritos por distintos autores.

G. Diego, que se consideró un admirador sin reservas lo mismo de Juan Larrea y de Vicente Huidobro que de los grandes poetas clásicos españoles, se refirió con frecuencia a estas dos vías que simultánea o alternativamente ha seguido: la de «una poesía relativa, esto es, directamente apoyada en la realidad, y la de una poesía absoluta o de tendencia a lo absoluto, esto es, apoyada en sí misma, autónoma frente al universo real del que sólo en segundo grado procede». En *Versos humanos* declarará:

> No. Dejadle al poeta en su problema.
> Poesía creada y pura y verso humano.
> Mientras haya un problema, habrá poesía.
> También el arte es ciencia. Yo os lo digo.
> Aprender el secreto día a día,
> velo tras velo, es lo que yo persigo.

Digamos, sin embargo, que los libros de creación y de corte experimental abundan más en la primera época de su poesía que en la última y que, en conjunto, ocupan menor espacio que los que se inscriben en moldes tradicionales.

También la obra de G. Diego exhibe una notable variedad temática. Debe tenerse en cuenta que, con la excepción de *Odas morales* (1966), en donde lanza un canto a la libertad y una condena de la violencia, lo social apenas aparece y lo político (si descontamos algún poema escrito durante la guerra) está por completo excluido de ella. El mundo próximo, sus emociones, experiencias y recuerdos (el poeta transformó en poesía los más diferentes acontecimientos de su vida), las personas conocidas y admiradas, el paisaje, suelen centrar su atención.

Diversos críticos se han referido también a la calidad desigual de su extensa obra, y a que el contenido de la misma no está siempre a la altura de la sorprendente perfección técnica que la caracteriza.

Debe discutirse este punto, teniendo en cuenta todos los poemas que de él figuran en esta *Antología,* exceptuando, obviamente, los que corresponden a su etapa creacionista.

Advirtamos, por último, que sus libros también presentan una estructura muy desigual. Algunos, como *Ángeles de Compostela, Amor solo* o *La suerte o la muerte,* tienen una sorprendente unidad. Otros, como *La luna en el desierto y otros poemas, Hasta siempre* o *Biografía incompleta,* son misceláneos o, a pesar de mantener la misma métrica (como ocurre con los 42 sonetos de *Alondra de verdad,* por ejemplo), tienen un contenido variadísimo.

1. Primeros libros

En sus primeras obras, *Iniciales, Nocturnos de Chopin* y *El romancero de la novia,* G. Diego, con tonos que recuerdan la línea intimista del modernismo anterior, da rienda suelta a su emotividad (*Nocturnos de Chopin* lleva el significativo subtítulo de «Paráfrasis románticas»). La economía lingüística, los toques sentimentales y la gracia expresiva son notas dominantes de estas obras. A *El Romancero de la novia* pertenecen los siguiente versos: «No. De noche no. De noche / no, porque me miran ellas. / Sería un mudo reproche / el rubor de las estrellas.»

Debe tenerse en cuenta que la musicalidad que es fácil advertir en el poema «Ella» [1], será, como ocurre con los de otros poetas del 27, una de las constantes de toda la producción de este autor. G. Diego mostró siempre, lo mismo que los parnasianos y simbolistas del siglo pasado, un deseo de unir música y poesía y de recrear el mundo de los sonidos y de la armonía mediante la palabra.

2. Poesía creacionista

Con *Evasión* inicia G. Diego su aventura vanguardista. Sin embargo, la madurez de sus experimentos «creacionistas», es decir, el cultivo de esa poesía que él llamó «absoluta», y que al tener como fin primero ella misma relega o desprecia la realidad inmediata, se producirá con *Imagen,* libro repleto de hallazgos imaginativos, que está dividido en tres partes: «Evasión», en donde aparecen 23 poemas del libro anterior, «Imagen múltiple» y «Estribillo».

En esta misma línea están *Limbo* y *Manual de espumas,* el más clásico ejemplo de poesía creacionista, con imágenes inesperadas o de apariencia irracional, y en el que se funden, como en el cubismo, varios temas en un mismo poema.

Nótese que en *Imagen* y *Limbo* puede rastrearse un hilo
temático conductor que enlaza, de forma tenue y no
siempre precisa, las imágenes inconexas de los poemas, y
que puede intuirse, a veces, la situación anímica previa al
proceso creador. Esto se hace más difícil en los de *Manual
de espumas*.

G. Diego defendió alguna vez que en muchos de sus
poemas creacionistas es posible rastrear, por debajo del
ritmo y de la seducción fonética, un pensamiento y una
emoción profunda. Frente a los que rechazaban por demasiado abstracta esa línea vanguardista de su poesía, en el
prólogo de la *Primera Antología de sus versos* (1941), aseguró
que pocos poemas suyos de la corriente tradicional «superan
en acumulación y hondura de experiencia vital, en desgarro
y temblor de alumbramiento a algunos de la línea creacionista». También, según él, en *Limbo* hay «mucha seriedad, y
en algunos poemas hasta emoción trágica» («este limbo de
nuestra vida y de nuestra poesía humana en este mundo
lleva dentro de sí su gloria, su purgatorio y su infierno»).
Por su parte, A. Machado señaló que en «*Imagen*, donde
acaso sobran imágenes, no falta emoción, alma, energía
poética. Hay además, verdaderos prodigios de técnica y, en
algunas composiciones, una sana nostalgia de elementalidad
lírica, de retorno a la inspiración popular». Obsérvese,
además, que muchos de esos poemas van dedicados a
autores (Antonio y Manuel Machado, Bécquer, etc.) que
cultivaron una poesía de corte tradicional.

Teniendo en cuenta lo dicho aquí y en la Introducción
sobre el creacionismo, deben comentarse los poemas 2 al
6 y determinar o discutir los valores sentimentales y

> metafísicos y el equilibrio entre sensibilidad y conoci-
> miento que pueda haber en ellos.

Otro libro, *Biografía incompleta,* podría incluirse dentro de
esta línea creacionista, a pesar de que ya aquí las imágenes
aisladas de los libros anteriores van siendo sustituidas por
una sintaxis más compleja y de que los poemas son más
extensos. Algunos críticos, sin embargo, prefieren relacio-
narlo con el surrealismo, movimiento con el que G. Diego
siempre negó una vinculación directa.

> Con lo que se sabe de estos dos movimientos, debe
> precisarse de cuál de ellos está más próximo «Valle
> Vallejo» [9].

3. *Tradición y vanguardia*

En otros de sus libros (*Fábula de Equis y Zeda* y *Poemas
adrede*) se funden, con admirable rigor y perfección, y de
forma parecida a lo que hacían por esos años músicos como
Falla, Stravinski y Ravel, lo vanguardista y lo clásico. El
mismo G. Diego precisará: «Pensaba yo que el contraste
entre el molde clásico o prerromántico o casi modernista, y
la sustancia disparatadamente arbitraria, sin más ley que la
proporción interna y las sugestiones recíprocas de las imágenes, podía dar resultados sabrosos.» Para muchos críticos es
ésta la parcela más interesante de su producción.

El lenguaje, fuertemente imaginativo, se ciñe ahora mucho más a la anécdota interior y las imágenes y metáforas no
parecen ornamentos y artificios superficiales y derroches no
exigidos por lo que el poeta quiere expresar.

En los poemas de las obras citadas es fácil advertir la confluencia de las líneas innovadoras con un barroquismo que supone un tributo de admiración y de homenaje a Góngora. Analícense en «Amor» [7] y en «Azucenas en camisa» [8] los aspectos que proceden de la tradición (la sujeción a una estrofa clásica, los apuntes mitológicos, la sintaxis larga, en vez de la frase simple y suelta de los libros anteriores) y los propiamente vanguardistas, que están representados por las imágenes irracionales y arbitrarias y la ausencia de puntuación.

4. *Poesía humana*

En otra línea característica de su obra, y paralela a la anterior, G. Diego se inspira en la realidad inmediata. Con formas clásicas o extraídas de la poesía tradicional, y con una gran originalidad lingüística, se orienta hacia una poesía de contenido más humano, en la que con frecuencia da forma literaria a experiencias personales (algunos poemas, como «Insomnio»: 13, tienen un marcado carácter de autobiografía lírica).

Obsérvese, sin embargo, el control artístico que el poeta ejerce siempre sobre lo emotivo, incluso cuando aborda asuntos que se prestaban de manera especial a ello (véase 22). Su constante preocupación por la forma, el ritmo y la musicalidad del poema se erige en un muro de contención frente a cualquier exceso sentimental.

Estos libros (uno de ellos lleva el revelador título de *Versos humanos*) tienen un contenido variadísimo, aunque dominan en ellos los asuntos amorosos, los religiosos y las descripciones paisajísticas.

1) *Poesía amorosa:* entre 1920, año de *El romancero de la novia,* y 1940, G. Diego escribió diversos poemas de corte amoroso, como los que incluyó en *Alondra de verdad.* Sin embargo, será a partir de este último año cuando esta temática adquiera una particular relevancia en su obra, como puede verse en *Amazona, Amor solo, Sonetos a Violante, Canciones a Violante y Glosa a Villamediana.* De todos ellos incluyó muestras en el volumen *Poesía amorosa,* que publicó en 1965 (se reeditó en 1970).

En los poemas de estas obras G. Diego suele actualizar, aboliendo el tiempo, emociones y recuerdos intensamente vividos y no menos intensamente soñados, sin que falten las teorías acerca de tan universal preocupación humana y los intentos de ahondar y profundizar en algunas de sus particularidades, como ocurre en *Glosa a Villamediana.* El poeta recorre la escala que va de los tonos sombríos y pesimistas (en *Amor solo,* «amor solo quiere decir amor sin amada, amor sin mujer, amor que si no ha nacido solo, se ha quedado solo»), hasta los más exultantes y jubilosos de *La sorpresa,* en donde traza la historia de su felicidad conyugal (desde la boda y el viaje de novios hasta las satisfacciones presentes).

Algunos críticos han contrastado la desnudez, el candor y la ingenuidad de los poemas amorosos de sus primeros libros con la mayor frialdad, los alardes técnicos, el virtuosismo, que les resta espontaneidad, y la tendencia a mostrarse ingenioso, de los que publica después de la guerra.

A partir de los poemas 1, 13, 16, 17, 18 y 19 debe discutirse este punto. También pueden compararse las inquietudes de G. Diego con las que, en este sentido, exhiben Salinas, Aleixandre y Cernuda.

2) *Poesía religiosa:* G. Diego, que fue un hombre profundamente católico, cultivó desde muy pronto, con formas

populares o moderadamente cultas, la poesía religiosa, poco habitual en los demás poetas del 27.

Aparte de diversos textos desperdigados en otros de sus libros (hasta en algunos de su vertiente creacionista, como «Ángelus» [3] y «Rosa mística», se revela como un poeta cristiano), es en *Viacrucis, Versos divinos* y *Ángeles de Compostela,* donde, con sencillez, emotividad, y sin grandes alardes teológicos, se pone de manifiesto su profunda religiosidad.

Viacrucis refleja, con precisión, «la sinceridad absoluta de una voz que desea fundirse a un coro general, a un rezo colectivo». *Ángeles de Compostela,* con estructuras arquitectónicas y rítmicas cuidadosamente perfiladas, además de un homenaje a Galicia (coméntese «Respuesta»: 23), puede considerarse, según G. Diego, como «un verdadero poema a Compostela, al dogma de la Resurrección de la Carne simbolizada por los ángeles, y a Galicia representada en sus mitos poéticos». Desde la realidad, desde el mundo consciente, va ascendiendo, a través del sueño, a regiones superiores. En *Versos divinos* destaca la perfección y la gracia, heredadas de Lope de Vega y de otros escritores del Siglo de Oro, de los cantarcillos populares, las glosas y las letrillas.

Deben comentarse los poemas 20 y 21 y contrastarse la fe firme y serena de G. Diego, siempre dentro de la ortodoxia católica, con las dudas, las angustias existenciales y el tono crispado de Dámaso Alonso, o con las inquietudes religiosas que manifiestan Cernuda y Altolaguirre en los años posteriores a la guerra. Sus ángeles, heraldos de paz y bienaventuranza, tampoco tienen nada que ver con los que atormentaron a R. Alberti al final de la década de los años veinte.

3)   *El paisaje:* G. Diego nos dejó múltiples impresiones de los muchos viajes que realizó a lo largo de su vida y de los sitios por los que pasó o en los que vivió. Estos poemas pueden tener su origen en una reacción inmediata frente al paisaje inspirador, como en «El ciprés de Silos» [12], o ser producto de una reelaboración posterior, con un recuerdo, intenso e impreciso a la vez, del sitio cantado (Numancia en «Revelación»: 14). Otras veces, como ocurre en *Paisaje con figuras,* armoniza, siguiendo la pauta de los paisajes con figuras que se desarrollan en la pintura desde el siglo pasado, el elemento geográfico con el humano.

Además de los poemas referidos a Soria [10 y 11], deben leerse y comentarse «Azucenas en camisa» [8], donde entona un canto a la naturaleza y exalta, mediante una alegoría floral, la alegría de vivir en el presente, y los poemas de *El Jándalo (Sevilla y Cádiz)* [26] y *Mi Santander, mi cuna, mi palabra* [25], libro en el que la descripción de la ciudad o del campo va unida a la evocación familiar y a los recuerdos de infancia y juventud.

A través de los poemas de estas obras puede determinarse también la distancia que separa los paisajes de G. Diego, a pesar de ser, en este sentido, el más tradicional de los poetas del 27, de los de los escritores del 98.

5.   Otros libros

Las aficiones taurinas del poeta son el eje de *Égloga de Antonio Bienvenida, La suerte o la muerte. Poema del toreo,* uno de sus libros con mayor unidad y en el que alternan lo trágico y lo alegre, lo moral y lo estético, lo riguroso y lo caprichoso, la gravedad y los tonos ágiles y juguetones, y *El «Cordobés» dilucidado*.

Téngase en cuenta que el texto 24 fue escrito en 1926, cuando Lorca y Alberti aún no habían publicado poemas sobre toros.

Su gran afición por la música, «sin la cual yo no sabría vivir», confesará, se plasma en *Preludio, Aria y Coda a Gabriel Fauré*, en donde intenta «retratar al maestro francés y a su música sin par que he llevado en el corazón toda la vida». Son frecuentes en su obra los homenajes a músicos como Mozart, Falla o Debussy (véase el poema 15).

En *Carmen jubilar*, en el que se mezclan los textos de índole personal con otra serie taurófila, destaca el tono humorístico, frecuente en otras de sus obras. En *Tántalo* supera con éxito las dificultades que implica traducir poesía. Tampoco faltan los poemas de circunstancias, que, para G. Diego, no suponen «demérito ni categoría inferior. Poesía de circunstancia es la elegía de J. Manrique o la "Salutación del optimista" de Rubén Darío».

En *Cementerio civil* y en otras de sus últimas obras, como ocurre con la de los demás poetas del 27, el tono se torna más grave y se intensifica, siempre desde un punto de vista católico y ortodoxo, la preocupación por la muerte [27].

La obra de G. Diego puede aprovecharse también para dar un repaso a la métrica. Pueden comentarse los encabalgamientos abruptos de «Valle Vallejo», la variedad de acentuación y de rimas en los sonetos de *Alondra de verdad*, y otros aspectos que se considere oportuno.

IV.   Federico García Lorca

La obra de García Lorca, extraordinariamente variada, presenta (lo mismo su poesía que su teatro, prosa y dibujos) unos temas comunes que forman un entramado indisoluble. Junto al amor (el poeta tiende a un pansexualismo que borra las fronteras entre el amor homosexual y el heterosexual), el más destacado es el de la frustración y el del destino trágico. Por sus obras desfilan numerosos seres marginados, que se mueven en un mundo hostil, que exhiben un hondo malestar, un dolor de vivir, un sentimiento de impotencia, y que están abocados a la soledad y a la muerte (con frecuencia, ésta aparece como un asesinato). Hay que advertir que esta frustración se proyecta en un doble plano: el ontológico y el social, el metafísico y el histórico. Estos dos planos, como ocurre en *Poeta en Nueva York,* se presentan muchas veces unidos, en estrecha interrelación. Como escribe el crítico Miguel García Posada: «Las pesadillas de la historia se dan la mano, en la obra lorquiana, con los fantasmas metafísicos o telúricos del tiempo, la muerte, el amor, la fecundidad, etc.»

1. Primera etapa

En la producción de Lorca puede establecerse una primera etapa, que se prolonga hasta 1928, a la que corresponden *Libro de poemas, Poema del Cante Jondo, Canciones, Romancero gitano, Suites, Odas* y *Poemas en prosa.*

En la mayor parte de estas obras sorprende la rara perfección con que se mezclan elementos procedentes de la tradición culta y de la popular con otros más novedosos y vanguardistas. Lo viejo y lo nuevo, lo español y lo universal, lo popular (el romancero, la lírica tradicional, el cante jondo) y lo culto (la poesía arábiga, la de los Cancioneros de los siglos XVI y XVII, Góngora y la lírica barroca, Bécquer, Rubén Darío, Juan Ramón Jiménez), profundamente asimilados, convertidos en sustancia propia, son sometidos por el poeta a un proceso de reelaboración que los dota de una dimensión y originalidad nuevas.

Libro de poemas es una obra de interés limitado. Aunque la temática es variada, la mayor parte de los poemas enlazan con una crisis juvenil. Lorca proyecta en ellos su tristeza, malestar e inseguridad, su amor sin esperanzas, su nostalgia de lo perdido y sus deseos de comunión con el universo. Aunque algunas veces se muestra con voz propia (como ocurre en «Balada de la placeta»: 1) y, en general, exhibe una notable habilidad versificatoria y una admirable seguridad en el dominio del lenguaje (sobre todo en lo que a la imagen se refiere), son a veces demasiado visibles las huellas de los maestros precedentes (Bécquer, Rubén Darío, Juan Ramón Jiménez y Antonio Machado).

Con el *Poema del Cante Jondo,* Lorca se aparta de la expresión de la intimidad, que había dominado en *Libro de poemas* y *Suites,* y recrea, en un intento de llegar a lo más hondo del sentimiento popular, el mundo gitano andaluz. Todo lo que hay en este cante de frustración histórica y existencial, de protesta por las injusticias de la vida y de la historia, está admirablemente captado por el poeta.

El cante jondo es sombrío por la expresión de los hombres macerados por la persecución y la desgracia —precisará—. Por no recoger nunca la nota bucólica y de placidez, no tiene valor localista, no tiene fuerza descriptiva, y por ello es difícil que, como ocurre con los restantes cantares, nos figuremos el marco en que se canta. Glosa la muerte, la cárcel, el amor desgraciado, la desesperación; motivos de inspiración que, casi exclusivamente, conoce el pueblo que lo inspira.

El amor, la soledad, la muerte, el destino trágico, la pena, las ansias de vivir sofocadas por circunstancias adversas, preocupaciones que serán habituales en sus siguientes libros, confluyen ya en esta obra.

En la métrica, como corresponde a una poesía enraizada en lo popular, dominan la rima asonantada y el verso corto. También, como en el resto de su producción, son proverbiales la plasticidad, la musicalidad, el lenguaje metafórico de gran originalidad, el simbolismo y la estilización del mundo que describe.

En el comentario de los poemas 2 a 6 debe tenerse en cuenta que este libro no constituye un ejercicio previo al *Romancero gitano*. A pesar de las coincidencias temáticas, Lorca modula, desde el punto de vista formal, imágenes, ritmo y léxico diferentes. Obsérvese también la distancia que separa a estos poemas, y a los que siguen, de los que Rafael Alberti escribe por estos años. Pese al aire popular de unos y de otros, la gracia y la levedad de los de este último se hacen más graves y adquieren una mayor densidad conceptual en los de Lorca.

Canciones es un libro de contenido muy dispar, como se advierte en los títulos de las secciones en que se divide: «Nocturnos de la ventana», «Canciones para niños», «Andaluzas», «Juegos», «Canciones de luna», «Eros con bastón», «Trasmundo», «Amor» y «Canciones para terminar». Lo mismo nos encontramos con el tema tan habitual en Lorca de la muerte como emplazamiento inevitable («Canción de jinete»: 9), que con estampas de mujeres agitadas por la pasión, el misterio y la violencia sexual, que anticipan a las del *Romancero gitano* («Lucía Martínez»: 10). En las canciones para niños, al tiempo que reelabora motivos tradicionales perdidos, logra una perfecta síntesis de lógica infantil absurda, animación de la naturaleza y personificación de animales (coméntese «El lagarto está llorando»: 7).

Desde un punto de vista formal, lo que más destaca en este libro es la escasez de materia narrativa o descriptiva. Lorca exhibe su maestría en el manejo de un lenguaje sugerente y en el arte de componer de forma impresionista con imágenes sueltas y sensaciones aisladas.

> Obsérvese, por ejemplo, el misterio que envuelve a las dos «Canciones de jinete» (8 y 9) y el poder evocador que tiene la palabra «Córdoba» en una de ellas.

Adviértase ya el irracionalismo que impregna algunos de estos poemas, y que se intensificará en *Romancero gitano* y en *Poeta en Nueva York*. El lector, como ocurre en parte de la poesía europea desde el siglo XIX, recibe sugerencias, intuiciones, a las que no siempre encontrará una explicación lógica. Esta incoherencia puede ser profunda, como ocurre en «Malestar y noche» [12], poema que debe analizarse con detenimiento, o estar localizada en imágenes aisladas. Puede tenerse en cuenta ya lo que dijo Lorca al referirse a su «Romance sonámbulo» [14]:

El misterio poético es también misterio para el poeta que lo comunica, pero que muchas veces lo ignora [...]. Es un hecho poético puro del fondo andaluz, y siempre tendrá luces cambiantes, aun para el hombre que lo ha comunicado, que soy yo. Si me preguntan ustedes que por qué digo yo: "Mil panderos de cristal herían la madrugada", les diré que los he visto en manos de ángeles y de árboles, pero no sabré decir más, ni mucho menos explicar el significado. Y está bien que sea así. El hombre se acerca, por medio de la poesía, con más rapidez al filo donde el filósofo y el matemático vuelven la espalda en silencio.

También puede ser de utilidad para comentar esta parcela de la obra de Lorca el documento 6.

En *Romancero gitano* Lorca exalta la dignidad de esta raza marginada y perseguida. Como antagonista de la misma aparece la guardia civil, caracterizada habitualmente con notas negativas. Téngase en cuenta, sin embargo, que Lorca rehúye la visión pintoresca y colorista del mundo gitano, frecuente en la literatura anterior, y que apunta, más que a la situación social concreta de dicha raza, a los aspectos más profundos de la misma. En este sentido resultan imprescindibles las palabras del poeta:

> El libro en conjunto, aunque se llama gitano, es el poema de Andalucía, y lo llamo gitano porque el gitano es lo más elevado, lo más profundo, lo más aristocrático de mi país, lo más representativo de su modo y el que guarda el ascua, la sangre y el alfabeto de la verdad andaluza y universal [...].
>
> Un libro anti-pintoresco, anti-folklórico, anti-flamenco. Donde no hay ni una chaquetilla corta ni un traje de torero, ni un sombrero plano, ni una pandereta, donde las figuras sirven a fondos milenarios y donde no hay más que un solo personaje grande y oscuro como un cielo de estío, un solo personaje que es la Pena que se filtra en el tuétano de los huesos y en la savia de los árboles, y que no tiene nada que ver con la melancolía ni con la nostalgia ni con ninguna aflicción o dolencia del ánimo, que es un sentimiento más celeste que terrestre; pena andaluza que es una lucha de la inteligencia amorosa con el misterio que la rodea y no puede comprender.

En el comentario de los poemas 13 al 17 debe tenerse en cuenta la unión que en ellos se produce de lo culto y lo popular, de lo tradicional y lo nuevo y vanguardista. A pesar de la estrecha relación de todos esos elementos pueden analizarse y comentarse por separado:

a) Los aspectos que proceden de la tradición: el dramatismo de los temas (violencia, sensualidad, erotismo, misterio), la densidad expresiva y la métrica. Como otros poetas del 27, Lorca eleva a un supremo rango artístico, en sus vertientes lírica, novelesca y dramática, una forma estrófica de larga tradición, el romance, pero un tanto desprestigiada por estas fechas (véase el documento 4). También, en un momento en que los poetas muestran una notable aversión por los elementos descriptivos, Lorca se atreve a narrar, a contar una historia.

b) El lenguaje (sobre todo en lo que a la metáfora y la adjetivación se refiere), siempre sorprendente y de una audacia desconocida en la poesía tradicional.

En algunos poemas, como en «Romance de la luna luna» [13], se establece la fusión de un plano real con otro fabuloso y mítico; esto da como resultado una nueva dimensión de lo creado.

2. Segunda etapa

Con *Poeta en Nueva York* se produce un cambio notable en la obra de Lorca. Como siempre, el poeta parte del mundo que le rodea, pero, consciente de que la comunicación poética nunca puede llevarse a cabo con métodos realistas, renuncia a una crónica de su viaje y somete ese mundo a un proceso de transformación. La ciudad, como antes Andalucía, no está vista desde fuera. «Mi observación —puntualizará— ha de ser, pues, lírica. Arquitectura extrahumana y ritmo furioso, geometría y angustia. Sin embargo, no hay alegría, pese al ritmo. Hombres y máquinas viven la esclavitud del momento. Las aristas suben al cielo sin voluntad de nube ni voluntad de gloria. Nada más poético y terrible que la lucha de los rascacielos con el cielo que los cubre.»

Aunque se presenten estrechamente relacionados, deben tenerse en cuenta para el estudio de los poemas de este libro los siguientes puntos:

a)   Por una parte, la visión negativa que el poeta nos da de la ciudad y de sus distintas zonas (Wall Street, Bronx, Coney Island, Brookling Bridge, Harlem, las calles, las luces, la multitud), y su rechazo de una civilización mecanizada que destruye lo auténticamente humano. El sentido primero del libro podría resumirse así: el hombre ha creado una ciudad gigantesca, pero es, al mismo tiempo, víctima de ella, porque destruye su libertad, su contacto con lo natural y su comunicación con los demás hombres (coméntese «La aurora»: 21). En este mundo deshumanizado, los negros, a los que dedica una sección del libro, llevan una de las peores partes. En «El rey de Harlem» exclama:

> ¡Ay Harlem! ¡Ay Harlem! ¡Ay Harlem!
> No hay angustia comparable a tus rojos oprimidos,
> a tu sangre estremecida dentro del eclipse oscuro,
> a tu violencia granate, sordomuda en la penumbra,
> a tu gran rey prisionero en un traje de conserje [...].
>
> ¡Negros! ¡Negros! ¡Negros! ¡Negros!
>
> La sangre no tiene puertas en vuestra noche boca arriba.
> No hay rubor. Sangre furiosa por debajo de las pieles,
> viva en la espina del puñal y en el pecho de los paisajes,
> bajo las pinzas y las retamas de la celeste luna de cáncer.

Sin embargo, Lorca puntualiza:

> Yo quería hacer el poema de la raza negra en Norteamérica y subrayar el dolor que tienen los negros de ser negros, en un mundo contrario; esclavos de todos los inventos del hombre blanco y de todas sus máquinas, con el perpetuo susto de que se les olvide un día encender la estufa de gas o guiar el automóvil o abrocharse el cuello almidonado, o de clavarse el tenedor en un ojo [...]. Y, sin embargo, lo verdaderamente salvaje y frenético no es Harlem. Hay vaho humano, gritos infantiles, y hay hogares y hay hierbas y dolor que tiene consuelo y herida que tiene dulce vendaje.

Lo impresionante, por frío, por cruel, es Wall Street. Llega el oro en ríos por todas partes de la tierra y la muerte llega con él. En ningún sitio se siente como allí la ausencia del espíritu.

b) A partir de esa realidad que describe, Lorca se remonta, en primera persona, a sí mismo, a sus amargas experiencias pasadas y presentes, a su soledad y a sus deseos amorosos (téngase en cuenta que ya en el título del libro se produce esa fusión de lo externo y lo personal). En una carta que dirige a Ángel del Río le comunica: «Esto es acogedor para mí, pero me ahogo en esta niebla y esta tranquilidad que hacen surgir mis recuerdos de una manera que me queman.» El propio Ángel del Río se referirá así a la crisis del poeta:

> Las fuentes de esa crisis sentimental son oscuras, al menos para aquellos que le conocían superficialmente. Tocan delicadas fibras de su personalidad que no se pueden valorar o desdeñar precipitadamente, pero que han dejado huella inconfundible en el libro; y sólo tomándolas en consideración se puede comprender todo el significado de la obra o, al menos, de algunas partes de ella.

Deben comentarse «Vuelta del paseo» y «Poema doble del lago Eden» [18 y 20], en el que Lorca contrasta su infancia feliz con su desolada situación presente: «Pero no quiero mundo ni sueño, voz divina, / quiero mi libertad, mi amor humano / en el rincón más oscuro de la brisa que nadie quiera. / ¡Mi amor humano!»

La estrecha relación entre la situación dolorida del poeta el «símbolo patético de Nueva York» es quizá lo más significativo de este libro. Lorca abandona el pudor que ha mantenido hasta ahora y, a partir de *Poeta en Nueva York*, se

proyectará más en sus poemas. Según confesará, la suya es
ya «una poesía de abrirse las venas».

c) De ahí pasará, valiéndose de la tercera persona,
generalmente en plural, a lanzar su protesta contra los que
coartan la realización plena de todos los instintos del
hombre y a solidarizarse con aquellos que, como él, padecen
una situación de desamor. Téngase presente que al privar
muchas veces a la ciudad de contornos precisos, al desreali-
zarla, puede convertirla en microcosmos, en abstracción
impersonal, sin lugar ni tiempo precisos, en símbolo del
sufrimiento y de la falta de armonía y de solidaridad del
universo. Nueva York es una ciudad dominada, como el
resto del mundo, por la muerte, física y psicológica, porque
en ella no hay amor. Unos versos de V. Aleixandre que
sirven de epígrafe a la sección titulada «Calles y sueños» son
reveladores al respecto: «Un pájaro de papel en el pecho /
dice que el tiempo de los besos no ha llegado.»

Todos estos aspectos pueden rastrearse en uno de los más
importantes poemas del libro: «Grito hacia Roma» [22].

Con la llegada a La Habana, que describe en los poemas
finales, Lorca volverá a reencontrarse con sus raíces hispa-
nas, casi perdidas durante esta experiencia americana.

Todo lo dicho está expresado con un lenguaje de enorme
fuerza expresiva, capaz de recrear admirablemente en el
lector las mismas experiencias confusas y desgarradoras del
poeta.

Con frecuencia se ha hablado de las relaciones de esta
obra con el surrealismo, a pesar de que la incoherencia
pocas veces llega a ser profunda y de que persisten las
metáforas muy elaboradas, según los cánones del barroco,
aunque de dificultad extrema. La huella surrealista es más

evidente en el grito de rebeldía radical del poeta y en el agudizamiento de su conciencia social.

Frente a la métrica regular de los libros anteriores, Lorca da ahora preferencia al versículo, aunque la rima asonante y los estribillos pervivan en algunos textos.

En los libros siguientes, Lorca cultiva un tipo de poesía más entroncado consigo mismo y de mayor contenido erótico. También, aunque no abandona del todo la versificación libre, vuelve a esquemas métricos más regulares.

Con *Diván del Tamarit,* estimulado por la lectura de los *Poemas arábigo-andaluces*, que acababa de traducir E. García Gómez, y por sus viejos conocimientos de poesía árabe, intenta una nueva aventura poética. Obsérvese, sin embargo, que el libro poco tiene que ver con la visión superficial y tópica que de Oriente nos han dejado numerosos poetas europeos desde el romanticismo. Si descontamos una mayor carga sensual, Lorca permanece fiel a sus obsesiones habituales. Este enlace con el resto de su obra quizá podría explicarse en parte con estas palabras de Luis Cernuda: «Muchas veces parece Lorca un poeta oriental; la riqueza de su visión y el artificio que en no pocas ocasiones hay en ella [en su obra], lo recamado de la expresión y lo exuberante de la emoción, todo concurre a corroborar ese orientalismo. Orientalismo que acaso se manifieste en la manera natural de expresar su sensualidad, que es rasgo capital de su poesía.»

En cuanto a la temática, existe una diferencia entre las gacelas y las casidas. En las primeras, Lorca atiende a la vertiente erótica del amor [23-24]. En las casidas aborda problemas humanos, que tienen que ver con él mismo o con el mundo en que vive [25].

Desde un punto de vista métrico, alternan dos tipos de composiciones. Unas en las que emplea, como en *Poeta en*

Nueva York, el verso libre, y otras en las que recrea, con gran
libertad, formas métricas que había utilizado en los libros
anteriores. Tanto en unas como en otras, Lorca muestra una
destacada obsesión por el ritmo, conseguido muchas veces
por los frecuentes esquemas paralelísticos, como puede verse,
sobre todo, en 24.

En el *Llanto*, uno de sus poemas más perfectos, Lorca lleva
a cabo un homenaje a su amigo el torero Ignacio Sánchez
Mejías, muerto en 1934. Aunque existen alusiones al mundo
de la corrida, Lorca, que siempre se negó a tratar directamente el mundo de los toros, rehúye los elementos costum-
bristas y pintorescos y las interpretaciones filosóficas. En las
cuatro partes de que se compone, todo se subordina a la
presentación, en medio de una atmósfera irreal, de una
figura mítica y excepcional a la que la muerte arrastra a la
nada.

Lo que más destaca, aparte de la calidad extraordinaria
del lenguaje poético, es la perfecta adecuación de la métrica
al sentimiento elegíaco que expresa el poeta (nótese la
variedad de ritmos acentuales que emplea en las dos partes
que incluimos en esta *Antología*).

Los *Sonetos* deben encuadrarse dentro de la tendencia
neoformalista que se advierte en la poesía española de esos
años, y que se acentuará al comienzo de la década de los
cuarenta (recuérdese, por ejemplo, que Miguel Hernández
publica en 1936 *El rayo que no cesa*, compuesto también por
sonetos). El propio Lorca, que ya había cultivado esporádicamente esta forma estrófica, confesará: «El libro de *Sonetos*
significa la vuelta a las formas de la preceptiva después de
amplio y soleado paseo por la libertad de metro y rima. En
España, el grupo de poetas jóvenes emprende hoy esta
cruzada.»

En los poemas que se conservan, aunque está presente

como en el libro anterior, el erotismo, se produce una mayor espiritualización de la experiencia amorosa. Ello se debe probablemente, como señala Miguel García Posada, al «hecho de que estos sonetos celebran un amor ya consumado y una relación amorosa duradera». V. Aleixandre los calificó en 1937 de «prodigio de pasión, de entusiasmo, de felicidad, de tormento, puro y ardiente *monumento de amor* en que la primera materia es ya la carne, el corazón, el alma del poeta en trance de destrucción».

La angustia, la ansiedad ante la posibilidad de perder ese amor es, lógicamente, uno de los temas dominantes.

En los textos 27 y 28 deben analizarse las expresiones en que se revela la pasión desbordada y el sufrimiento amoroso. Obsérvese también el aire barroco, conseguido sobre todo por la densidad metafórica, que exhiben estos sonetos. No debe extrañar que uno de ellos lleve el significativo título de «Soneto gongorino en que el poeta manda a su amor una paloma».

V.　Vicente Aleixandre

1.　*Primeros libros*

Aunque toda la obra de Aleixandre tiene una considerable unidad, puede distinguirse en ella una primera etapa en la que el poeta, con una actitud panteísta, considera que todos los seres de la creación, tanto los inanimados como los animados, se sienten arrebatados por un impulso erótico que los encamina a fundirse unos con otros, a participar en «la unidad amorosa del universo».

No sólo las fuerzas elementales de la naturaleza, fuerzas cósmicas, misteriosas en su elementalidad radical (el mar, los montes, los ríos, las selvas, la tierra, el sol, el viento, el fuego) se sienten agitadas por dicho impulso. También los animales y el hombre participan de ese común anhelo de ardiente y mutua integración.

El hombre puede así compararse a una montaña, a un río, a un astro, y sentir su fuerza y su furor; y la montaña, el río y el astro, a su vez, pueden mostrar un gesto humano y gemir y gozar como el hombre.

Esto explica el reiterado deseo del poeta de disolver las realidades particulares en una realidad totalizadora, y también el que considere como positiva cualquier destrucción que pueda conducir a una unión con lo cósmico. «Todo es uno y lo mismo», repite Aleixandre, porque ese «todo» no es más que una diversificación del único amor que centra y da sentido al mundo. Carlos Bousoño precisará:

> La solidaridad amorosa del poeta, del hombre, con todo lo creado es el eje en torno al que gira la poesía de Aleixandre. En la primera etapa, la solidaridad amorosa con respecto al cosmos lo conduce no sólo a un panteísmo en el que el amor es la sustancia unificadora, sino también a una correlativa elementalización del hombre, pues, en virtud del amor, éste se ha hecho uno con lo amado, la naturaleza. Se ha tornado en montaña, piedra, astro. Se invierte así la perspectiva tradicional, y ahora en la jerarquía de valores aparece en la cima lo que antes se hallaba en el peldaño más bajo de la escala. Será mejor lo más elemental, de forma que la piedra superará al vegetal, éste al animal, y el animal al hombre; me refiero, claro está, al hombre alejado de la naturaleza, no al que se deja guiar por sus supremas instancias.

Obsérvese la diferencia que existe con los procesos místicos. En éstos la persona, guiada por la llama de amor que enciende su espíritu, asciende hasta una realidad superior para fundirse con ella y participar de sus dones. Aleixandre, por el contrario, no aspira a una fusión de las almas. Para él, la materia y el cuerpo poseen la suficiente fuerza para constituirse en la raíz de esa unidad amorosa que anhela.

Esto justifica el que se haya hablado, a propósito de estos primeros libros, de panteísmo erótico o pan-erotismo.

Adviértase también que el intenso latido humano, el tono apasionado, el acento ardoroso y la fuerza del lenguaje dan a toda esta parte de su obra un cariz plenamente romántico. Algo que no debe extrañar en un poeta que siempre manifestó una agudizada desconfianza frente a los que dicen «preferir la poesía a la vida». Una carta que escribe a Dámaso Alonso en 1940 puede contribuir también a precisar su actitud:

> Tú que me conoces bien, sabes que soy el poeta o uno de los poetas en quienes más influye la vida. Siento en mí una especie de leonina fuerza inaplicada, un amor del mundo, que a mí, hombre en reposo, me hace sufrir o me exalta. Tengo una visión unitaria de la vida, combatido yo en una doble corriente. De un lado, un egocentrismo que me hace traer a mí el mundo exterior y asimilármelo; y de otro, un poder de destrucción en mí en un acto de amor por el mundo creado, ante el que me aniquilo. En el fondo es absolutamente lo mismo. Los límites corporales que me aprisionan, se rompen, se superan, en esa suprema unificación o entrega, en que, destruida ya mi propia conciencia, se convierte en el éxtasis de la naturaleza toda.
>
> Por eso el amor personal, es decir, individual, en mí trasciende siempre en imágenes a un amor derramado hacia la vida, la tierra, el mundo. ¡Cuántas veces confundo a la amante con la amorosa tierra que nos sustenta a los dos! En el fondo no es más que el ansia de unificación, de la cual el amor es como un simulacro, el único posible en la vida, porque su cabal logro no está más que en la verdadera destrucción amorosa: en la muerte. Todo esto de mí lo sabes tú bien, aunque nunca te lo he formulado con tanta concreción. La conciencia de ello la tengo desde hace varios años. Sabiéndolo, fácil es explicar mi amor por la naturaleza, mi sensibilidad para el placer de los sentidos: vista, oído, etc.; mi adoración por la hermosura visible, y hasta la mística de la materia que indudablemente hay en mí.

Ámbito, su primer libro, tiene bastantes puntos en común con los ideales de pureza que caracterizan otras obras de los años veinte (recuérdese lo que sobre este punto hemos dicho en la Introducción). También, como en el primer *Cántico* de Guillén, Aleixandre se somete a un orden estrófico regular y emplea la rima asonante (coméntese «Noche cerrada»: 1).

Sin embargo, aunque en esta obra ya aparecen esbozadas algunas de las preocupaciones habituales en su poesía posterior, será con *Pasión de la tierra* cuando empiece a configurarse la visión del mundo que hemos comentado y que desarrollará en *Espadas como labios* y en *La destruccción o el amor.*

En *Pasión de la tierra,* compuesto de poemas en prosa, se plasma, ya desde el mismo título, el deseo de Aleixandre de fundirse con la naturaleza. Esto le lleva a una defensa de lo elemental, desnudo y auténtico y a atacar las normas y trabas sociales que coartan y limitan la libertad y los impulsos espontáneos del hombre.

El poeta comparte el dolor del universo, pero también el goce intenso de la vida, a la que desea libre de inhibiciones. Consciente del caos, el desorden y la opresión en que viven las fuerzas naturales, se lanza a la búsqueda de la armonía y de la claridad. El camino, penoso y difícil, hacia la luz, eje de la primera etapa de su obra, comienza ya con esta *Pasión de la tierra.*

El libro, aunque no caiga en los terrenos de la escritura automática, está traspasado, como puede verse en «El amor no es relieve» [2], por un fuerte irracionalismo y ofrece grandes dificultades de comprensión. Más que a través de una lógica conceptual y denotativa, el mensaje se hace accesible al lector por medio de las resonancias emocionales e imaginativas que despierta en él.

En sus siguientes obras, *Espadas como labios* y *La destrucción o el amor,* se presenta abiertamente la consideración del amor como fuerza destructora que, paradójicamente, conduce a la fusión con lo cósmico.

En el primero de los citados, nos encontramos ya con la fuerza aniquiladora del amor, simbolizada en la identificación de los labios con las espadas. Aunque perviven los poemas desesperanzados y amargos, ya aquí la imagen más destacada no es la muerte, como ocurría en *Pasión de la tierra*, sino el amor, es decir, la vida (véase «Siempre»: 4). También, como queda patente en «El vals» [3], se enfrenta a unas normas sociales anacrónicas y caducas.

A lo largo del libro, en el que el irracionalismo es también intenso, alternan, como en el resto de su obra hasta *Poemas de la consumación*, los poemas breves, más contenidos y con frecuencia sujetos a un ritmo endecasílabo más o menos regular, con los de gran extensión. También Aleixandre hace gala aquí de algunos rasgos que serán habituales en otras de sus obras: la conjunción *o* con valor identificativo y no disyuntivo y el dinamismo expresivo, conseguido por las numerosas anáforas y reiteraciones y por el uso frecuente de verbos principales, no subordinados.

En *La destrucción o el amor,* cuyo título alude a la ligazón, ya apuntada en *Pasión de la tierra,* que se establece entre el amor y la muerte, culmina la peculiar visión del mundo de Aleixandre. La idea central de esta obra puede resumirse así: la destrucción provocada por el amor (el gran triunfo de la vida) reviste caracteres deseables y positivos, ya que nos conduce a una vida más auténtica y profunda en el ser amado. Así, no debe extrañar que la amada se transforme a veces en el «mayor monstruo del océano único» y que la unión de los amantes sea calificada de «acoplamiento sangriento», o de «dulce abrazo viscoso».

Sólo se llega a la raíz más honda del amor cuando el amante se destruye en la llama amorosa, para nacer, para vivir en la sangre del ser amado. Pero este amor es sólo, para el poeta, un simulacro —el único posible— del amor total y definitivo que sólo puede conseguir el hombre en la fusión, en la integración última con la tierra. De ahí que, con frecuencia, se identifique con todo lo creado y que abunde un lenguaje amoroso rico en imágenes cósmicas y telúricas.

En el poema «La muerte», que cierra el libro, el mar es invocado para cubrir esa última comunicación del ser humano con la tierra que le sustenta.

Todo lo dicho debe aplicarse a los poemas 5 a 8. Obsérvese la diferencia con que se desarrolla en ellos la identificación amor y muerte (con acentos desgarrados en «Ven siempre, ven»; de forma melancólica en «Se querían»). Téngase también en cuenta la fuerza del lenguaje y cómo, aunque no faltan las imágenes visionarias, el irracionalismo está aquí ligeramente atenuado.

Mundo a solas puede considerarse como un libro de transición entre *La destrucción o el amor* y *Sombra del paraíso*. Aunque ofrezca aspectos que permiten enlazarlo con la etapa anterior, Aleixandre manifiesta unas angustias existenciales nuevas y un deseo de comunicación con los demás (el título inicial era *Destino del hombre*) que se acentuarán en sus siguientes obras. Él mismo confesará: «Dentro de la visión general del poeta, el hombre segregado —degradado— de su elementalidad primigenia, lejana y apagada la aurora del universo (aurora que había de ser el tema de *Sombra del Paraíso*), es lo que se canta en este libro, quizá el más pesimista del poeta. El hombre es una sombra, "no existe el hombre". Caminando a través de ríos, bosques, calamidades y dolores, el hombre encuentra en los cielos, como única respuesta, la palabra "nadie". Hay, sí, el amor, pero como tormento, furia inseparable del odio, de la lucha y de la muerte.»

Señálense las diferencias que separan «No existe el hombre» [9], pese a la reiterada presencia en él de elementos de la naturaleza, de los poemas precedentes.

Sombra del Paraíso ejerció, lo mismo que *Hijos de la ira,* de Dámaso Alonso, publicado también en 1944, una gran influencia en la poesía española de los años cuarenta.

En esta obra, en la que ya se han mitigado las dificultades expresivas, el poeta imagina, desde este destierro de dolor y de angustia, en el que el hombre debe renunciar a cualquier esperanza, un mundo paradisíaco, de radiante hermosura, habitado por criaturas inocentes, perfectas y felices, del que la muerte y el sufrimiento están excluidos. Según el propio Aleixandre, el libro suponía «un canto a la aurora del mundo, vista desde el hombre presente, cántico de la luz desde la conciencia de la oscuridad (tal constante contrapunto creo da a esta obra su fondo poético)». Los poetas, afirma también, son ángeles en destierro, cuya misión es traer la visión del paraíso a la ciudad, que lo desconoce.

En algunos poemas ese mundo paradisíaco, en el que el sol, la tierra, el mar, se ofrecen en su perfección virginal, no perturbada aún por el hombre, está ligado a recuerdos de infancia y juventud (en «Ciudad del Paraíso»: 11). Otras, aparece como pura creación de su fantasía. También se nos recuerda que la humanidad, aunque después perdiera el contacto con el seno maternal de la naturaleza, conoció en otro tiempo la dicha de ese paraíso («Criaturas en la aurora»: 10).

Aleixandre invita al hombre a despojarse de convencionalismos para intentar la reconquista de una existencia generosa y plena (en el poema «La verdad»). Pero sus conclusiones, que se plasman sobre todo en el último poema, «Destino de la carne», no son esperanzadoras.

A pesar de la belleza radiante de los poemas, *Sombra del paraíso* es un libro pesimista y triste. Es verdad que se canta un paraíso, pero un paraíso perdido. El hombre sólo puede añorarlo melancólicamente, desde su soledad y desde su exilio terrenal.

Aunque no es necesario forzar otras interpretaciones, debe advertirse que algunos críticos han intentado restringir ese carácter general que, en apariencia, tiene la idea central que recorre el libro. Para unos, la creación irreal y visionaria que Aleixandre lleva a cabo debe verse como una sublimación de sus propios deseos y de unos quiméricos anhelos. Para otros, ese mundo puro y bello, armonioso y perfecto, debe considerarse, ante todo, como una reacción contra el mundo fratricida de la guerra española, tan reciente entonces, y de las miserias de la posguerra.

Con *Nacimiento último* se cierra la visión del mundo iniciada con *Pasión de la tierra*. Si en los libros anteriores la destrucción se presentaba con caracteres amorosos y positivos, ya que favorecía la integración con el cosmos, ahora se nos ofrece el final del proceso. Después de la aniquilación total [12] asistimos al nacimiento último «y definitivo a la tierra unitaria»: los muertos, convertidos en tierra, viven la vida que de esa tierra brota en forma de nuevos árboles, de nuevos seres.

2. Segunda etapa

Con *Historia del corazón,* que aparece en 1954, en un momento en el que la literatura española se encuentra teñida de preocupaciones existenciales y sociales, se intensifica la rehumanización en la poesía de Aleixandre.

Por el título, podría pensarse que nos encontramos ante una obra romántica. Sin embargo, no se trata ahora de expresar una pasión destructiva, como en algunos de sus libros anteriores, sino de evocar una historia amorosa, un amor vivido y sufrido, con sus alegrías y tristezas, con sus éxtasis y también con su doloroso final.

Pero, además, Aleixandre manifiesta un vigoroso impulso de solidaridad con los demás, con los seres que trabajan, sufren, aman o sueñan. El amor, considerado como una fuerza congregadora, se convierte en un símbolo de la fraternidad entre las personas. Lo mismo canta por el amigo que ha perdido a un hijo, o por los viejos cansados que se sientan al sol en las plazas, que recuerda a su madre muerta.

El poeta considera ahora el vivir humano, el suyo y el del pueblo al que pertenece, y se solidariza con el esfuerzo y el drama de ese vivir, en su dimensión temporal e histórica. Vivir del poeta, pero también del país y del pueblo en que transcurre su existencia. En uno de los versos del poema «La oscuridad», dirá: «Conocer, penetrar, indagar: una pasión que dura lo que la vida.» También por esas fechas confesaba: «El poeta que al fin se decide a escribir para sí mismo, lo que hace es suicidarse por falta de destino» y «Toda poesía es multitudinaria en potencia, o no es».

En los poemas «Mano entregada» [13], en el que, con un gesto de amor y de fraternidad, muestra su voluntad de unirse a la corriente viva y cálida de los hombres, y «Mirada final» [14], que deben comentarse, se resumen muchas de las características de esta obra. Obsérvese también que estas nuevas preocupaciones le obligan a servirse de un lenguaje más claro y sencillo, más narrativo que lírico.

Como señala Carlos Bousoño: «Se constituye en paradoja comprobar que *Historia del corazón,* cuyo tema es la vida en su tránsito, acabe por hacérsenos un libro en último término consolador y esperanzador, mientras el luminoso *Sombra del Paraíso* se manifestaba, en su cántico edénico, como una obra esencialmente pesimista, y hasta deprimente en ciertos casos».

En su siguiente libro, *En un vasto dominio,* se acentúa el acercamiento del poeta a los seres que comparten su aventura de vivir. El campo, el dominio que aborda ahora, es más rico y complejo. La solidaridad se produce no sólo con las figuras individuales, próximas y cercanas, sino con otras de la historia que, aunque distantes en el tiempo, también comparten nuestro vivir [15]. «Si en *Historia del corazón* —precisa Aleixandre— el poeta consideró de algún modo la temporalidad humana, en el individuo, en la colectividad, aquí parece enfrentarse con el vivir histórico, desde el devenir mismo de la materia originaria.» El último poema, «Materia única», puede considerarse como un resumen del libro: en él canta a la materia, superadora del tiempo («Ardiendo la materia / sin consunción desborda / el tiempo y de él se abrasa»), pero también al espíritu, porque la materia —y esta es la conclusión que se extrae del libro— es espíritu, como el espíritu es materia («Todo es materia: tiempo, / espacio, carne y obra»).

3. *Últimos libros*

Puede establecerse una tercera etapa en su obra, con rasgos propios, constituida por *Poemas de la consumación* y *Diálogos del conocimiento,* en la que es más notorio el carácter reflexivo, fruto del creciente deseo del poeta de encontrar un sentido a la existencia.

En *Poemas de la consumación,* reflexiona, desde la madurez, sobre el sentido último del mundo y de la vida y sobre la antinomia entre vivir y conocer [16, 17]. Desde la última morada de la vida, desde la ancianidad, arroja una mirada a los sueños, seres, fantasmas e iluminaciones que han poblado su larga existencia. El poeta lleva a cabo una melancólica confesión, hecha desde la conciencia abrumadora del fin de la vida, y de lo que la vejez y la muerte suponen de degradación y de mueca dolorosa, de que no hay ninguna esperanza después de ella y de que sólo la juventud merece ser cantada. «Vivir es ser joven, y no más», dice en un verso, a modo de resumen.

En *Diálogos del conocimiento*, diversos personajes dialogan o, mejor, entrecruzan sus monólogos y soliloquios acerca de la realidad del mundo y de la vida, sin que Aleixandre tome partido o rechace ninguna de sus propuestas. Esta técnica perspectivística enriquece, sin duda, la realidad, al presentarla desde ángulos distintos e, incluso, opuestos, con todos sus infinitos perfiles y matices. Él mismo precisará: «creé una serie de personajes distintos del autor y diferentes también entre sí que me sirvieron como perspectivas u órganos de conocimiento a cuyo través se pudiera ofrecer la multiplicidad como tal del universo».

La extensión de los más interesantes textos de este libro nos impide incluir una muestra del mismo en esta *Antología*.

VI. Dámaso Alonso

Debe tenerse en cuenta que la obra poética de Dámaso Alonso sigue una trayectoria bastante diferente a la de los demás escritores del 27.

En 1921, en las mismas fechas en que aparecen las primeras obras de algunos de sus compañeros, publica un librito juvenil, *Poemas puros. Poemillas de la ciudad*, en el que, con frecuencia, son demasiado evidentes las influencias del

modernismo, de Juan Ramón Jiménez, de Antonio Machado y de la poesía tradicional. Los poemas de corte sentimental (analícese «Cómo era» [1]) alternan con los irónicos y
festivos y con otros en los que se advierten las huellas del
ultraísmo.

1. Poesía desarraigada

Sin embargo, y si descontamos una serie de poemas que
publica en 1925 (coméntese «Cancioncilla» [2]), y de
parecidas características a los del libro anterior, Dámaso,
aunque sigue escribiendo poesía, no dará a conocer ninguna
nueva obra hasta 1944. A las razones de este prolongado
silencio se ha referido en alguna ocasión: «Las doctrinas
estéticas de hacia 1927, que para otros fueron estimulantes,
a mí me resultaron heladoras de todo impulso creativo. Para
expresarme en libertad, necesité la terrible sacudida de la
guerra española».

Lejos de una concepción de la poesía como expresión
puramente artística, Dámaso fijará su meta en «mover el
corazón y la inteligencia de los hombres». Cada vez más
atraído por la vida, dará testimonio del drama del vivir
humano y, con una inquietud creciente por los misterios que
encuentra a su alrededor, se interrogará incansablemente,
sin encontrar respuestas convincentes y satisfactorias, sobre
el sentido de la existencia.

El poeta siente ahora la llamada del dolor, de la angustia,
del desamparo en que vive el hombre, y su poesía se carga
de emoción, ternura, comprensión, tristeza, y también de ira
y de furia. «Nada aborrezco más que el estéril esteticismo en
que se ha debatido desde hace más de medio siglo el arte
contemporáneo —precisará—. Hoy es sólo el corazón del
hombre lo que me interesa: expresar o con mi dolor o con mi
esperanza el anhelo o la angustia del eterno corazón del

hombre. Llegar a él según las sazones, por caminos de belleza o a zarpazos.»

> Debe tenerse en cuenta aquí el documento 11: «Poesía arraigada y poesía desarraigada».

Para Dámaso, el mundo no está bien hecho. Nada observa en sí mismo ni a su alrededor que pueda impulsarlo a adherirse al canto de júbilo que todavía por esos años entonaba Jorge Guillén.

Sus dudas y angustias vitales le llevarán con frecuencia a dirigir la vista a Dios en busca de una explicación y de un consuelo. A lo largo de toda su producción mantendrá una lucha, que no tuvo un claro vencedor, entre la aceptación de un alma perecedera, que muere «al punto en que se muere el cuerpo», o de un alma eterna, «que requiere la existencia de un Dios todopoderoso». En su último libro, *Duda y amor sobre el Ser Supremo,* confiesa:

> Mi terror vital y mi duda son enormes. Es incomprensible que estas dos cosas puedan ser iguales y grandes, las dos. Pero debo hablar de mis inesperadas vacilaciones [...].
> Así en mi poesía viven ambos lados: el duro, terrible y desnudo; y el dulce y altamente gobernado. Hay versos míos en que, en *Hijos de la ira,* se prescinde de toda eterna altitud sobre lo humano, pero hay muchos poemas en que se acude a esto que puede remediar la triste bajeza de nuestro vivir: Dios.

Hay que precisar que, pese a esta constante preocupación religiosa, Dámaso nunca actúa como un místico, ya que en todo momento tiene presente la realidad en que vive. Su relación con Dios tiene siempre un intermediario: el mundo.

Oscura noticia e *Hijos de la ira:* Muchas de estas inquietudes

aparecen plasmadas en *Oscura noticia,* compuesto por textos
escritos en diferentes épocas (los que se recogen en esta
Antología fueron redactados entre 1940 y 1943), e *Hijos de la
ira.* En ambos libros ya es patente la enorme curiosidad
inquisitiva de Dámaso Alonso por lo real.

En el primero de los citados, aunque manifiesta, en
algunos poemas, una actitud positiva y optimista frente al
mundo, se enfrenta abiertamente con los grandes problemas
y misterios del hombre e inicia sus conflictivas relaciones con
Dios (al que invoca o niega). El título procede de San Juan
de la Cruz, que en repetidas ocasiones habló de la «oscura
noticia de Dios». Esta noticia es, para Dámaso, además de
«oscura», «amorosa» y «no intelectual».

Adviértase que todas estas preocupaciones del poeta
(amor a la vida y su execración, relaciones con la
Divinidad) confluyen en diversos poemas del libro. En
«Ciencia de amor» [3], el amor se presenta como la única
fuerza que puede contrarrestar las injusticias, las angustias y el desamparo en que vive el hombre. Como en
muchos poemas posteriores, la mujer (madre y esposa) se
erige en símbolo de la paz, la armonía y el refugio, y
hasta en un lazo con una realidad superior, como se dice
en el verso «si llamo a Dios o a ti cuando te llamo».

En las dos primeras estrofas de «A los que van a nacer»
[4], Dámaso se muestra entusiasta ante el ser que, gozoso
en el vientre de la madre, está próximo al Creador. Pero,
a partir de la tercera, manifiesta sus premoniciones de un
futuro sombrío y airado.

En «Oración por la belleza de una muchacha» [5], el
poeta le pide a Dios que conceda a la joven protagonista
la justa y, en la vida, imposible conservación de la
belleza.

Obsérvese también cómo el tono narrativo o descriptivo da paso muchas veces a la expresión apasionada, que se hará mucho más intensa y crispada en *Hijos de la ira,* y plagada de interrogaciones.

Debe comentarse la función expresiva que las exclamaciones e interrogaciones cumplen en los citados poemas.

Desde el punto de vista métrico, aunque no faltan los versículos, Dámaso Alonso se ciñe con frecuencia a esquemas regulares (la mitad de los poemas del libro son sonetos). También el lenguaje y algunos símbolos podrían entroncarse con la tradición barroca.

Hijos de la ira, que puede considerarse, lo mismo que la obra de Unamuno, como una autobiografía espiritual, constituye la más desnuda confesión del desamparo del poeta.

Téngase presente, ante todo, que este libro, a pesar de las apariencias, se aleja considerablemente del realismo tradicional. Es cierto que Dámaso Alonso parte de hechos concretos y localizables (en «Insomnio», de una noticia leída en un periódico; en «Mujer con alcuza», de una criada que sirvió en su casa), pero nunca se limita a relatarlos, comentarlos o interpretarlos. A partir de ellos, ahonda en los misterios de la existencia humana y se adentra muchas veces en los terrenos del símbolo y de la alegoría.

Los tres puntos que señalamos a continuación, aunque aparezcan interrelacionados, pueden ayudar al comentario de los poemas que hemos seleccionado:

a)   Para Dámaso, el mundo y la vida se presentan como realidades sin sentido, sin una función y un significado precisos, y el ser humano como un pozo de miseria y de abyección. De ahí que sólo advierta la cara absurda y monstruosa («monstruoso» tiene en este libro el significado de «inexplicable») de lo que entra en su campo visual. Como señala Miguel J. Flys, «si la esencia del ser es inexplicable, lo serán también su existencia, su conducta ética y su finalidad».

Todo esto lo lleva a protestar airadamente contra el dolor, la injusticia, la crueldad, el odio, la soledad y el desamparo que cercan al hombre y, por consiguiente, a un creciente deseo de solidaridad con los problemas de los demás.

Muchos de estos aspectos se condensan en «Mujer con alcuza» [7], poema que debe analizarse exhaustivamente.

---

b) Del mundo externo, Dámaso pasa al autoimproperio. Desesperado por no poder comprender al ser humano, se vuelve hacia sí mismo e indaga en su propia esencia una respuesta universalmente válida. Pero las profundidades de su propio ser, como puede verse en «Monstruos» [8], le resultan tan incomprensibles e inexplicables como las del resto de los humanos. El hombre es un «monstruo entre monstruos».

c) De la indagación en el ser de los demás y en el suyo propio, pasa a invocar a Dios, único capaz, al menos teóricamente, de revelarle cuál puede ser el sentido de la existencia (coméntese «Insomnio» [6]). Pero Dios se presenta como un enigma más, como una presencia invisible, como un *monstruo* inaccesible para el hombre.

Dámaso, sin embargo, no pierde del todo la esperanza, no se resigna a aceptar que el hombre sea únicamente, como ocurre en el existencialismo ateo, «un ser para la muerte». Seguirá buceando en el misterio, buscando angustiosamente un ancla, unas amarras esenciales, porque renunciar a ellas supondría aceptar definitivamente que la existencia carece de sentido.

Desde un punto de vista lingüístico, la obra rompía con el garcilasismo y las preocupaciones estéticas que dominaban en la poesía española de posguerra. Si el mundo es grotesco, abyecto y monstruoso, carece de sentido pretender reflejarlo con el aparato retórico de la tradición poética. Para expresar la magnitud de su asco y de su «total desilusión de ser hombre» se imponía un lenguaje desgarrado, deliberadamente conversacional, coloquial o próximo al coloquialismo, lleno de improperios (sin excluir los tan característicos autoimproperios), y con algún matiz burlesco. Abundan también las exclamaciones, las interrogaciones y las reiteraciones, que intensifican el clima afectivo y el poder de comunicación con el lector que tiene esta obra (deben comentarse las que aparecen en «Mujer con alcuza» [7]).

En la métrica también se aleja del formalismo que dominaba en la poesía española de esa época y se inclina por el verso libre o el versículo. Recuérdese que en *Sombra del Paraíso,* de V. Aleixandre, publicado también en 1944, ocurría algo parecido. Pero Dámaso se muestra mucho más audaz en la mezcla de versos cortos con los extremadamente largos (los 168 de «Mujer con alcuza» oscilan entre las dos y las cuarenta sílabas).

A pesar de lo dicho, adviértase que la preocupación por el ritmo es constante. Además de las frecuentes aliteraciones, anáforas y paralelismos que lo favorecen, el lector se ve obligado, por lo general, a hacer una pausa después de las sílabas 5, 9, 14 y, sobre todo, de las 7 y 11.

Tampoco debe olvidarse la influencia que esta obra ejercerá en los poetas españoles de los años cuarenta.

2.   *Dámaso y Dios*

Hombre y Dios, según Dámaso Alonso, puede considerarse
como una prolongación de la «Dedicatoria final» de *Hijos de
la ira* («¡Ay, hijo de la ira! / era mi canto. Pero ya estoy
mejor. / Tenía que cantar para sanarme»). Sin embargo, a
diferencia del libro anterior, la expresión se hace ahora más
conceptual que intuitiva y el verso busca esquemas más
regulares.

El poeta analiza serenamente la existencia del hombre, al
que concede un puesto central en el universo, ya que ha sido
creado a imagen de Dios, y se esfuerza en determinar, en
una línea unamuniana, pero con matices diferentes, cuál es
la relación de éste con Dios y la de Dios con él.

Con una clara postura racionalista y humanista, conclui-
rá estableciendo una dependencia entre ambos, ya que uno
y otro ejercen una actividad creadora conjunta sobre el
mundo. En primer lugar, porque la luz no sería luz si el
hombre no la viera. Son los ojos de éste los que inventan la
luz, aunque no la originen, y, por tanto, los que prolongan
la creación hasta el momento presente. En segundo lugar, es
indudable que nosotros vemos la creación como hombres y,
como consecuencia, entre sombras de desconocimiento —a
esto se debe su belleza—, y Dios la está viendo como es, y
a esto se debe su verdad. En la «3ª palidonia: detrás de lo
gris», expresa su deseo de parecerse a Él en el amor a la
justicia y a la verdad, que al hombre no le está permitido
vislumbrar:

> Dime, Dios mío, que tu amor refulge
> detrás de la ceniza.
> Dame ojos que penetren tras lo gris
> la verdad de las almas,
> la hermosa desnudez de tu imagen:
> el hombre.

Algo parecido había manifestado en «2.ª palinodia: la sangre»:

Dame, oh gran Dios, los ojos de tu justicia.
Porque en el mundo reina la injusticia.
Tú no creaste la injusticia. Alguien ha creado la injusticia.
Alguien que es injusto, y yo necesito verle la cara al injusto.
Ojos míos, alerta, alerta:
yo quiero ver qué brazos ahogan la justicia de Dios, qué bocas
[retuercen su verdad.

Pero, así como el hombre necesita de Dios para acercarse a la verdad, éste, para ver la belleza de la creación, para verla humanamente, necesita mirarla a través de los ojos del hombre. Así pues, como dice el poeta, las pupilas del hombre son el cine de Dios.

Deben comentarse los sonetos «Hombre y Dios» e «Incontrastable, divina» [9 y 10], que resumen el pensamiento central de gran parte de esta obra, y en los que las angustias existenciales anteriores dan paso a una actitud dulce, sosegada y casi optimista.

En la tercera parte del libro, titulada «Hombre solo», a la que pertenece «A un río le llamaban Carlos» [11], el poeta se olvida de la Divinidad y vuelve a presentarnos al hombre «fuera ya del sistema, con su miseria, sus temores y su vitalidad, su feroz amor a la vida, o su tristeza inexplicable».

3. *Últimos libros*

En *Gozos de la vista,* su siguiente obra, se combina la carga emotiva de *Hijos de la ira* con la conceptual de *Hombre y Dios*. Como ocurría en esta última, los poemas de la primera parte constituyen una afirmación de la dignidad del hombre,

ennoblecido por el don de la vista, y un análisis de su
fragilidad. De ahí su júbilo frente al descubrimiento diario
de las maravillas de un mundo lleno de luz y de color
[analícese el poema 12], pero también su enfrentamiento
con el dolor, la muerte y el paso del tiempo. En la segunda
parte, se nos presenta al hombre en su lucha por superar y
trascender unas limitaciones de las que es consciente.

Las *Canciones a pito solo*, que nada tienen que ver con el
sentido habitual de la palabra canción, entroncan con la
línea amarga y de protesta de los libros anteriores, aunque
no falta en ellas, como puede verse en «A Vicente» [14], una
veta elegíaca y humorística. Para Dámaso, en el libro «hay
poemas con humor bien abierto; y otros de humor bastante
cerrado: es que entonces el humor termina como indigna-
ción y amargura».

En *Duda y amor sobre el Ser Supremo* vuelve el poeta a sus
inquietudes religiosas. El libro refleja, una vez más, su
angustia ante la imposibilidad de franquear las puertas de
los misterios que le ofrecen el mundo y el más allá, y su
deseo de eternidad:

> ...Te pido que concedas
> (¡ay, que sería imposible no existente!)
> cuando se muera el cuerpo, vida al alma y eterna.

En el único poema independiente, «¿Existes? ¿No existes?,
que recogemos en esta *Antología* [15], vuelve, como en otras
partes del libro, a una de sus obsesiones: la duda y al mismo
tiempo el deseo ferviente de que Dios exista. El propio
Dámaso confiesa a propósito de este poema: «Es lo que
siento. No le conozco y le deseo. Es, quizá, lo que me vale
más a mí de todo.»

En el resto, sin que deba verse en ello una aceptación
plena de la doctrina tradicional cristiana, Dámaso deja

entrever su confianza en una vida más allá de la muerte y en la inmortalidad del alma:

> ¡Oh gozo! ¡Oh maravilla!
> ¡Qué portentosa el alma sin el cuerpo!
> Flotar, flotando el alma (¡sin flotante materia!),
> mientras el cuerpo muerto se deshace,
> en sucia podredumbre.

Así, abundan los pasajes en los que el alma recorre los confines del universo, en compañía de sus seres queridos (familiares, escritores de épocas pasadas, amigos, como Aleixandre y Guillén, muertos en 1984), conociendo (y entendiendo por fin) los más recónditos misterios del ser esencial de la creación total, pero guardando, a la manera unamuniana, su conciencia individual y única.

VII. Emilio Prados

Aunque su trayectoria personal puede considerarse paralela a la de otros poetas del 27 (amistad con los demás miembros del grupo, adscripción a la vanguardia, etapa de intenso compromiso social y exilio), su vasta obra presenta unas características propias y distintivas. Toda ella, en la que, si descontamos algunos libros de los años treinta, no existen cortes bruscos, tiene un tema central dominante: la búsqueda, por distintos caminos —desde el grito apasionado a la indagación metafísica—, de una visión unitaria y armónica del hombre y el cosmos.

1. *Primera etapa*

En sus primeras obras, Prados, absorto, olvidado de sí mismo, medita ante una naturaleza (el mar, el cielo, la noche marina, los crepúsculos) que, aunque sometida a transformaciones y a cambios periódicos, se le presenta ajena a la erosión de un tiempo destructor y a la muerte absoluta. Todos los elementos que la componen, a pesar de su aparente oposición (el día y la noche; el mar y el cielo; la luz y la sombra), se funden constantemente en un amoroso concierto y ofrecen un incesante y equilibrado movimiento de vida.

En *Tiempo* y *Canciones del farero*, el poeta procura integrarse en esa armonía que lo envuelve y lograr una fusión con lo contemplado. Sin embargo, pronto advierte que esos elementos maravillosos que capta la vista se le presentan como un mundo impenetrable y distinto: cuerpos cerrados para su cuerpo también cerrado (coméntense los poemas 1 y 2).

Después de una interesante obra, *Misterio del agua*, en la que culmina la contemplación absorta de las transformaciones que el día y la noche, «cuerpos sin cuerpo», sufren periódicamente [3], en *Memoria de poesía* comienza a verse a sí mismo de idéntica forma que a los cuerpos de la Naturaleza. Ahora no se considera contrario y otro con respecto a ese *todo*, sino que se ve también como un cuerpo del tiempo en tránsito [4].

En *Cuerpo perseguido* ya dejará de ser espectador pasivo e intentará reproducir, por medio de una relación amorosa y erótica, la estrecha y armónica comunicación que mantienen los elementos de la naturaleza. Prados anhela que su cuerpo y el del ser amado se sirvan de apoyo, se unan sin antagonismos, y que sus almas, liberadas, puedan acceder a una realidad superior a ellas mismas. La línea ascendente y el deseo de encontrar, a partir del cuerpo real y concreto de la amada, la imagen que permita fundir lo espiritual con lo físico aparece claramente en «Posesión luminosa» [7].

Sin embargo, pronto tomará conciencia de que cada persona es un contrario encerrado en sus límites; porque, como señala C. Blanco Aguinaga: «la otredad del prójimo, su conciencia propia, se da en un cuerpo por el que no es posible perderse como puede el contemplativo perderse en el cuerpo ajeno, pero no enemigo de la Naturaleza».

El abismo que descubre entre los dos cuerpos, la confrontación entre el yo y la otredad irreductible del ser de la amada lo lleva a la queja, al dolor y la angustia, como ocurre en 8, y a la convicción de que la plenitud de ese amor anhelado sólo puede producirse en el sueño o en otra vida en la que el cuerpo suyo y el de ella ya no se encuentren «perseguidos», como puede verse en «Resurrección» [6] (obsérvese que este poema está colocado en el libro antes que los demás, lo que podría indicar que ya desde un principio el poeta es consciente del fracaso a que están abocadas sus aspiraciones).

Víctima del combate librado dentro y fuera de sí, Prados se vuelve contra su propio cuerpo y se encierra en sí mismo («Cerré la puerta al mundo...»: 5). Pero aún estamos lejos del largo y visionario recorrido a solas por su interior que emprenderá en la etapa del exilio.

A pesar de esta experiencia negativa, Prados, como demostrará, por otras vías, en su siguiente etapa, no renuncia a la posibilidad de establecer una comunicación con los seres que pueblan el mundo en que vive.

Téngase también en cuenta que en los poemas de esta primera estapa, Prados muestra una tendencia a la abstracción y una manifiesta preferencia por la imagen y la desnudez y la sobriedad expresivas. Son notables también las influencias de la poesía popular y de la poesía francesa que va desde el simbolismo hasta el surrealismo.

2. *Poesía comprometida*

El deseo de comunicación con la naturaleza va a adquirir en los años treinta la forma de un intenso compromiso social

y político. Prados, aunque no renuncia del todo a manifestar
unas crisis personales, va a dar testimonio del drama de
vivir humano, como ocurre en *Andando, andando por el mundo*
(analícese «Quisiera huir»: 9) y en los poemas que se
conservan de *No podréis*, y de las más diversas injusticias
sociales. A partir de 1934, sobre todo, se irá agudizando su
visión crítica de la realidad española. En *Calendario incompleto
del pan y el pescado*, pone de manifiesto su apoyo a los
trabajadores malagueños en su lucha revolucionaria. Su
actitud comprometida se radicaliza a raíz de la frustrada
revolución de los mineros asturianos en octubre de 1934
(*Llanto en la sangre* lleva el significativo subtítulo de «Durante
la represión y bajo la censura posterior al levantamiento de
1934»).

Durante la guerra disminuyen sus inquietudes individuales y se inclina, con un estilo en el que predominan las
reiteraciones y los esquemas paralelísticos, por una poesía
abiertamente política y de circunstancias, aunque no exenta
muchas veces de una notable calidad literaria. La forma
estrófica preferida es ahora, como ocurre con los demás
poetas del momento, el romance (véase «Ciudad sitiada»:
10).

Deben tenese en cuenta aquí las semejanzas que presenta
esta evolución de Prados con la que sufre por esas mismas
fechas Rafael Alberti.

---

3. El exilio

La desorientación y el desconcierto, comunes a otros
poetas que se exiliaron, son patentes en los poemas que
escribe después de su salida de España. Desterrado, fuera de
su entorno habitual y ante un porvenir incierto, se enfrenta

a las alteraciones a que su propia personalidad se ve sometida y muestra su nostalgia de un país y de un tiempo histórico definitivamente perdidos. Su verdadera realidad, como puede verse en «Cuando era primavera en España» [11], no es la que encuentra a su alrededor, sino la que quedó atrás.

Todo esto lo lleva a replegarse sobre sí mismo y a desarrollar una compleja visión panteísta del mundo en la que se amplían y desarrollan sus obsesiones de los primeros libros. A pesar de que no existe un conflicto abierto con el mundo que lo rodea, no se conforma con la realidad en que vive y busca otra superior y de mayor perfección. Como antes, su meta estará en conseguir un equilibrio y una armonía consigo mismo y con el universo.

En *Mínima muerte,* aunque refleja la crisis que lo acompañó en estos primeros tiempos del exilio y la añoranza de lo perdido («El ser, no es ser para mí. / Estar no es estar conmigo»), ya se arranca la nostalgia y explora su yo profundo, la muerte diaria a que se ve sometido, para llegar a la aceptación de su soledad radical y de su aislamiento del cuerpo cósmico [12]. Sin embargo, desde esa soledad que lo pone en comunicación con su propio yo, con su cuerpo, visto como otro, sacará fuerzas para seguir buscando, con más ansia si cabe, un equilibrio y una salvación, un modo de vencer a la muerte y ascender hacia la luz.

En *Jardín cerrado,* en el que se alternan los poemas cortos (auténticas explosiones líricas: 13) con las meditaciones más extensas y complejas, pasamos de la búsqueda al encuentro. El peligro de sumergirse en la Nada, que lo ha amenazado durante mucho tiempo, desaparece. El viejo deseo que, desde su cuerpo —*jardín cerrado,* como dice en algunos poemas— había manifestado de comunicarse con el *Todo,* alcanza por fin la recompensa: el encuentro con ese *Todo* se produce en el momento en que el cuerpo rompe sus límites y se funde con un *Dios* que, lo mismo que en las tradiciones panteístas, se proyecta en todas las cosas. Hallar el *Todo,* la Unidad o Dios significa, dentro de la cosmovisión de Prados, que los límites que encierran cada cuerpo se han roto. La contemplación de lo ajeno a sí mismo es como un mirar «mi propia carne».

Desde el sueño y la sombra, Prados, después de ver con satisfacción que su cuerpo se ha colocado «en el alba», se siente formando parte activa del cosmos, con lo que recompone la *correspondencia* de los contrarios:

> Ahora sí que ya os miro,
> cielo, tierra, sol, piedra,
> como si al contemplaros
> viese mi propia carne.

La unidad mística, en la que aletea un sentimiento de Dios se manifiesta con claridad en el poema que cierra el libro [14], y que debe comentarse con detenimiento.

Una vez finalizado el proceso, el poeta podrá entregarse sin esfuerzos suplementarios, a profundizar en lo que ya en ese momento ha conseguido. Las meditaciones sobre ese estado de «ser-abierto» que ha alcanzado continúan en *Río natural,* libro que sirve de complemento a *Jardín cerrado,* y en *Circuncisión del sueño, La piedra escrita* y *Cita sin límites,* como puede verse en los poemas 15, 16, 17, 18 y 19.

VIII.   Rafael Alberti

La extensa obra de Rafael Alberti ofrece una sorprendente variedad de temas, estilos, tonos y esquemas métricos. Como ocurría con Lorca, lo universal y lo andaluz, la tradición española (desde la popular hasta la de filiación barroca) y las vanguardias europeas, alternan o conviven en ella. En *Poetas españoles contemporáneos* escribirá Dámaso Alonso: «En la evolución de Alberti caben lo popular y lo culto casi en estado de máxima pureza, los mitos modernos y los antiguos.» Sin seguir de forma mimética a ninguno de sus posibles modelos, Alberti elige siempre los medios expresivos más acordes con sus intenciones de cada momento.

1. *Neopopularismo*

Puede establecerse una primera etapa, a la que corresponden *Marinero en tierra, La amante* y *El alba del alhelí,* en la que el poeta recrea y estiliza formas habituales en la poesía tradicional (junto con García Lorca, es el poeta del 27 más representativo de las corrientes neotradicionalistas y neopopularistas de los años veinte). En 1929 confesaba: «el *Romancero general,* el *Cancionero* de Barbieri y, sobre todo, Gil Vicente fueron mis primeros guías.»

Deben señalarse, en los poemas que hemos seleccionado de las mencionadas obras (2 al 12), los rasgos que son habituales en la lírica popular: el estilo nominal, los paralelismos, frecuentes ya en las cantigas de amigo medievales, la concisión, la condensación expresiva, conseguida por las abundantes elipsis, la sencillez léxica, la métrica, y los recursos que contribuyen a acentuar el ritmo, la carga afectiva y el poder de comunicación con el lector (exclamaciones, diminutivos, estribillos, repeticiones caprichosas o encadenadas). Obsérvese también que, aunque a veces las imágenes y metáforas tienen una mayor audacia que las de la poesía tradicional (en el 10, por ejemplo), Alberti se muestra en este sentido mucho más comedido que García Lorca.

En *Marinero en tierra*, el poeta recupera con nostalgia mediante el recuerdo, el paraíso perdido de la infancia aunque evita cualquier alusión a su vida en el colegio Según confesará en *La arboleda perdida*, su objetivo fue el de reflejar, desde un Madrid gris y hostil, «la creciente melan colía del muchacho de mar anclado en tierra». La añoranz: de las tierras del sur, la contraposición entre la ciudad y e mar y el lamento por haber sido desgarrado de su medic habitual y propio, aunque están presentes en todos lo poemas que hemos seleccionado, con la excepción del 6 adquieren una particular intensidad en el 2. La lejanía le permite también idealizar y estilizar ese mundo, y hasta superponer la imaginación a la realidad y presentarno jardines marinos habitados por sirenas: «Mi novia vive en e mar / y nunca la puedo ver [...] Yo nunca te podré ver jardinera en tus jardines / albos del amanecer».

La mayor novedad de este libro la constituyen uno sonetos, que deben considerarse como un antecedente de la posterior afición de Alberti por someterse a los rigores de formas métricas cultas. A pesar de su factura clásica impeca ble, algunos de ellos, como el 1, están escritos en alejandri nos (recuérdese que este verso fue puesto de moda, despué de muchos siglos de olvido, por los poetas modernistas) Junto a la recreación de esta forma estrófica, también en algún poema [6] se pone de relive su admiración por lo poetas renacentistas. Debe tenerse ya en cuenta que una d las constantes de toda la obra de este poeta, acentuada en la etapa del exilio, será la rememoración de ese mundo infanti de pureza e inocencia. A él dedicará también la primer parte de *La arboleda perdida*.

Deben analizarse, a través de los poemas 26, 29, 31, 33 y 35, los diferentes matices y variantes con que esa evoca-ción se va produciendo a lo largo del tiempo.

La amante marca la transición entre el mar y la tierra.
Alberti, durante un viaje que hizo en el verano de 1925 con
su hermano Agustín, corredor de vinos, por tierras de Castilla y del País Vasco, descubre los paisajes y a los habitantes de las tierras del interior, La «amante» del título era,
según el poeta, «alguien —bella amiga lejana— de mis días
de reposo guadarrameño [...] Rítmico, melodioso, ligero,
recorrí con aquella amante ya perdida más de una centena
de pueblos, desparramando por casi todos ellos y las innu-
merables sendas y caminos que los enlazaban, mi canción.
Itinerario jubiloso, abierto en casi todo instante a la sonrisa».

Alberti rehúye en esta obra el casticismo, el pintoresquis-
mo y las reflexiones trascendentes. Sus poemas, como otros
de G. Diego, constituyen un ejemplo perfecto de las barreras
que, en su visión de Castilla, separan a los poetas del 27 de
los escritores del 98.

Adviértase que, por su vivacidad, gracia, musicalidad y
espontaneidad, los poemas 8, 9 y 10 guardan estrecha
relación con los de *Marinero en tierra*. También la realidad
recordada se impone a la vivida, lo que le permite seleccio-
nar de entre lo que el recuerdo le ofrece y estilizarlo. Sin
embargo, la nostalgia, tan aguda en el libro anterior, apenas
aflora aquí.

El alba del alhelí fue inspirado por sus vivencias en Rute,
pueblo de la serranía de Córdoba, en el que, en 1924, pasó
una temporada. Alberti sustituye ahora la Andalucía luminosa y soñada de *Marinero en tierra,* por la interior, la de los
pequeños pueblos, con sus brutales contrastes, con «todo lo
oscuro, trágico y misterioso» que encierra.

El medio geográfico, bronco y sombrío, entra en colisión
con el sentido de la libertad y de la justicia, innatos en el
poeta. En algunos de los poemas hasta podría establecerse
algún nexo con la poesía comprometida que se desarrolla en
los años treinta (coméntese el 11).

También, como puede verse en el poema 12, Alberti comienza a reflejar el mundo de los toros. Obsérvese que, lo mismo que G. Diego y García Lorca, acepta implícitamente los valores estéticos que ese mundo conlleva y rehúye las notas críticas o las interpretaciones filosóficas, habituales en otros escritores de la época.

2. *Gongorismo e irracionalismo*

En *Cal y canto,* Alberti paga su contribución a la moda gongorina que se impone en esos años. Él mismo precisará al referirse a su situación en ese momento: «¿Qué hacer para arrancar de nuevo? Ya el poema breve, rítmico, de corte musical, me producía cansancio. Era como un limón exprimido del todo, difícil de sacarle un jugo diferente.» El libro hasta incluye una «Soledad tercera», en la que recrea de forma admirable el lenguaje poético de Góngora, y una serie de sonetos y tercetos, herméticos, de elaborada arquitectura, y con una sintaxis y un vocabulario que ponen de relieve su voluntad de vincularse a una tradición barroca (coméntese «Amaranta»: 13).

En otros poemas, como «Venus en ascensor», «Platko», dedicado a un famoso portero de fútbol de origen húngaro, «Madrigal al billete del tranvía» [14], las formas y el lenguaje barrocos se ponen, de manera parecida a lo que había hecho G. Diego en la *Fábula de Equis y Zeda,* al servicio de unas vivencias y de un contenido más moderno y de raigambre futurista.

Una profunda crisis espiritual, de carácter religioso, amoroso y estético, que sufre entre 1927 y 1928, lo aleja del gongorismo y lo lleva hacia unas preocupaciones temáticas y formales diferentes. Como otros poetas del 27, Alberti encuentra en los procedimientos y técnicas próximos a surrealismo el vehículo idóneo para dar rienda suelta a sus obsesiones, angustias y contradicciones internas. *Sobre los ángeles*, su siguiente libro, constituye el más fiel reflejo de su situación por estas fechas. En *La arboleda perdida* confesará:

> Yo había perdido un paraíso, tal vez el de mis años recientes, mi clara y primerísima juventud, alegre y sin problemas. Me encontraba de pronto como sin nada, sin azules detrás, quebrantada de nuevo la salud, estropeado, roto en mis centros más íntimos [...] Huésped de las nieblas, llegué a escribir a tientas, sin encender la luz, a cualquier hora de la noche, con un automatismo no buscado [...] El idioma se me hizo tajante, peligroso, como punta de espada. Los ritmos se partieron en pedazos, remontándose en chispas cada ángel, con columnas de humo, trombas de ceniza, nubes de polvo.

El poeta ha perdido, con el consiguiente drama interior de nostalgia y angustia, el paraíso de la inocencia y del amor y se siente asediado por fuerzas encontradas. El cuerpo, deshabitado de los sólidos principios que lo habían mantenido hasta entonces, es invadido por las sombras y las tinieblas. Los ángeles son objetivaciones poéticas de unas fuerzas oscuras, a cuyo arbitrio está sometido el poeta, y que alternativamente lo oprimen hasta hacerle perder la conciencia de su propia identidad o le muestran algún resquicio de esperanza.

> Yo no podía dormir —puntualizará—, me dolían las raíces del pelo y de las uñas, derramándome en bilis amarilla, mordiendo de punzantes dolores la almohada. ¡Cuántas cosas reales, en claroscuro, me habían ido empujando hasta caer, como un rayo crujiente, en aquel hondo precipicio! [...] Y se me revelaron entonces los ángeles, no como los cristianos, corpóreos, de los bellos cuadros o estampas, sino como irresistibles fuerzas del espíritu, moldeables a los estados más turbios y secretos de mi naturaleza. Y

los solté en bandadas por el mundo, ciegas reencarnaciones
de todo lo cruento, lo desolado, lo agónico, lo terrible y a
veces bueno que había en mí y me cercaba.

Debe tenerse también muy en cuenta que a partir de
ahora se acentuará la relación entre la vida y la obra de
Alberti.

En su siguiente libro, *Sermones y moradas,* compuesto por
poemas de versos extremadamente largos y sin rima, el
irracionalismo es más intenso. Aunque sin la unidad temática de *Sobre los ángeles,* Alberti manifiesta en él una aguda
desesperanza y da un paso hacia adelante en las actitudes
cívicas y comprometidas por las que se caracterizará su
poesía de los años treinta. Emilia de Zuleta ha puesto de
relieve que ya su título, «con su referencia a un ámbito
religioso, místico, anuncia el carácter de iluminación que
reviste este conjunto de poemas: el poeta dará un testimonio
exhortativo de la condición humana en sus más hondos
estratos; revelará su itinerario a través de las sucesivas
moradas del viaje interior».

Con lo que se sabe del surrealismo y teniendo en cuenta
el Documento 6 deben precisarse todas las novedades que
aportan los poemas de estas dos obras [16 al 21].
También deben relacionarse con otros que por esas
fechas escriben García Lorca, Aleixandre y Cernuda.

De esta época es también una curiosa obra, *Yo era un tonto
y lo que he visto me ha hecho dos tontos,* en la que lleva a cabo
diversos homenajes a artistas del cine mudo (Charlot, Buster
Keaton, Harold Lloyd, etcétera). Alberti, con el deseo de
recrear el lenguaje cinematográfico a través del poético,
construye los poemas mediante secuencias, colocando en el
mismo plano el elemento visual y el reflexivo.

Obsérvese que muchas de las imágenes que emplea en «Charlot» [15], y que están en consonancia con el mundo absurdo que describe, podrían relacionarse con las que utilizaban los poetas ultraístas.

3. *Poesía comprometida*

El 1 de enero de 1930, Alberti escribe la elegía cívica *Con los zapatos puestos tengo que morir*. Con ella se inicia una nueva etapa en su poesía («El verso se afiló en espada», precisará), caracterizada por un intenso compromiso social y político. Ingresa en el Partido Comunista, califica de «poesía burguesa» todo lo que había escrito hasta entonces y muestra su deseo de dirigirse a la «inmensa mayoría». En 1935 confiesa: «Cuando el poeta, al fin, toma la decisión de bajar a la calle, contrae el compromiso, que ya sólo podrá romper traicionando, de recoger y concretar todos los ecos, desde los más confusos a los más claros, para lanzarlos luego a voces allí donde se le reclame.»

Desde su militancia marxista escribe *Un fantasma recorre Europa, Consignas, 13 bandas y 48 estrellas* y *Capital de la gloria*. También a esta época corresponde *Verte y no verte*, elegía dedicada al torero Ignacio Sánchez Mejías (recuérdese que el *Llanto* de Lorca es también de estas fechas).

Como ha señalado Juan Cano Ballesta en su libro *La poesía española entre pureza y revolución*, Alberti, a partir de *Un fantasma recorre Europa*, «abre desconocidas rutas y una temática nueva a la creación lírica [...] Adopta un tono combativo, enérgico, agresivo; levanta su voz de denuncia ante la agresión de los campesinos por el mismo Gobierno de la República. El acontecer de la vida política española, con sus continuas revueltas y la represión subsiguiente, hechos históricos recién ocurridos, arrancan al poeta un canto de protesta».

Así, lo mismo aborda problemas de carácter general que arremete contra la situación social y política de la España de los años treinta o contra los desmanes del imperio yanqui en Hispanoamérica.

Deben determinarse, en los poemas 22, 24 y 25, las propuestas e inquietudes concretas que manifiesta el poeta, el alcance social de las mismas y los cambios lingüísticos que se han producido en relación con sus libros anteriores. «Defensa de Madrid» [23] debe considerarse como una de las muestras más acabadas de los cientos de romances que se compusieron durante los años de la guerra. Hágase también una valoración de este tipo de poesía. Obsérvese que no faltan algunas notas subjetivas y que el lenguaje, a pesar de su sencillez, tiene, muchas veces, la calidad y la gracia expresiva de sus primeros libros.

---

4. *El exilio*

La obra de Alberti en el exilio ofrece también cambios notables. Aunque en algún libro, como ocurre en las *Coplas de Juan Panadero,* prolonga la poesía combativa de su etapa anterior, se atenúan ahoras las preocupaciones políticas y sociales (uno de sus libros lleva el significativo título de *Entre el clavel y la espada*). Una mayor riqueza verbal, que recuerda a veces la de sus poemas barrocos, una más destacada perfección y calidad poéticas que en su etapa precedente, una fuerte carga subjetiva y el empleo de formas métricas clásicas y populares, definen esta nueva fase de su poesía. También, aunque pueden encontrarse en algunos poemas ecos del surrealismo, los experimentos vanguardistas remiten considerablemente.

El eje de la mayor parte de los libros que ahora publica es, como ocurre con la obra de otros muchos exiliados, España. En *Sonríe China* escribirá: «He publicado diecisiete libros. / En todas sus estrofas / canta mi pueblo. En todas sus estrofas / se oye el rumor del hombre que trabaja: / del que doma los ríos, ordenándolos / su ciego impulso hacia la nueva vida; / del que batalla con la tierra abriendo / su duro corazón a nuevos campos; / del que de sus entrañas se apodera / y las funde y convierte en nueva sangre.»

La añoranza de la patria perdida, del mundo de la infancia y de las tierras andaluzas traspasa muchos de los poemas de *Pleamar, Ora marítima* y *Baladas y Canciones del Paraná*, en donde culmina su nostalgia de desterrado. En *Ora marítima*, emocionado canto a su tierra gaditana, los recuerdos personales —de su infancia, del mar, de la luz y del cielo— se enlazan con la historia de «la ciudad más antigua de Occidente que abrió los ojos a la luz del Atlántico».

La obsesión por el mar no debe extrañar en un hombre que todavía en 1967 declaraba:

> Yo nací junto al mar. Yo sigo siendo siempre un poeta del mar, aunque pueda pasarme días y hasta años sin escribir su nombre, sin recordarlo siquiera. ¿Qué no deberé yo al mar, mi poesía primera y todavía la de hoy? ¿Qué no a su gracia, o sea, la sonrisa; a su juego, o sea, el ritmo; a su ritmo, o sea, la danza, el baile? [...] La nostalgia hecha espuma de aquel mar de mi infancia y años adolescentes se me va a ir convirtiendo poco a poco en canción, y los ritmos entrecortados y ágiles de sus ondas van a ceñirme la memoria, cruzándomela de lo popular andaluz.

También su condición de desterrado y, como consecuencia, su necesidad de reafirmar la propia personalidad poética, expresada a veces con tintes irónicos, la incorporación gradual y conflictiva a una realidad geográfica y humana nueva, están presentes en muchos de los poemas de estos años.

Coméntense los textos 26, 30 y 31 y determínese si hay algún rasgo en ellos que pueda recordar sus primeros libros.

La obsesión por la patria y sus amarguras de desterrado remiten en algún libro, como en *Poemas de Punta del Este*. *Retornos de lo vivo lejano* puede considerarse como unas Memorias, vertidas en largos poemas, en las que revive aspectos de su vida, desde la infancia hasta los días de la guerra (una sección está dedicada a sus relaciones con María Teresa León). Coméntese el texto 29.

En otros libros de esta etapa, Alberti refleja unas preocupaciones muy diferentes. Así ocurre con *A la pintura*, una de sus más interesantes obras, en donde desarrolla sus viejas aficiones pictóricas y sus teorías sobre estética. A lo largo del libro alternan los poemas en los que recrea técnicas y estilos pictóricos, en forma de sonetos, con los que dedica a un pintor que ejemplifica esas técnicas (de unos y de otros damos un ejemplo en los poemas 27 y 28).

Desde su instalación en Italia, a la que considerará su segunda patria, Alberti, aunque siempre con la mirada puesta en España, presta una mayor atención a acontecimientos de carácter mundial (la guerra del Vietnam, el golpe militar en Chile). Las incertidumbres y temores de sus primeras obras del exilio van dejando paso a una poesía más distendida y abierta a las inquietudes y a las aspiraciones de universalidad humana que había propagado en los años treinta.

Los libros más destacados de esta etapa son *Roma, peligro para caminantes*, en el que abundan los tonos humorísticos y satíricos (véase el [34]), y *Canciones del alto valle del Aniene*, en donde describe la Italia lírica de los campos.

Pero en uno y otro, como puede verse en los textos 33 y 34, se remonta, una vez más, a su añorada España.

IX. Luis Cernuda

La realidad y el deseo

La obra de Cernuda, a pesar de los lógicos cambios estilísticos y temáticos que sufre a lo largo del tiempo, guarda una notable unidad y presenta una estrecha relación con su vida. Toda ella constituye una proyección y un retrato moral del hombre que siente, piensa, ama, contempla o desprecia. Esto no quiere decir que esté siempre escrita en primera persona o que se empleen habitualmente fórmulas directas de comunicación. Cernuda mostró con frecuencia sus reservas frente al uso del yo en literatura y, en algunas de sus obras, más por pudor que por un deseo consciente de enmascarar su intimidad, lo evitó de modo sistemático, aunque hablara en nombre propio.

El tema que destaca en toda su producción, de carácter netamente romántico y, al mismo tiempo, eterno, es el de la lucha dolorosa entre sus anhelos, libres e ilimitados, y las dificultades de materializarlos, entre el deseo y los límites que a este imponen unas leyes y normas sociales y humanas coercitivas. En el poema «Música cautiva», de *Desolación de la Quimera,* escribirá:

> «Tus ojos son los ojos de un hombre enamorado;
> Tus labios son los labios de un hombre que no cree
> En el amor». «Entonces dime el remedio, amigo,
> Si están en desacuerdo realidad y deseo.»

Este desacuerdo, que irá en progresivo aumento, entre su yo y el mundo, entre su amor por lo natural y auténtico y una sociedad mezquina e hipócrita, lo mismo que su sensibilidad exacerbada, su conciencia de sentirse otro y diferente a los demás y las dificultades que encontró para adaptarse a los diferentes lugares en los que transcurrió su vida, lo lleva-

rán al aislamiento y a una amarga y violenta soledad, pero
también a reafirmar, con una actitud de rebeldía y desafío
que recuerda la de algunos poetas decimonónicos, su inde-
pendencia, su individualidad y sus peculiaridades, incluida
su nunca disimulada homosexualidad. En la *Poética* que
precede a sus poemas en la *Antología* de Gerardo Diego
confiesa: «No sé nada, no quiero nada, no espero nada. Y si
aún pudiera esperar algo, sólo sería morir allí donde no
hubiese penetrado aún esta grotesca civilización que enva-
nece a los hombres.» En la escena V de su única obra de
teatro, *La familia interrumpida,* uno de los personajes, don
Ventura, resume el conflicto central de toda su producción:
«Todos los sueños son irrealizables en este mundo. Por
modestos que sean, la realidad los aventa como lo que son:
humo, menos que humo.»

Realidad y *deseo* son, por tanto, las dos palabras que nos
dan la clave para aproximarnos a su obra. Debe tenerse en
cuenta que el deseo, siempre idéntico en su esencia, está
condicionado por una realidad cambiante y variable. De ahí
que el poeta, consciente de su importancia, se esforzara
incansablemente en explorarla, en desvelar el sentido profundo del mundo en que vivió y de actuar en consecuencia.
«El instinto poético —confesará— se despertó en mí gracias
a la percepción más aguda de la realidad, experimentando,
con un eco más hondo, la hermosura y atracción del mundo
circundante.»

Téngase presente también que su anhelo de desentrañar
la verdad profunda de su destino existencial, y, por extensión, la del destino de los demás hombres, lo llevó muchas
veces, tras una reflexión analizadora, a despojar las experiencias reales de las que parte de lo anecdótico y circunstancial, con el fin de otorgarles un carácter universal.
Percepción-querencia-entendimiento son las tres etapas mediante las cuales una vivencia se purifica gradualmente
hasta convertirse, al estar frenada y controlada por el

pensamiento, distante ya del hecho que la provocara, en una aquilatada imagen mental objetiva y ejemplar.

A través de los poemas de esta *Antología* deben señalarse las más importantes derivaciones temáticas a que da origen esta contraposición entre realidad y deseo. Anticipemos algunas de las más importantes: la imposibilidad de seguir los dictados de la imaginación, la añoranza de un mundo habitable, la soledad, el ansia de alcanzar y poseer la belleza absoluta, la angustia ante el paso del tiempo y, como consecuencia, el deseo de inmovilizar y eternizar lo transitorio, y, sobre todo, la conciencia del fracaso a que está abocado todo amor, al que, no por eso, dejará de exaltar reiteradamente (tiempo y muerte, amor y soledad, no se presentan como términos antitéticos, sino correlativos).

El contraste entre la voluntad de eternidad y la condena a permanecer instalado en un tiempo fugaz confiere a su poesía un marcado sentimiento elegíaco.

El amor: Ampliemos también, con respecto al último de los puntos señalados, que Cernuda nos presenta el amor como una pasión y una fuerza que aspira a la comunicación, espiritual y sexual, con el amante, sea de una u otra naturaleza. «Todo lo que vive, por el hecho de vivir, está dentro de lo natural, y en cuanto natural, es normal. Es la costumbre, vulgar y justamente llamada segunda naturaleza, la que impide verlo así [...]. No es el objeto del sentimiento amoroso lo que califica o descalifica a éste, sino que es el sujeto de tal sentimiento quien le confiere dignidad.»

En fecha tardía hasta considerará implícitamente el sexo como el primer paso que puede favorecer una unión casi mística con la creación: «nada puedes percibir, querer ni entender —escribe en «El acorde», de *Ocnos*— si no entra en ti primero por el sexo, de ahí al corazón y luego a la mente; por eso tu experiencia, tu acorde místico, comienza como una prefiguración sexual. Pero no es posible buscarlo ni provocarlo a voluntad; se da cuando y como él quiere. Borrando lo que llaman otredad, eres, gracias a él, uno con el mundo, eres el mundo».

Sin embargo, la relación amorosa, como el resto de sus anhelos vitales, está condenada irremisiblemente a la frustración. El amante busca una posesión erótica (física y efímera), pero no se satisface con ella, puesto que anhela una posesión absoluta (espiritual y eterna) que está abocada al fracaso, ya sea por el egoísmo de la persona amada (personificada habitualmente en Cernuda en adolescentes incapaces de proporcionar una satisfacción plena) o por el intento imposible de querer fijar lo efímero y pretender dar eternidad a lo temporal.

Puede contrastarse esta concepción del amor con la de Salinas, Aleixandre y otros poetas del 27.

Deben comentarse también, incluyendo el texto de *Ocnos* [20], los diferentes tonos, formas, léxico e imágenes con que se va manifestando a lo largo del tiempo el desacuerdo entre el poeta y el mundo circundante, entre su sistema personal de valores y el oficial de su época.

Trayectoria poética

1. Primera etapa

En *Primeras poesías* se han señalado, con frecuencia, posibles influencias de Bécquer, Juan Ramón Jiménez, Mallar-

mé y, sobre todo, de Jorge Guillén. Sin embargo, el tono
elegíaco, la melancolía que traspasa los poemas en que nos
habla del tiempo fugitivo (coméntese el [1]) y de una
existencia estéril, y los ambientes otoñales y crepusculares,
contrastan con la exaltación jubilosa del presente, habitual
en J. Guillén. El libro ya nos sitúa en la órbita emocional y
lingüística de Cernuda y apunta algunos de los temas que
desarrollará más tarde (la realidad y el deseo aparecen ya
aquí, pero sin el carácter de enfrentamiento y lucha que
tendrán en su obra posterior).

La pulcritud formal que revela esta obra continuará en
Égloga, elegía, oda. El poeta se inclina ahora por los metros
clásicos (el afán clasicista está incluso presente en el título),
y muestra un notable dominio en el terreno de la métrica.
Sin embargo, frente a la moda gongorina de esos años,
manifiesta una mayor inclinación por Garcilaso, fray Luis
de León y los poetas franceses Mallarmé y Valéry.

En este libro, traspasado de melancolía, Cernuda nos
revela ya su condena a aspirar a un mundo ideal que sabe
inalcanzable.

En sus dos obras siguientes, *Un río, un amor* y *Los placeres
prohibidos*, se aproxima al surrealismo. La nueva estética le
ofrece una puerta abierta para poder expresar, sin inhibiciones, su mundo interior y su rebeldía frente a las convencio-
nes artísticas y sociales.

Adviértase, sin embargo, la coherencia de la mayor parte
de las imágenes y cómo, en este sentido, Cernuda se
muestra menos audaz que Lorca, Alberti y Aleixandre en
algunas de las obras que escriben por esas fechas.

Con *Un río, un amor* empieza a desarrollarse uno de los
temas centrales de su obra: la imposibilidad de satisfacer los

impulsos amorosos («No intentemos el amor nunca», «Desdicha», «Drama o puerta cerrada», «Destierro», «Razón de las lágrimas», son los títulos de algunos poemas). Además de mostrar su desolación ante los desengaños personales («Desdicha»: 3), Cernuda se rebela contra las injusticias existenciales de un mundo hostil que niega el amor y que deja al hombre ante la única verdad que existe: la muerte («¿Son todos felices?»: 4). En alguna ocasión, el poeta evoca ilusiones juveniles que, con el fluir del tiempo, han ido marchitándose («Como el viento»: 2).

Obsérvense los tonos sarcásticos y desgarrados con que a veces se expresa y cómo, a pesar de su contenido amoroso, son escasos los elementos eróticos o las alusiones al placer en estos poemas

---

En *Los placeres prohibidos,* la jubilosa experiencia del amor se mezcla con un fuerte sentimiento de soledad y de vacío espiritual. Con imágenes de enorme violencia y fuerza expresiva, Cernuda vierte ya aquí su orgullo de poeta rebelde, enfrentado al mundo, a sus leyes y códigos, y proclama la condición solitaria, altiva, libre, del que escoge el amor prohibido [5].

Téngase en cuenta que, aunque se intensifica el uso del yo, Cernuda trasciende con frecuencia la anécdota personal y se remonta a un plano general y universal. También que, si bien algunas veces presenta el conflicto entre sus inclinaciones sexuales y una sociedad que las rechaza, exalta el amor, el placer y el deseo, pese a su carácter efímero y al vacío que dejan cuando desaparecen, como únicas fuerzas que dan sentido a la vida y que enaltecen, dignifican y liberan al hombre. La pasión erótica es un medio de trascender la mezquindad del mundo visible y de lograr la comunión con una realidad superior.

«Si el hombre pudiera decir» [7] es quizá el poema que resume con mayor exactitud esta idea. Coméntense tam-·bién los números 5 y 6.

Donde habite el olvido, cuyo título procede de un verso de la rima LXVI de Bécquer, es el libro más introspectivo e intimista de Cernuda. Predomina en él la primera persona, pero se trata de un yo escindido entre lo que el poeta fue y lo que ya no es, entre una plenitud pretérita y una desposesión actual.

Compuesto a raíz de un reciente desengaño sentimental, el amor es presentado como una experiencia amarga: cuando desaparece, nada queda, sólo el recuerdo de un olvido.

Las ideas centrales del libro aparecen reflejadas con nitidez en los poemas 8, 9 y 10. Obsérvese que en el primero [8] no sólo propugna un regreso a la región remota de indiferencia e ignorancia, sino que hasta llega a desear una inconsciencia total, que implicaría una muerte espiritual e incluso física, con el fin de borrar todo recuerdo del pasado. «Olvido» es aquí el término clave que propicia la reducción del conflicto entre realidad y deseo. Adviértase también que en dichos poemas se produce una atenuación del papel que la imagen había jugado en *Un río, un amor.*

En *Invocaciones,* su siguiente libro, aparecen temas habituales en Cernuda: las reflexiones sobre el destino del artista, la expresión de la soledad y, sobre todo, la exaltación de la belleza, de la libertad y de lo pagano, frente al cristianismo y a los valores materialistas burgueses. «Soliloquio del farero» [11] debe considerarse como una de las más acabadas muestras de la expresión de su soledad.

Debe tenerse muy presente que, a partir de *Donde habite el olvido*, Cernuda, desde un punto de vista estilístico, emprende un camino personal, con voz única e inconfundible. Fue quizá el poeta de su generación que llevó más lejos el deseo de renovación radical y de ruptura con la tradición poética española. El rechazo de la rima, de los ritmos demasiado marcados, la profusión de encabalgamientos, el uso sistemático del versículo, aunque ocasionalmente vuelva a los metros tradicionales, la sustitución de un lenguaje brillante por otro más directo y coloquial, pueden contribuir a que su poesía pueda parecer prosaica a los habituados a unas formas musicales y coloristas.

Sin embargo, la contención y economía expresivas, el desprecio de la elocuencia y de las galas retóricas, el verso de apariencia descuidada, no ocultan nunca un complejo proceso de elaboración. Cernuda consigue dar al verso español una inflexión meditativa. Lo que le importa no es la riqueza de imágenes, sino la hondura de sugerencias, el lenguaje depurado y denso, la sumisión de la palabra al ritmo del pensamiento poético.

En este cambio tuvieron una importancia destacada diversos poetas ingleses y alemanes, a través de los cuales llegó también hasta Grecia y el paganismo. En *Historial de un libro* puntualizará:

> Pronto hallé en los poetas ingleses algunas características que me sedujeron: el efecto poético me pareció mucho más hondo si la voz no gritaba ni declamaba, ni se extendía reiterándose, si era menos gruesa y ampulosa. La expresión concisa daba al poema contorno exacto, donde nada faltaba ni sobraba, como en aquellos epigramas admirables de la antología griega. Aprendí a evitar, en lo posible, dos vicios literarios que en inglés se conocen, uno, como *pathetic fallacy*..., lo que pudiera traducirse como engaño sentimental, tratando de que el proceso de mi experiencia se objetivara, y no deparase sólo al lector su resultdo, o sea, una

impresión subjetiva; otro, como *purple patch* o trozo de bravura, la bonitura y lo superfluo de la expresión, no condescendiendo con frases que me gustaran por sí mismas y sacrificándolas a la línea del poema, al dibujo de la composición.

2. *Poesía del exilio*

El análisis, desde la perspectiva del exilio y la derrota, de un país del que, por diversos motivos, se siente expulsado, la visión de un momento de la historia que se despide para siempre, la interrogación sobre el posible objeto de la existencia, y una angustiada conciencia del paso de su tiempo vital son los temas más destacados de *Las nubes*, *Como quien espera el alba*, *Vivir sin estar viviendo* y *Con las horas contadas*.

Con *Las nubes*, que inicia en España y termina en Gran Bretaña, la poesía de Cernuda adquiere un carácter más pausado y meditativo. Las reflexiones éticas sobre la nueva realidad (cultural, histórica y geográfica) en que vive se intensifican y, como consecuencia de ello, los poemas se alargan y ofrecen un contenido más amplio. También la expresión de la intimidad y del yo remiten y dan paso a una mayor objetividad.

A las preocupaciones señaladas hay que añadir unas inquietudes religiosas que contrastan con el paganismo del libro anterior (coméntese «La visita de Dios»: 13). El poeta muestra una vaga confianza en algo superior y, desde su desamparo, invoca a un Dios cristiano y hasta apunta, como ocurre en «Lázaro», la posibilidad de una resurrección. Otras veces el tono religioso se hace desesperanzado: en «La adoración de los Magos», éstos, guiados por la estrella en busca de un redentor, hallan al fin una existencia «como la nuestra humana», es decir, desvalida, y dejan de creer.

También, lo mismo que en *Como quien espera el alba*, vuelve a unas formas métricas más regulares.

Cernuda comienza en este libro a lanzar imprecaciones contra la España tradicional, intolerante y fanática, y contra «la hiel sempiterna del español terrible, / que acecha lo cimero / con su piedra en la mano». Pero, al mismo tiempo, reivindica y defiende la España creadora y la de las empresas quiméricas.

Todo esto puede observarse en «Lamento y esperanza» [12]. Téngase presente que esta dicotomía se extenderá al resto de su otra, como puede verse en «Ser de Sansueña» [16], de *Vivir sin estar viviendo*.

En *Como quien espera el alba*, el estímulo de lo exterior y el sustento narrativo-descriptivo, tan importante en *Las nubes*, decrecen. Cernuda vuelve a manifestar su tendencia al apartamiento, a la ensoñación, a la exploración y concentración en sí mismo, a medida que tiempo y lugar lo alejan de lo que fue su mundo: «Ya en tu vida las sombras pesan más que los cuerpos», dirá en un poema.

Analícense, en relación con lo dicho, «Primavera vieja» [14] y «Amando en el tiempo» [15].

El amor y el erotismo, lo mismo que ocurría en *Las nubes*, apenas aparecen en esta obra. El poeta contempla un «ahora» personalmente amenazado e incierto (nótese el uso que hace de tiempos hipotéticos en «Primavera vieja» [14], y muestra el ansia de durar a través y por encima de un tiempo que tasa las acciones de los hombres. Su vida, desprovista de objeto, se concentra con tanto más ahínco en la creación literaria. Esto explica la invocación de otros seres, solitarios y desplazados como él, que mostraron un desacuerdo con el mundo en que vivieron y que se refugiaron en el ejercicio de la palabra.

También en esta obra se intensifica la tendencia, que culminará en *Desolación de la Quimera,* a empedrar su poesía de citas y reminiscencias ajenas.

En *Con las horas contadas* y *Vivir sin estar viviendo,* lo mismo que en la citada obra, Cernuda, como puede verse en «Ser de Sansueña» [16], emplea con frecuencia la segunda persona verbal, aunque lo que cuenta sea más autobiográfico si cabe. El poeta cede la palabra a otros seres en los que objetiva y proyecta sus emociones. Su situación de aislamiento, sin una función vital definida, la consciencia de que su vida se le desvanece, provocan la separación radical de su ser mismo. El procedimiento también le confiere una mayor libertad de acción, ya que así puede explorar terrenos nuevos, religiosos e históricos, sin necesidad de un compromiso intelectual abierto.

Estas experiencias personales, teñidas de amargura, se desarrollan con pasión contenida, que puede llegar a un notable distanciamiento, o con acritud extrema. Sin embargo, la lógica del poema impone casi siempre una notable frialdad y modera la tentación de excesos expresivos.

Desolación de la Quimera (el título procede de un verso del poeta inglés Eliot) es una de las obras que mayor influencia ha tenido en los poetas de estas últimas décadas. Cernuda, con tonos secos y amargos, recupera el yo y emplea un lenguaje directo e informal, desprovisto de halagos verbales, con incursiones deliberadas en lo prosaico y familiar. Todo el libro está cruzado por la idea de la despedida y el adiós a la vida, como si presintiera que es el último que ha de escribir. Para Luis Antonio de Villena: «la sensación de repaso a su propia obra y el recuento de temas, matizacio-

nes, amigos y enemigos que llenan el libro, son otra forma
indirecta de probar la sensación de conclusión, testamento y
fin que lo caracteriza».

En el libro se condensan temas habituales en Cernuda: la
recuperación de la infancia, el destierro [18] y el destino del
artista y la salvación por la obra de arte. Cernuda exalta,
con lo que lleva a cabo su propia defensa, a los creadores
(Mozart, Tiziano, Goethe) que con su genio han compensa-
do la torpeza y la maldad de los seres humanos y acusa a
una sociedad que sólo admira a los artistas después de su
muerte.

A veces, como ocurre en «Luis de Baviera», uno de sus
más importantes poemas (no lo hemos incluido aquí debido
a su extensión), se vale de un personaje histórico que le sirve
de máscara.

«Birds in the night» [17] puede servir para analizar todos
estos puntos. Determínense los posibles ecos autobiográfi-
cos que pueda haber en este texto.

También Cernuda, a través de la evocación de su última
aventura sentimental [19], vuelve a exaltar el más preciado
de sus deseos: el amor. Pero también de él se despide
melancólicamente. «Mano de viejo mancha / El cuerpo
juvenil, si intenta acariciarlo», dice en «Despedida». En
«Pregunta vieja, vieja respuesta», precisa: «El hombre que
envejece, halla en su mente, / En su deseo, vacíos, sin
encanto, / Dónde van los amores».

X. Manuel Altolaguirre

Lo primero que debe tenerse en cuenta es el limitado
interés de Altolaguirre por las modas literarias (las vanguar-

dias y el gongorismo) de su época. Esto no le impidió servirse esporádicamente de imágenes vagamente surrealistas y de escribir en 1927 un poema culterano de más de doscientos versos, «Poema del agua», en honor de Góngora. Sin embargo, él mismo confesará su devoción por otros escritores clásicos (Garcilaso de la Vega, sobre quien escribió una biografía, y San Juan de la Cruz) y por la poesía de Juan Ramón Jiménez y de Pedro Salinas.

En segundo lugar, debe observarse la gran unidad temática y estilística que mantiene en todos sus libros (algunos de ellos recogen, de forma antológica, su producción anterior).

Para el estudio de su obra pueden tenerse en cuenta los siguientes puntos:

a) La marcada propensión de este poeta a expresar su intimidad. El análisis de sus vivencias y sentimientos, la expresión directa y sin rodeos de éstos, aunque aparezcan idealizados y espiritualizados, lo alejan de las corrientes deshumanizadas de los años veinte y lo aproximan al romanticismo.

El mundo interior y la inspiración se imponen siempre en su poesía al pensamiento, la reflexión y el razonamiento.

Por su carácter efusivo, Altolaguirre se presenta como el poeta más comunicativo del 27, el que entra más pronto en contacto con el lector.

b) Como ocurría con Salinas, también la poesía constituye para Altolaguirre una fuente de conocimiento. Esto le obliga a partir de la realidad y del mundo de la naturaleza (nótese que en el poema 1, consciente del terreno en que se mueve, forma con su sombra, con su límite, una unidad óntica sin prolongación).

Sin embargo, el poeta se esfuerza en buscar lo que subyace por debajo de la superficie de las cosas. De esta forma puede despojarlas de sus características temporales y, valiéndose de un lenguaje ascético-místico y de símbolos de larga tradición (el del árbol, por ejemplo), establecer un

enlace entre el mundo visible y el invisible. A veces, a partir
de lo que observa, se eleva hasta la expresión de una idea
(«Playa»: 1) o se adentra en los terrenos del símbolo («La
nube»: 11). Cernuda, que se refirió a esa sensación de
«misterio penetrado» que transmiten muchos de sus poemas,
precisa:

> No quiero decir que Altolaguirre sea, en sentido estricto, un
> poeta religioso, pero sí pudiera considerársele así, en ocasio-
> nes, por ese poder visionario que lo anima y levanta de la
> tierra sin que él parezca poner nada de su parte; es un estado
> pasivo, un estado de trance, durante el cual el poeta va
> diciendo versos de cuya concepción no se le diría enteramen-
> te consciente y de los que en estado normal no sabría dar
> cuenta.

c)   Por último, Altolaguirre considera la poesía como un
vehículo idóneo para entablar un diálogo creador y cordial
con el hombre y con el mundo. Este deseo de comunicación
se irá acentuando con el paso del tiempo. «La poesía
—dirá— salva no solamente al que la expresa, sino a todos
cuantos la leen y recrean». En el poema final de *Las islas
invitadas* («Nunca más»: 8) precisa: mi soledad, «en esta luz
de espanto, / es un nuevo fantasma / sin materia; / es un
simple contorno / sin un mínimo alambre / o esqueleto».

El siguiente texto, en el que se condensan muchas de sus
preocupaciones, puede servir también de ayuda para entender su poesía:

> La poesía, ya sea exterior o profunda, es mi principal fuente
> de conocimiento. Me enseña el mundo, y en ella aprendo a
> conocerme a mí mismo. Por eso el poeta no tiene nunca
> nada nuevo que decir. La poesía es reveladora de lo que ya
> sabemos y olvidamos. Sirve para rescatar el tiempo perdido,
> para levantar el ánimo, para tener alma completa, y no
> fugaces momentos de vida. En ella ensayamos la muerte,

más que con el sueño. Ella nos libera de lo circunstancial, de lo transitorio. Ella nos hace unánimes, comunicativos. El verdadero poeta nunca es voluntario sino fatal. (No existen los poetas malditos). La poesía salva no solamente al que la expresa, sino a todos cuantos la leen y recrean. Tiene más espíritu el buen lector que el buen escritor, porque el primero abarca mayores horizontes. Aún no he llegado a ser un buen lector de mi poesía. Aún no he logrado sentir todo lo que espero haber dicho.

Los temas más destacados de toda la producción de este autor son: el amor, que cobra fuerza e intensidad a partir de *Poesía;* la soledad, su eterna compañera; el paso destructor del tiempo, la preocupación, con tonos vagamente existenciales, por la muerte, y la relación con la naturaleza (palabras como soledad, muerte, noche, sombra y sueño se repiten con frecuencia en sus poemas). A veces se presenta el correlato amor y muerte (en uno de los poemas de *La lenta libertad* llegará a afirmar: «Mi vida está enamorada / su prometida es la muerte»), o se considera la relación amorosa como un camino que conduce a la soledad (uno de sus libros lleva el expresivo título de *Soledades juntas*).

En la primera parte del poema «Tus palabras» [4], la voz de la amada, su «ala derecha», lo lleva a un «cielo blanquísimo». Pero inmediatamente, sin transición, pasa de la exaltación a la melancolía y nos enfrenta con el dolor que su ausencia le provoca. Analícense también los 2, 3, 7 y 8.

Constituyen una excepción, en relación con lo dicho, los poemas que escribió durante la guerra, los de *Nube temporal,* que se abre con una elegía en honor de F. García Lorca también dedicó otros poemas a Antonio Machado y a

Miguel Hernández), y los que se refieren a su crisis matrimonial en 1943.

Por otra parte, es fácil observar que en el exilio se desarrollan una vagas inquietudes religiosas [10] (recuérdese que algo parecido ocurría con Cernuda), se intensifican los tonos nostálgicos y aparece, esporádicamente, la visión del exuberante paisaje mexicano.

> Deben comentarse, en relación con esto último, los poemas 9, 11, 12 y 16. Obsérvese que ninguna de estas inquietudes de Altolaguirre alcanza la expresión desgarrada ni los tonos acres de Cernuda y de otros escritores que se exiliaron.

En toda esta obra, de notable sencillez formal y de escasos juegos de ingenio, dominan el estilo nominal, como corresponde a la actitud contemplativa del poeta, y una rica adjetivación, de carácter analítico generalmente (en la última etapa, sin embargo, pueden rastrearse unos tímidos y siempre moderados alardes retóricos). Son frecuentes las elipsis verbales y un ritmo y una musicalidad muy marcados, conseguidos muchas veces por medio de paralelismos, anáforas y enumeraciones.

> Señálense los poemas en donde se advierten con mayor nitidez estos rasgos estilísticos.

Desde un punto de vista métrico, Altolaguirre siente predilección por las estrofas breves, con versos cortos, sin rima o con rima asonante (en fecha tardía dará entrada a estructuras más cerradas y a formas clásicas, como por ejemplo, el soneto).

Luis Cernuda, el mejor comentarista que ha tenido hasta hoy Altolaguirre, resume con bastante precisión los valores generales de su poesía:

> Altolaguirre no escribió mucho, ni es de valor igual todo lo que escribió. Era un poeta de íntima espiritualidad, cosa que se ha ido haciendo rara en la actual poesía española, humanísimo, dotado de otro don poético también raro en aquélla: el de la melodía de su verso, el del alzar su palabra en el aire por virtud de la música con que la anima, que es una de las pruebas de que nos hallamos ante un poeta indudable.

ÍNDICE DE POEMAS

SE TERMINÓ DE IMPRIMIR ESTA EDICIÓN
EL DÍA 7 DE MAYO DE 1990

LAUS  DEO